陆游诗文

鉴赏辞典

特　装　本

上海辞书出版社文学鉴赏辞典编纂中心　编

上海辞书出版社

《陆游诗文鉴赏辞典》领衔撰稿

钱仲联	袁行霈	霍松林	张燕瑾
刘学锴	陈祥耀		

撰稿人（按姓氏笔画排列）

王英志	王镇远	邓韶玉	艾治平	史双元
刘水云	刘立人	刘学锴	刘禹昌	汤华泉
李正民	李廷先	李济阻	李敬一	杨钟贤
杨海明	吴孟复	何满子	张燕瑾	张　翰
陈邦炎	陈志明	陈振鹏	陈祥耀	陈榕甫
林家英	孟庆文	赵其钧	袁行霈	夏承焘
钱仲联	徐少舟	黄国声	黄　珅	崔承运
蒋见元	程一中	赖汉屏	霍松林	

前言

陆游（1125—1210），南宋文学家。字务观，号放翁。越州山阴（今浙江绍兴）人。两岁遭靖康之难，随父南迁，历尽艰难。高宗绍兴十三年（1143）进士试落第，二十三年（1153）漕试第一，然次年参加礼部试时为秦桧黜落。二十八年为福州宁德县主簿。绍兴三十二年（1162），赐进士出身。孝宗隆兴二年（1164）调镇江府通判。乾道二年（1166）在隆兴通判任，后罢官。六年起任为夔州通判，八年为四川宣抚司干办公事。淳熙二年（1175）范成大荐为成都府路安抚使司参议官兼四川制置使司参议官。三年免官，四年知叙州。十四年在严州任。十六年任礼部郎中兼实录院检讨官。宁宗嘉泰二年（1202）以原官提举佑神观兼实录院同修撰兼同修国史。

陆游诗文生前即为世人推重。朱熹谓“放翁老笔尤健，在今当推为第一流”（《答巩仲至第十七书》），杨万里则誉之为“重寻子美行程旧，尽拾灵均怨句新”（《跋陆务观剑南诗稿二首》之一）。其经历丰富、视野阔大，师法广泛，故能突破江西诗派藩篱，自成一家，形成豪宕丰腴之特色。其诗“多豪丽语，言征伐恢复事”（罗大经《鹤林玉露》卷四），读之令人荡气回肠。代表作有《关山月》《书愤》等。写景纪游诗如《游山西村》《怡斋》等，情景融洽。其诗风格多样，富于变化，“能出奇无穷者”（汪琬《剑南诗选序》），故汪琬以为南宋诗坛可称大家者仅陆游一人。亦擅词，杨慎言“放翁词纤丽处似淮海，雄慨处似东坡”（《词品》卷五）。文亦堪称大师，《入蜀记》写景传神，引人入胜。其四六文以单行之神入排偶之中，富于创新。著有《老学庵笔记》《剑南诗稿》《渭南文集》《放翁逸稿》《南唐书》等。

本书是本社中国文学名家鉴赏辞典系列之一，精选陆游代表作品 109 篇，其中诗 69 篇、词 26 篇、文 14 篇，另请当代研究专家为每篇作品撰写鉴赏文章。其中诠词释句，发明妙旨，有助于了解陆游名篇之堂奥，使读者尝鼎一脔，更好地领略陆游豪宕丰腴、宏大多姿、独步南宋的文学成就。另外，书末还附有《陆游生平与文学创作年表》，供读者参考。不当之处，尚祈指正。

上海辞书出版社文学鉴赏辞典编纂中心

2020.7

目录

诗

目录

目录

目录

诗

shi

度浮桥至南台

原文

客中多病废登临，闻说南台试一寻。
九轨徐行怒涛上，千艘横系大江心。
寺楼钟鼓催昏晓，墟落云烟自古今。
白发未除豪气在，醉吹横笛坐榕阴。

鉴赏

陆游《跋盘涧图》说："绍兴己卯、庚辰之间，余为福州决曹。"己卯、庚辰为绍兴二十九年(1159)、三十年，即陆游三十五岁与三十六岁时。决曹，汉郡佐官，在宋为司理参军。这首诗是绍兴二十九年初到福州之作。

陆游前期的诗，曾受梅尧臣以及"江西诗派"的吕本中、曾幾的影响，有一些涩淡的作品，但他才气横溢，有"小李白"之称，又自少喜读王维、岑参的诗，故雄伟瑰丽之作尤多，这首诗即属于后一类。

题为《度浮桥至南台》，度，或本作渡。浮桥，今福州市闽江旧大桥，原名万寿桥，宋时尚为由船只联成的浮桥，元代才改建石桥。宋梁克家辑《三山志》说："浮桥。由郡直上南台，有江广三里，扬澜浩渺，涉者病之。"元祐八年(1093)，郡人王祖道"造舟为梁"，"北港五百尺，用舟二十"，"南港二千五百尺，用舟百"，舟上架板,“翼以扶栏,广丈有二尺,中穹为二门,以便行舟,左右维以大藤缆,以挽直桥路。于南、北、中岸植石柱十有八而系之,以备痴风涨雨之患。”可见规模相当大。南台,在浮桥南边。首联说客中多病,闻南台之名而试作一次探访,是出游缘起,平平叙入。次联写渡桥,表桥的壮观,诗笔也转为雄壮。“千艘横系”,指架桥;“九轨徐行”,指桥面广阔,如可行车马的“九轨大道”。江大水流急,故称“怒涛”;“徐”“怒”互为映照。“九轨”“千艘”是虚指、夸张之词,但看来浮桥的雄伟气象,非此不能表达,虚不妨实,以虚见实。颈联写至南台的所闻所感。宋时福州的大小寺庙很多,南台临江有天宁山,高可远眺郡城内外,山上有天宁寺,《三山志》说:“危楼百级,波光入户,真江南之胜也。”附近还有泗州堂、钓鱼台院、高盖院等寺观,暮鼓晨钟,昏晓传声,故说“寺楼钟鼓催昏晓”。着一“催”字,便带有光阴在钟鼓声中暗暗消逝、年光虚度、壮志无成的感慨。南台地处城郊,四面多村落,江边眼界空阔,可以遥望云烟的起伏,这种情景,似乎古往今来就是如此。云烟自在起伏,不问古今的变化;古今的变化,也在云烟中自然过去。两者俱属无情,各行其是,互不关心;然又紧紧联系在一起:云烟不问古今,古今又运行于云烟中,故接着一句说,“墟落云烟自古今”。着一“自”字,也在冷静的叙述中透露感慨,并道出“古今”与“云烟”的联系。这一联境界阔,语调淡,而感慨深。

结联转感慨为豪逸。初入中年,便提“白发”,有旧时一般文人喜欢言老的习气;但一转是“豪气”犹在,便以后者“遮拨”前者,显示乐观、自豪的心情。接下一句,说榕阴吹笛,而又是醉坐以吹,则是对乐观、自豪行动的具体描写,以形象补足上句。福州旧有榕城之称,据载:“三山(福州别名)多榕,治平四年,张伯玉守福州，编户植榕。熙宁以来，绿阴满城，暑不张盖。”记载可能有些夸张，但陆游写诗，距神宗熙宁年间不及百年，则榕树必然还很茂盛，故有坐榕阴吹笛之事。

这首诗虽是陆游早期作品，但已显露于晓畅流动中见雄壮的风格。《唐宋诗醇》对中间二联的评点是准确的：“颔联写浮桥，语颇伟丽；五六雄浑中兴象自远，有涵盖一切之气。”可惜还未指出结联能以回抱之笔生豪逸之情的好处。

（陈祥耀）

望江道中

原文

吾道非邪来旷野，江涛如此去何之？
起随乌鹊初翻后，宿及牛羊欲下时。
风力渐添帆力健，橹声常杂雁声悲。
晚来又入淮南路，红树青山合有诗。

鉴赏

宋孝宗乾道元年(1165)夏，诗人由镇江通判调任隆兴府(治今江西南昌)通判，溯江西上。本篇是船经望江(今属安徽)道中时所作。据末句，诗人到望江一带，已是“红树青山”的秋天了。

起联从眼前的江道发兴，起得劲健有力。《史记·孔子世家》：“孔子知弟子有愠心，乃召子路而问曰：诗云‘匪兕匪虎，率彼旷野。’吾道非邪？吾何为于此?”首句即用此典。浩渺江波，茫茫旷野，一身孤孑，仆仆道途，伤心国事，无力回天，不免产生“吾道非邪”的感叹。《论语·微子》：“滔滔者，天下皆是也，而谁以易之?”次句就眼前景色起兴，暗用其意。意思是：鸟兽不可与同群，我怎能避世？这一联正是由景及情，抒发了诗人的悲愤心情。陆游由镇江通判调任隆兴府通判，与他坚主抗战、“力说张浚用兵”有关。因此，他在调离前线的途中，产生“吾道非邪”和“滔滔皆是”之慨。自己过去的道路难道真的走错了吗？将来又究竟奔向何方？这正是诗人苦闷、寂寞和忧愤心声的流露。经史典故和散文化句法的运用，加强了苍古劲拔的气势。

颔联转笔写旅途中的早起晚宿："起随乌鹊初翻后，宿及牛羊欲下时。"乌鹊初翻，暗用曹操《短歌行》"月明星稀，乌鹊南飞。绕树三匝，何枝可依"诗意；"牛羊欲下"，用《诗·王风·君子于役》"日之夕矣，羊牛下来"诗意。两句形容自己在道途中，每天乌鹊刚飞起，天尚未大亮时就动身出发；傍晚牛羊快要归家的时分才停船宿岸。这里写出了道途的辛苦，也隐透出无所依托的处境和外出行役的孤孑。句法上一下六，新颖工巧。

颈联由概述道路起宿转而描绘"望江道中"现境："风力渐添帆力健，橹声常杂雁声悲。"风力渐渐增强，风帆显得饱满，帆力也大多了；在轧轧的橹声中，常常杂有一两声孤雁的悲鸣。出句意兴稍为上扬，对句又转向下抑，扬抑之间，显示出诗人心潮的起伏变化。"雁声悲"，既透露孤孑之感与征行之苦，又暗示时令已到秋天，逗下"红树青山"，针线细密，过渡自然。上下句分别叠用"力"字、"声"字，句法浑圆。

"晚来又入淮南路，红树青山合有诗。"淮南路，宋代十五路之一，熙宁间分为东西二路。淮南西路辖境相当于安徽凤阳、和县以西，湖北黄陂、河南光山以东的江北淮南地区。这里当指属于淮南西路的望江道中一带。尾联瞻望前路，满眼红树青山，正可吟咏以自遣。这时诗人的心境平静下来，意绪稍稍振起，诗的情调也转为平缓。

（刘学锴）

新夏感事

原文

百花过尽绿阴成，漠漠炉香睡晚晴。
病起兼旬疏把酒，山深四月始闻莺。
近传下诏通言路，已卜余年见太平。
圣主不忘初政美，小儒唯有涕纵横。

鉴赏

这首七律，据末联“圣主初政美”之语，当作于孝宗即位之初，时间约为隆兴元年(1163)夏，时诗人自临安返山阴故里，借居云门寺。

首联写“新夏”景物：争芳竞艳的百花，已纷纷落尽，换以一片绿荫。缕缕炉香，在寂静中袅袅升起，诗人这时正在晏然静卧。两句写出初夏景色的特征，在充满生机的一片绿意中透出日长无事的闲静。诗人高卧晚晴，更显示出心态的平静。那静默中袅袅升起的炉烟便是这种心态的外化。

“病起兼旬疏把酒，山深四月始闻莺。”颔联分承“睡晚晴”与“绿阴成”，说自己病愈之后，难得喝酒；屈指算来，已有二十来天。所居的云门寺一带，山深林密，物候稍迟，直到四月，才头一次听到黄莺的鸣啭。上句写病后疏懒之态，下句带有春意尚存的欣喜。白居易《大林寺桃花》：“人间四月芳菲尽，山寺桃花始盛开。长恨春归无觅处，不知转入此中来。”“山深”句似亦微有此意，而山中与世相隔的意蕴也隐见言外。这一联初读时，上下句似不相涉，细味方感到其风调意境之美。一个患病新愈、有相当一段时间与外界没有接触的人，当他在“百花过尽绿阴成”的新夏，听到只有春天才有的流莺鸣啭，内心的欣喜是难以言喻的。谢灵运《登池上楼》写“卧疴”初起之际适遇“池塘生春草，园柳变鸣禽”的景色，与放翁此联的神味有相似处。

第三联转叙时事，正点题内“感事”：“近传下诏通言路，已卜余年见太平。”上句指孝宗即位之初下诏求直言事。在古代，君主广开言路（即使是极有限的）被视为政治清明的标志，因此，引出了下句，庆幸自己在暮年得见天下承平了。而这种心情，又透露出人们对高宗朝秦桧当权误国的不满。诗人时年三十九，已说“余年”，固然是旧时文人喜欢言老的习气，但也反映出现实政治对他的长期压抑。“近传”切上“山深”，与下“已卜”紧相呼应，表现出一种急切的期待和由衷的欣喜。

“圣主不忘初政美，小儒唯有涕纵横。”这一联上承“近传下诏”句，圣主指孝宗。他即位之初，锐意恢复，颇有振作气象，如诏中外士庶陈时政缺失，复胡铨官，追复岳飞官并以礼改葬，起用张浚等等，故诗人誉为“初政美”，并希望“圣主”不要忘记，意思是说，要坚持实行美政，不要改变。这一句微含讽谏之意。从诗人的欣喜之情可以看出他的念念不忘国事之心。

清代诗评家方东树《昭昧詹言》评这首诗说：“前半新夏，后半感事。情真语朴，意境绝佳。”前半流美圆转，特具风调之美；后半直接抒感，诚挚之情溢于言表，方氏以“情真语朴”来概括，是很确切的。

（刘学锴）

晚　泊

原文

半世无归似转蓬，今年作梦到巴东[①]。

身游万死一生地，路入千峰百嶂中。

邻舫有时来乞火[②]，丛祠[③]无处不祈风。

晚潮又泊淮南岸，落日啼鸦戍堞空。

〔注〕

① 巴东：郡名。东汉末年益州牧刘璋置，包括今重庆市奉节、云阳、巫溪诸县。

② 乞火：借火。

③ 丛祠：乡野林间的神祠。

鉴赏

宋孝宗乾道二年(1166)，宋金和议已成，政局逆转，放翁以"交结台谏，鼓唱是非，力说张浚用兵"(《宋史·陆游传》)之罪，被劾免归，闲居山阴四年之久。乾道六年，始除夔州通判，初夏自里赴任，乘舟溯长江西上。此诗即作于西行途中。

首句自慨身世飘零，如九秋飞蓬。"转蓬离本根，飘飖随长风"(曹植《杂诗》)，"多少残生事，飘零任转蓬"(杜甫《客亭》)。诗中一涉"蓬"字，诗人定有飘泊之恨。放翁于赴任前尝作诗自道："残年走巴峡，辛苦为斗米。"(《投梁参政》)通判本属下僚，夔州又在蜀地，为此微禄，离家远游，岂能无感？但放翁志存国家，不忘用世，闲居多年，方得此职，又不能轻弃，故虽怀"转蓬"之叹，仍作"西游"之梦。次句"梦到巴东"，正可见其赴任前不平静的心情。理解了他这种心情，也就能够理解其同时所作诗，为何又有"四方男子事，不敢恨飘零"(《夜思》)、"不恨生涯似断蓬"(《武昌感事》)等句。这种矛盾的心情，伴随着他西上赴任，也充分表现在沿途所作诗篇之中。

颔联遥想入蜀途中的险难。沿长江入蜀，必经三峡，夔州即在瞿塘峡口。夔门雄峙，危岩欲坠，高江急峡，惊涛如雷；巫峡重峦叠嶂，水复江回，峡气萧森，日隐月亏；西陵礁石如林，险滩成堆，黄牛愁客，崆岭泣鬼。故诗中谓之万死一生之地、千峰百嶂之路。柳宗元谪官永州，复徙柳州，作诗自叹："一身去国六千里，万死投荒十二年。"(《别舍弟宗一》)夔州僻远，与永州、柳州相近，放翁遭斥，不得重用，与子厚贬官情状也甚相似，故此句言"万死一生"，就不仅说道路艰险，且有身世坎坷之恨了。

颈联写眼前所见。相邻之船，时有人借火；处处野庙，都有船子祈祷顺风，正是夜泊情景。

末联总结全篇。晚潮落日，点泊舟之时；淮南江岸，示泊舟之地；鸦啼戍楼，状泊舟所见之景。这二句虽多陈词，但此时此地此景，正可显示出久经战乱的荒凉萧瑟景状，也与诗人飘泊无归的凄凉心情正相吻合。诗题、诗情，于此一联，全部托出。

放翁论作诗，曾道："大抵此业在道途则愈工，虽前辈负大名者，往往如此。愿舟楫鞍马间，加意勿辍，他日绝尘迈往之作，必得之此时为多。"(《与杜思恭书》)他此行入蜀，沿途作诗甚多，或写眼前景物，或咏历史陈迹，或抒心中情思，无不可观。但江山之助，必待有心之人。惟其有难已之情，方能随物赋形，对景写意，穷天地之变化，发造物之奥秘。长江万里，有多少客舟和放翁同时夜泊，但能即景命篇的又有几人？

（黄　珅）

秋夜读书每以二鼓尽为节

原文

腐儒碌碌叹无奇，独喜遗编不我欺。
白发无情侵老境，青灯有味似儿时。
高梧策策传寒意，叠鼓冬冬迫睡期。
秋夜渐长饥作祟，一杯山药进琼糜。

鉴赏

陆游自少至老，好学不衰，集中写夜读的诗篇，到八十岁以后还多见。他诗歌创作的高度成就，和这种好学精神是分不开的。这首诗写于乾道元年（1165）秋天他初任隆兴（治所在今江西南昌）通判时，年四十一。

陆游到南昌前，任镇江通判，与友人韩元吉、张仲钦、王明清、张孝祥等，得同游、唱酬之乐。改判隆兴，孤寂无侣，郁郁寡欢，公余更加肆力读书。首联自叹为“碌碌无奇”的“腐儒”，只喜有古人的遗书可读，是夜读的缘起，诗笔平平；联系陆游的生平抱负和志趣，内涵却不简单。陆游早年即抱报国壮志，不甘以“腐儒”自居，又颇以“奇才”自负；自称“腐儒”与“叹无奇”，都含有“世不我许，我不世与”——即当道不明、才不见赏之慨。“独喜遗编不我欺”，则含有不屑与世浮沉，而要坚持得自“遗编”的“济世”理想之意；与五十三岁时作的《读书》的“读书本意在元元（指人民）”，六十七岁时作的《五更读书示子》的“暮年于书更多味，眼底明明见莘渭（指伊尹、吕尚的进身济世）”，“万钟一品不足论，时来出手苏元元”，七十三岁时作的《读书》的“两眼欲读天下书，力虽不逮志有余。千载欲追圣人徒，慷慨自信宁免愚”，七十五岁时作的《冬夜读书示子聿》的“圣师虽远有遗经，万世犹传旧典刑。白首自怜心未死，夜窗风雪一灯青”，八十一岁时作的《读书示子遹》的“忍饥讲虞唐（指尧舜治国之道）”，“古言（指儒家的‘济世’理论与思想）不吾欺”，八十五岁时作的《读书》的“少从师友讲唐虞，白首襟怀不少舒。旧谓皆当付之酒，今知莫若信吾书”等句参看，其事自明。

次联从室内写夜读，是全诗最精彩的两句。陆游到老还以眼明齿坚自豪，而头上可能早已出现一些白发，故四十以前，即已谈及“白发”，这里出句也说是“白发无情侵老境”。这句孤立看便无奇；与下句作对，却构成很美的意境：头有“白发”逼近“老境”的人，对着“青灯”夜读，还觉得意味盎然，像儿时读书一样。“白发”“青灯”，“无情”“有味”，“老境”“儿时”，一一相映成趣，勾人联想。凡是自幼好学，觉得读书有味（这是关键），到老犹好学不倦的人，读了这联诗，都会感到亲切，无限神往，沉浸于诗人所刻画的夜读情景。这一联与后期的《风雨夜坐》中的“欹枕旧游来眼底，掩书余味在胸中”一联，最能打动中老年人胸中的旧情和书味，把他们的欲言难言之境与情写得“如在目前”。诗人六十三岁时所作《冬夜读书》的“退食淡无味，一窗宽有余。重寻总角梦，却对短檠书”，七十七岁时作的《自勉》的“读书犹自力，爱日似儿时”等句，可和此联参证。

第三联从室外写秋夜。在“高梧”树叶的摇落声中传来“寒意”;重复敲打的更鼓报过二更,明日公务在身,虽书兴犹浓,而“睡期”却苦不能延。策策、冬冬,声声到耳;秋夜深更,情景逼真。第四联以写入睡前的进食作结。忍饥读书,一杯山药煮成的薯粥,却认为胜过“琼糜”。这是从进食情况表现作者的清苦生活和安贫乐道、好学不倦的情怀。陆游八十四岁时作的《读书至夜分感叹有赋》的“老人世间百念衰,惟好古书心未移。断碑残刻亦在椟,时时取玩忘朝饥”等句,更可见出他这种生活与情怀贯彻始终。这两联笔调清淡,但意境不薄。

陆游诗风格在统一中呈现多样化,这首诗是他的平淡疏畅又富有深味的作品。

(陈祥耀)

上巳临川道中

原文

二月六夜春水生，陆子初有临川行。
溪深桥断不得渡，城近卧闻吹角声。
三月三日天气新，临川道中愁杀人。
纤纤女手桑叶绿，漠漠客舍桐花春。
平生怕路如怕虎，幽居不省游城府。
鹤躯苦瘦坐长饥，龟息无声惟默数。
如今自怜还自笑，敛版低心事年少。
儒冠未恨终自误，刀笔最惊非素料。
五更欹枕一凄然，梦里扁舟水接天。
红蕖绿芰梅山下，白塔朱楼禹庙边。

鉴赏

乾道二年(1166)春，诗人在隆兴府通判任上，被主和派以“交结台谏，鼓唱是非，力说张浚用兵”的罪名弹劾免职。二月初，他从南昌出发取道陆路，经临川、玉山等地回家乡山阴。三月初三(即题中“上巳”)，到达临川(今江西抚州)城外，准备去拜访一位名叫李浩(字德远)的朋友。这首七古就是其时所作。

起两句点明时令、行役。“二月六夜春水生”，用杜甫《春水生二绝》成句，这里只是大致交待出行时正遇春水初生的时节，次句正点题目。

接下来第三句“溪深桥断不得渡”，承首句“春水生”。溪、桥，当指盱水（即抚河）及河上的桥梁（是入临川城必经的桥）。因为溪深桥断，不能渡河入城，故而在城外客舍投宿，晚间睡卧中可以听到附近城头上吹角的声音。隔河听角，又是晚上，对近在咫尺的临川不得一睹风貌，更激起对它的想象。这是借此为下文作势。以上四句，总提“临川行”。

“三月三日”四句，转笔正面描绘上巳日临川道中情景。“三月三日天气新”，用杜甫《丽人行》成句，如同己出。“愁杀人”，形容春光的美好动人。“纤纤女手桑叶绿，漠漠客舍桐花春”，即具体描绘“愁杀人”的道中风景。“桐花春”，指桐花逢春开放。桐花红色，与呈青灰色的客舍相映；桑叶深绿，与纤纤素手相映。这风光，在温煦旖旎中带有轻淡的客愁。

“平生”四句，从临川道中所见转抒所感。“平生怕路如怕虎”，比喻新颖，与下句“幽居不省游城府”联系起来，为自己画出一幅厌弃尘俗的幽栖高士形象图。“鹤躯苦瘦坐长饥，龟息无声惟默数”两句，则进一步从外形的清瘦与平居的静默两方面显示了高士的形象。坐，因的意思，“鹤躯”句意谓因长饥而苦瘦。

“如今自怜还自笑，敛版低心事年少。儒冠未恨终自误，刀笔最惊非素料。”这几句大体上是从杜甫《莫相疑行》诗意化来，而翻出新意。“如今”二字，应上“平生”，折转到对当前处境的抒写，仍属道中所感。诗人感慨自己如今为了生计，不得不俯首低心，屈节事人，“年少”，当是指诗人的顶头上级。想来既可悲，又复可笑，因为这完全违背了自己的高洁本性。儒冠终误身（“儒冠”句化用杜诗“儒冠多误身”），我并不悔恨；在幕府中以刀笔为业（指任通判之职），与素愿相违，这才最为惊心。“未恨”“最惊”，两相对映，感情浓烈。

“五更欹枕一凄然，梦里扁舟水接天。红蕖绿芰梅山下，白塔朱楼禹庙边。”最后四句，以梦想归隐作结。“五更欹枕”“梦里”，遥应篇首“卧闻”；“梅山”，指梦里家山开遍梅花。禹庙在山阴，是诗人的家乡。这四句转出归隐之想，一结悠然，意境绵邈。“红”“绿”“白”“朱”等色彩字叠用，更具清丽之致。戴第元说：“结是唐人七古正调，用对结尤老。”（《唐宋诗本》评语）

陆游前期的七古，虽然也学杜甫（像这一首甚至屡用杜甫成句），但风格婉丽而不遒劲。他到达南郑前线以后，诗风起了变化，诗中才有纵横驰骤的气势。

（刘学锴）

游山西村

原文

莫笑农家腊酒浑，丰年留客足鸡豚。
山重水复疑无路，柳暗花明又一村。
箫鼓追随春社近，衣冠简朴古风存。
从今若许闲乘月，拄杖无时夜叩门。

鉴赏

这是一首纪游抒情诗。

首联渲染出丰收之年农村一片宁静、欢悦的气象。腊酒，指上年腊月酿制的米酒。豚，是小猪。足鸡豚，意谓鸡豚足。这两句是说农家酒味虽薄，而待客情意却十分深厚。一个“足”字，表达了农家款客尽其所有的盛情。“莫笑”二字，道出了诗人对农村淳朴民风的赞赏。

次联写山间水畔的景色，写景中寓含哲理，千百年来广泛被人引用。“山重水复疑无路，柳暗花明又一村。”读了如此流走绚丽、开朗明快的诗句，仿佛可以看到诗人在青翠可掬的山峦间漫步，清碧的山泉在曲折溪流中汩汩穿行，草木愈见浓茂，蜿蜒的山径也愈益依稀难认。正在迷惘之际，突然看见前面花明柳暗，几间农家茅舍，隐现于花木扶疏之间，诗人顿觉豁然开朗。其喜形于色的兴奋之状，可以想见。当然这种境界前人也有描摹，这两句却格外委婉别致，所以钱钟书说“陆游这一联才把它写得‘题无剩义’”（《宋诗选注》）。人们在探讨学问、研究问题时，往往会有这样的情况：山回路转、扑朔迷离，出路何在？于是顿生茫茫之感。但是，如果锲而不舍，继续前行，忽然间眼前出现一线亮光，再往前行，便豁然开朗，发现了一个前所未见的新天地。这就是此联给人们的启发，也是宋诗特有的理趣。人人读后，都会感到，在人生某种境遇中，与诗句所写有着惊人的契合之处，因而更觉亲切。这里描写的是诗人置身山阴道上，信步而行，疑若无路，忽又开朗的情景，不仅反映了诗人对前途所抱的希望，也道出了世间事物消长变化的哲理。于是这两句诗就越出了自然景色描写的范围，而具有很强的艺术生命力。

此联展示了一幅春光明媚的山水图；下一联则由自然入人事，描摹了南宋初年的农村风俗画卷。读者不难体味出诗人所要表达的热爱传统文化的深情。“社”为土地神。春社，在立春后第五个戊日。这一天农家祭社祈年，热热闹闹，吹吹打打，充满着丰收的期待。这个节日来源很古，《周礼》里就有记载[①]，到宋代还很盛行。苏轼《蝶恋花·密州上元》也说：“击鼓吹箫，却入农桑社。”而陆游在这里更以“衣冠简朴古风存”，赞美着这个古老的乡土风俗，显示出他对吾土吾民之爱。

前三联写了外界情景，并和自己的情感相融。然而诗人似乎意犹未尽，故而笔锋一转：“从今若许闲乘月，拄杖无时夜叩门。”无时，随时。诗人已“游”了一整天，此时明月高悬，整个大地笼罩在一片淡淡的清光中，给春社过后的村庄也染上了一层静谧的色彩，别有一番情趣。于是这两句从胸中自然流出：但愿而今而后，能不时拄杖乘月，轻叩柴扉，与老农亲切絮语，此情此景，不亦乐乎！一个热爱家乡，与农民亲密无间的诗人形象跃然纸上。

此诗写于孝宗乾道三年(1167)，在此之前，陆游曾任隆兴府通判，因为极力支持张浚北伐，被投降派劾以“交结台谏，鼓唱是非，力说张浚用兵”的罪名，罢归故里。诗人心中当然愤愤不平。对照诈伪的官场，于家乡纯朴的生活自然会产生无限的欣慰之情。此外，诗人虽貌似闲适，却未能忘情国事。秉国者目光短浅，无深谋长策，然而诗人并未丧失信心，深信总有一天否极泰来。这种心境和所游之境恰相吻合，于是两相交涉，产生了传诵千古的“山重”“柳暗”一联。

陆游七律最工。这首七律结构严谨，主线突出，全诗八句无一“游”字，而处处切“游”字，游兴十足，游意不尽。又层次分明，“以游村情事作起，徐言境地之幽，风俗之美，愿为频来之约”(方东树《昭昧詹言》)。尤其中间两联，对仗工整，善写难状之景，如珠落玉盘，圆润流转，达到了很高的艺术水平。

〔注〕

① 《周礼·春官·籥章》：“凡国祈年于田祖，吹《豳雅》，击土鼓，以乐田畯(农官)。”又《地官·鼓人》：“以灵鼓鼓社祭。”

(邓韶玉)

黄　州[1]

原文

局促常悲类楚囚[2]，迁流还叹学齐优。
江声不尽英雄恨，天意无私草木秋。
万里羁愁添白发，一帆寒日过黄州。
君看赤壁终陈迹，生子何须似仲谋[3]！

〔注〕

① 黄州：治今湖北黄冈。
② 楚囚：《左传·成公九年》："晋侯观于军府，见钟仪，问之曰：'南冠而絷者，谁也？'有司对曰：'郑人所献楚囚也。'"后借指处境窘迫之人。
③ 仲谋：即孙权。《三国志·吴书·吴主传》裴松之注引《吴历》："（曹操）喟然叹曰：'生子当如孙仲谋，刘景升儿子若豚犬耳。'"

鉴赏

此诗作于宋孝宗乾道六年（1170），时放翁西行入蜀，舟过黄州，见前代遗迹，念时势艰危，叹英雄已矣，顾自身飘零，无限伤感，油然而起，遂形诸诗篇。故题为《黄州》，诗却非专咏黄州；看似咏古之诗，实是伤怀之作。读此诗，决不可拘于题目，泥于文字，当于词意凄怆之处，识其愤激之情；于笔力横绝之处，求其不平之气；于音节顿挫之处，听其深沉之慨：

放翁越人，万里赴蜀，苦为微官所缚，局促如辕下驹。故首句即标其情，自悲如楚囚之难堪。《史记・乐书》：“自仲尼不能与齐优遂容于鲁。”司马贞《索隐》：“齐人归女乐而孔子行，言不能遂容于鲁而去也。”此所谓“齐优”，与放翁行迹，殊不相类。故次句“齐优”二字，实放翁信手拈来，率尔成对，未必真用以自喻。首联所写，全在“局促”“迁流”四字，若泥于“楚囚”“齐优”，以为放翁必有所指，反失诗意。

黄州位于长江中游，三国争雄之地。杜甫诗：“江流石不转，遗恨失吞吴。”(《八阵图》)颔联出句，即借用杜诗。此句“英雄”，似可指已被长江巨浪淘尽的三国风流人物。但放翁之意，本不在怀古，故此“英雄”，实是自道。其恨，正是上联所言“局促”“迁流”之恨，是岁月蹉跎、壮志未酬之恨。颔联对句从李贺诗“衰兰送客咸阳道，天若有情天亦老”(《金铜仙人辞汉歌》)中化出。人虽多情，天意无私。衰兰送客，秋草迎人，于人倍增伤感，于天却是时之当然。而天之无情，又正衬出人心之不平。此联文约意深，笔力绝高。

颈联紧接上联。万里羁愁，正是英雄之恨；频添白发，又与草木摇落相映；一帆寒日，对照两岸秋声；黄州城下，点出兴感之地。放翁于此时、此地、此景，总有无限感慨，不能不吐，但又不欲畅言，故但借眼前景象，反复致意。中间两联，虽所写情景相似，但笔法错综，变化无端。

长江、汉水流域，有赤壁多处。苏轼谪官黄州，误信其地传说，言“黄州西山麓，斗入江中，石色如丹，传云曹公败处，所谓赤壁者”(《苕溪渔隐丛话后集》)。数游其地，作赋填词，语意高妙，堪称古今绝唱。其实苏轼所游之处，乃黄冈城外赤鼻矶，三国“赤壁之战”旧址，在今湖北赤壁西北，两者并非一地。但黄州赤壁，却因苏轼之故，声名大振。后人过黄州遂思赤壁，见赤壁又必追念昔日英雄。特别在偏安半壁，强敌入犯之时，更是思英雄再世，与敌抗衡。放翁于此，却偏道赤壁已成陈迹，万事尽付东流，世事成败，又何足道，生子何须定似仲谋。放翁一生，志在恢复失地，即使僵卧孤村，犹梦铁马，提笔狂书，思驱敌人，决不会出此消极之言。明王嗣奭评杜甫诗句“儒术于我何有哉，孔丘盗跖皆尘埃”时说：“总是不平之鸣，无可奈何之词。”（《杜臆》）此诗末联，也正是因当时小朝廷不思振作而发的无可奈何的不平之鸣。

（黄　珅）

哀郢二首

原文

远接商周祚最长，北盟齐晋势争强。
章华歌舞终萧瑟，云梦风烟旧莽苍。
草合故宫惟雁起，盗穿荒冢有狐藏。
离骚未尽灵均恨，志士千秋泪满裳。

荆州十月早梅春，徂岁真同下阪轮。
天地何心穷壮士？江湖自古著羁臣。
淋漓痛饮长亭暮，慷慨悲歌白发新。
欲吊章华无处问，废城霜露湿荆榛。

鉴赏

南宋孝宗隆兴元年(1163)，张浚大举北伐，于符离战败，宋朝廷再度向金屈膝求和，达成隆兴和议。乾道二年(1166)，官居隆兴府(治今江西南昌)通判的陆游，也以“交结台谏，鼓唱是非，力说张浚用兵”的罪名而被罢黜回乡。陆游在家乡越州山阴(今浙江绍兴)穷居四年，方于乾道六年出任夔州(治今重庆奉节东)通判。初夏，他从家乡出发，沿长江西上入蜀，九月过荆州(今湖北江陵)。此地为战国时楚故都郢，他触景生情，怀古伤今，遂向慕屈子，慷慨悲歌，以屈原《哀郢》为题，写了两首七律，以抒发自己炽烈的爱国情怀。

第一首从回顾楚国兴起和发展的历史着笔，与其衰落败亡的结局以及今日遗址荒芜的景象，作强烈的对比。“远接商周祚最长，北盟齐晋势争强。”楚国远承商周二代的王业，国统由来久长，在发展鼎盛时期，曾和齐晋结盟。楚原是商的属国，后至周，又被周成王正式封为诸侯国，因此可以说是“远接商周祚最长”了。“祚”指王统。

第二联顺接上联意，写楚国最终由盛而衰，以至为秦所灭。“章华歌舞终萧瑟”，写的便是这种历史的结局。“章华”，即章华台，楚国离宫，旧址有几处，此当指沙市之豫章台。当年章华台上的歌舞，早已萧瑟寂寥了，但是，“云梦风烟旧莽苍”：楚地著名的云梦泽，气象依旧，风烟迷蒙，阔大苍茫。这里，诗人以章华歌舞之短暂与云梦风烟之永恒作强烈对比，抒发物是人非之慨叹，揭示出历史的发展是多么无情。

第三联由历史的回顾转为对眼前景象的描写：“草合故宫惟雁起，盗穿荒冢有狐藏。”当年郢都宫殿旧址，如今已野草滋蔓，唯见雁群时时飞起；早已被盗掘的荒坟野冢，如今成了狐兔藏身之所。这景象是多么凄凉败落，它既是诗人眼前所见之景，又是当年楚国衰亡的象征。而导致楚国衰亡的原因，正是屈原在《离骚》中所尖锐指出的，贵族蒙蔽君王，嫉贤害能，朋比为奸，惑乱国政。这一历史的教训，使得千秋仁人志士莫不感慨万端，热泪沾裳。末联“离骚未尽灵均恨，志士千秋泪满裳”，是诗人对楚之衰亡所作的结论，也是全诗主旨之所在。“灵均”是屈原的字，“灵均恨”，既是屈原在《离骚》中所无法尽情宣泄的家国无穷之恨，也是陆游在这首诗中所要表达的与屈原共命之叹。

第一首以议论起笔，以抒情落笔，中间两联写景，情寓于景。第二首则首尾写景，中间抒情，情因景而发。第一联："荆州十月早梅春，徂岁真同下阪轮。""荆州"，即指郢都；"徂岁"，犹言过去的岁月；"下阪轮"，即下坡的车轮，这里用以形容流光迅速。此联是说荆州十月便是早梅初开的小阳春气候了，时光的流逝真如同下坡的车轮，欲驻无由。作者由眼前季节、景物的转换，油然生出对岁月流逝的感慨，这是一个胸怀大志、迫切要求报国效命的志士的感慨，他对自然界客观规律的认识包含着对人事代谢现象的探寻。第二联由对屈原的怀想而抒发对古往今来仁人志士壮志难酬的愤慨，这是伤古，又是悼今。"天地何心穷壮士？江湖自古著羁臣。"写得极为沉重。是啊，天行有常，何曾有导致壮士途穷困厄之心；自古以来，皆因人事之非，以致多少像屈原这样的贞臣节士去国离乡，放逐江湖。这一切怎不令人顿生怨愤，非淋漓痛饮焉能排遣，非慷慨悲歌何以发泄。诗的第三联"淋漓痛饮长亭暮，慷慨悲歌白发新"正是表达这样一种感情。诗人心中那报国无门的怨愤和苦闷是无法解脱的，所以"淋漓痛饮"于长亭薄暮之中，更显孤独；"慷慨悲歌"于白发初生之际，自增惆怅。这种心情只有泽畔行吟的屈子可以与之相通，美人迟暮悲今古，一瓣心香吊屈平。但眼前却是"欲吊章华无处问，废城霜露湿荆榛"，末联勾画出的这种荆榛满地、霜露侵人的惨淡景象，深深地印在诗人的心上，也引起读者的沉思。

陆游的优秀诗篇大都回荡着爱国激情。这两首诗在对楚国旧都的慨叹和对屈原的思慕之中，包含着对宋朝国土丧失的痛惜，对屈膝苟安、腐败昏聩的南宋小朝廷的怨愤。诗人的一纸诗情，又是通过郢都古今盛衰的强烈对比来表现的，并且借屈原的千古遗恨来发抒自己的爱国之情。杨万里说陆游诗“尽拾灵均怨句新”（《跋陆务观剑南诗稿》），正可概括这首诗的特色，读后，确如朱熹所云：“令人三叹不能自已。”（《答徐载叔赓》）

（李敬一）

秋夜怀吴中

原文

秋夜挑灯读楚辞，昔人句句不吾欺。
更堪临水登山处，正是浮家泛宅时。
巴酒不能消客恨，蜀巫空解报归期。
灞桥烟柳知何限，谁念行人寄一枝。

鉴赏

陆游于乾道六年（1170）赴夔州通判任时即慨叹“局促常悲类楚囚，迁流还叹学齐优”。国势不振，壮志难酬，因此他又常常寄同情于屈原：“离骚未尽灵均恨，志士千秋泪满裳。”后来终于有一个报效国家的机会——赴南郑佐王炎干办公事，但不到一年就被调任成都府安抚使司参议官，诗人曾痛心地唱道：“渭水岐山不出兵，却携琴剑锦官城。”不久，又被调离成都，在蜀州、嘉州、荣州任职，过着“似闲有俸钱，似仕无簿书。似长免事任，似属非走趋”的生活。闲散之中，“匹马戍梁州”的英雄竟“身如林下僧”，所以同因谗遭逐的屈原感情上就更接近了。这首写于淳熙元年（1174）离蜀州通判任后的诗，即借思乡之情抒不能为国尽力之恨。

第一联中的“挑灯”“句句”看似寻常，其实却是理解全诗的关键。这一联里诗人只说楚辞“不吾欺”，第三句又用《楚辞·九辩》

"憭栗兮若在远行,登山临水兮送将归"句意,按一般理解,那么"不吾欺"的当是指楚辞中慨叹远游漂泊的诗句。这样理解自然不错,因为伤羁旅是本篇第二句以下着力描写的内容,也是全诗的重要主题。但是,如果研讨一下"挑灯""句句"四字,那么认识还有可能更进一步。诗言"挑灯",当然是久读,因而所读的绝非楚辞中的一篇一章;又说"句句",我们便知道"不吾欺"者就不单是"登山临水"一意,相反,贯穿在楚辞"句句"中的主要精神——关心国家命运、指斥权奸误国、对因谗被逐的不满等等,应该也是作者内心所深许的。严羽《沧浪诗话》说,写诗"语忌直,意忌浅,脉忌露"。陆游此诗即用"引而不发"的方式,把乡思和楚辞中的忧愤联系起来,不但形式上含蕴深曲,耐人咀嚼,而且内容也远远超过了一般游子怀乡、志士不遇的篇什。王世贞《艺苑卮言》卷四说:"诗自正宗之外,如昔人所称'广大教化主'者,于长庆得一人,曰白乐天;于元丰得一人焉,曰苏子瞻;于南渡后得一人,曰陆务观。为其情事景物之悉备也。"把陆游和白居易、苏轼并列,可以说是当之无愧。

陆游七律,前人推崇备至。沈德潜说:"放翁七言律队仗工整,使事熨贴,当时无与比埒。"刘克庄更说:"古人好对偶被放翁用尽。"这首诗中间四句不仅对偶亲切、自然、工致,而且含义也十分丰富。"临水登山"与"浮家泛宅"虽同写羁旅,但前者侧重远游,后者侧重漂泊,而且一句用"处",一句用"时",从空间和时间两方面突出作者的旅寓情怀。即使是"更堪""正是"这些虚字的使用,也道出了诗人已经不堪(更堪,岂堪、哪堪之意)宦游而又不得不继续寄旅的内心世界。颈联中"客恨"照应首联,当与楚辞"句句"所含之恨有关;"归期"照应颔联,同时又是"怀吴中"的进一步深化。“巴酒”不能消恨，可见旧恨犹在；“蜀巫”空报归期，则新恨又添。此外，“巴酒”“蜀巫”虽是前人诗歌中常见的熟语，但是作者当时身在成都，用得便更显切当。

尾联离开前六句的思路独辟蹊径，由自己在蜀川怀吴中联想到吴中无人怀念自己，两相对比之下，更加显示了千里客居者的孤独和苦闷。写法上，这一联有两重含意：一是用“柳”音关“留”，明写留恋吴中——这是古人诗文中的常见用法；一是用“灞桥”意关京都（灞桥在长安东三十里的灞水上），暗示朝廷中没有人赏识自己的才能——这则是本篇的独到之处。

（李济阻）

金错刀行

原文

黄金错刀白玉装，夜穿窗扉出光芒。
丈夫五十功未立，提刀独立顾八荒。
京华结交尽奇士，意气相期共生死。
千年史策耻无名，一片丹心报天子。
尔来从军天汉滨，南山晓雪玉嶙峋。
呜呼，楚虽三户能亡秦，岂有堂堂中国空无人！

鉴赏

孝宗乾道八年（1172）正月，陆游应四川宣抚使王炎之聘，自夔州（治今重庆奉节东）赴陕西汉中任干办公事。任职时间虽然并不长，但“从戎驻南郑”（《九月一日夜读诗稿有感，走笔作歌》），“射虎南山秋”（《三月十七日夜醉中作》），卫戍大散关，初步实现了陆游“上马击狂胡，下马草军书”（《观大散关图有感》）的志向，令其更坚定了驱逐金兵、收复失地的信心，并把这种感情形诸笔墨。《金错刀行》即是从军后第二年供职嘉州（治今四川乐山）时所作。

此诗为七言歌行体，借咏刀以言志，抒发誓死抗金、坚信“中国”必胜的豪情。

第一二句开门见山，先写刀外观之美。以黄金涂面、白玉饰柄，金玉相映，可谓华美。但最可宝贵之处乃在于“夜穿窗扉出光芒”。此乃刀内质之美。黑夜时其光芒竟可穿透窗扉而射出，真是锋芒毕露。这是化用龙泉剑气冲牛斗的典故，移剑为刀，与他篇所写“宝剑”的“殷殷夜有声”(《宝剑吟》)有异曲同工之妙。宝剑夜有声是“慨然思遐征”，宝刀夜出光芒亦是“逆胡未灭心未平”(《三月十七日夜醉中作》)；其意不在刀剑，而在报国之心。

第三四句由刀而引出“提刀”人：“丈夫五十功未立”。“丈夫”者，大丈夫之谓也。《孟子·滕文公下》曰：“富贵不能淫，贫贱不能移，威武不能屈，此之谓大丈夫。”陆诗《胡无人》“丈夫出门无万里，风云之会立可乘”，正是形容大丈夫。“五十功未立”指年近五十而报国之功业未成。陆游此时四十九岁，曰“五十”乃取整数，此“丈夫”系自称，与其“丈夫无成忽老大”(《夏夜不寐有赋》)之句含义相同。“提刀独立顾八荒”，形象生动，意境苍凉。“提刀”人渴望立功，金错刀急欲衅血，但因种种阻碍，有志难申，他四顾八方，涌起几多悲凉之感。但既“提刀”，必将有所作为。诗人感慨万千，然而并不颓丧绝望。

值此天下兴亡、匹夫有责之时，诗人深感慰藉的是他并不孤立：“京华结交尽奇士，意气相期共生死。”绍兴三十二年(1162)孝宗即位，起用张浚，准备北伐。此时陆游亦由大理司直迁枢密院编修，被孝宗召见，赐进士出身。陆游除积极提出军政建议外，并结交了一批力主抗金的奇卓之士，与张浚亦为知心，对其北伐事业更是热心支持。他们“相期共生死”，充满了胜利的希望。诗人的字里行间洋溢着同仇敌忾的自豪感。

“千年史策耻无名，一片丹心报天子。”这七八两句，又深入抒写了诗人与奇士的内心世界。他们并非汲汲于个人名利，此“名”

乃是"功"的同义词，因为唯有杀敌立功，才可名垂青史。一个"耻"字深刻地表现了切盼"灭虏"立功名之心。"报天子"虽有忠君色彩，但在当时，"天子"与国家难以分开，故"报天子"亦即报效国家，因此诗人的"一片丹心"仍具积极意义。

第九句"尔来从军天汉滨"，"尔来"即"近来"。"南山晓雪玉嶙峋"，形容积雪之终南山。写山之洁白嶙峋，意在与刀之光芒四射相映衬，使得二者相得益彰。陆游尝建议："经略中原，必自长安始；取长安，必自陇右始。当积粟练兵，有衅则攻，无则守。"(《宋史·陆游传》)他对汉中(陇右)"地连秦雍川原壮"(《归次汉中境上》)的雄壮山川、丰盛物产、豪迈民风非常欣赏，认为"会看金鼓从天下，却用关中作本根"(《山南行》)，欲以汉中为恢复中原的根据地，因此到汉中，就产生了大干一番的雄心壮志，不能不兴奋激动。诗写至此，心潮澎湃，势不可遏，终于发出了最强音。

"呜呼，楚虽三户能亡秦，岂有堂堂中国空无人！"全诗蓄势至此，非此浩叹不能抒其豪情。前句借用了战国时两句楚民谣："楚虽三户，亡秦必楚。"楚败于秦，楚人欲雪此恨，乃有此谣。诗人则借此典故比喻宋人之恨亦非雪不可。所谓"岂有堂堂中国空无人"之理！这一反诘句真是笔力千钧，充满浩然正气。"堂堂"，盛大貌。"中国"，这里指汉族所居之地。尽管事实上南宋国力衰微，但诗人感到正义在我，士气必盛，又有汉中之地，定能收拾河山。更何况"京华"多"奇士"，"中国"并非"空无人"，必能使"群阴伏，太阳升；胡无人，宋中兴"(《胡无人》)！慷慨之音、激越之气，跃然纸上，诗的结尾几句具有巨大的鼓舞力量。

陆游尝自述："我昔学诗未有得，残余未免从人乞。力孱气馁心自知，妄取虚名有惭色。"(《九月一日夜读诗稿有感，走笔作歌》)又曰:"我初学诗日,但欲工藻绘。"(《示子遹》)但自从"四十(按:实际为四十八岁,此取整数,与'丈夫五十'义同)从戎驻南郑",有了亲历军旅生活与接触社会现实的"诗外"功夫以后,诗风发生了根本转变,《金错刀行》即是一例。此诗意气慷慨,境界恢宏,声势雄壮,虽不乏议论,但"带情韵以行"(沈德潜《说诗晬语》),非语录押韵者所可比拟。此外,此诗四句一转韵,适应诗人感情的变化,语气自然,具大声鞺鞳之美。

(王英志)

山南行

原文

我行山南已三日，如绳大路东西出。
平川沃野望不尽，麦陇青青桑郁郁。
地近函秦气俗豪，秋千蹴鞠分朋曹。
苜蓿连云马蹄健，杨柳夹道车声高。
古来历历兴亡处，举目山川尚如故；
将军坛上冷云低，丞相祠前春日暮。
国家四纪失中原，师出江淮未易吞；
会看金鼓从天下，却用关中作本根。

鉴赏

《山南行》这首诗，历来受到重视。究其原因，除了此诗形式上的特点之外，更主要的是因为它充分地表达了陆游对时事、对政局的看法，标志着诗人整个人生历程和创作生涯的转折点。

孝宗乾道八年(1172)，四十八岁的陆游离夔州(治今重庆奉节东)通判任上，被四川宣抚使王炎辟为四川宣抚使司干办公事。这年正月，陆游离开夔州，赴南郑上任，到达时已是暮春。南郑又名汉中，因在终南山之南，故曰山南。南郑的地理位置是“北瞰关中，南蔽巴、蜀，东达襄、邓，西控秦、陇，形势最重”(见《读史方舆纪要》卷五十六《陕西五》)。宋室南渡后,南郑更成为宋、金两国的必争之地。所以,当时不少人把它看成是恢复中原的根据地,甚至有人建议干脆迁都于此。明白了这一背景,再来读《山南行》诗,理解便能深入。

高宗绍兴初年,南郑曾入于金人之手。收复后,经多年休养生息,到陆游这一年来时,已是麦陇青青,桑林郁郁,平川沃野,大路如绳。陆游本来就极力主张:“经略中原,必自长安始;取长安,必自陇右(按:陇山以西,约相当于今天的甘肃六盘山以西,黄河以东一带)始。”(见《宋史·陆游传》)如今,当他亲眼看到南郑一带是如此的桑麻遍野,气俗雄豪,当他亲身体会到由此恢复故土大有希望,他怎能不精神振奋,壮心萌动?正是从这个时候起,陆游的生活和创作展开了新的一页。他直至暮年,仍念念不忘这一段“匹马戍梁州”的军旅生活。自此以后,他的诗作也更为飞扬踔厉。

函秦,指陕西、甘肃一带秦国故地,因其东有函谷关之险,故称“函秦”。“蹴鞠”,近似今天的踢球;“分朋曹”,指分组分队进行比赛。在南郑期间,诗人很留意风俗民情。秦俗尚武,民气豪健,秋千蹴鞠之风甚盛,陆游诗中曾多次言及。“苜蓿”,俗名金花菜,又名草头,为养马的上等饲料。“历历”,分明貌。将军坛,即拜将台,相传为汉高祖拜韩信为大将时所筑,故址在今陕西汉中的城南。丞相祠,蜀汉后主所立武侯庙,故址在今陕西勉县境定军山下,诸葛亮六出祁山,北伐中原,曾多次屯兵于此,死后也葬于此地。“四纪”,即四十八年,十二年为一纪;中原自高宗建炎元年(1127)入金人之手,到陆游写此诗时(1172),已经四十六年,此言四纪,是举其成数。“师出江淮”句,是说长江、淮河一带,非形势利便之地，从那里出兵，收功不易。吞者，吞金之谓也。着一“吞”字，诗人气吞山河之概如见。“会”，应当，将该。“金鼓”，古代行军交战时用，此处代指王师。关中，指战国末期秦国故地，应包括秦岭以南的汉中，与今日关中即陕西，亦即函谷关与陇关之间的概念有所不同。本根，根本，即根据地。

这首诗，除了后四句是有关军国大事的议论外，其他部分好像都是对山南风土人情和自然景物的描写，貌似一篇旅途游记。其实，只要明白了当时的形势、陆游的主张，以及山南的地理位置，便能明白诗人的用意所在。这些描绘里面处处贯穿着诗人的愿望和主张。他之所以写平川沃野，麦陇青青，苜蓿连云，杨柳夹道，是因为他觉得此地财力可用；他之所以写地近函秦，气俗豪雄，是因为他觉得此地民心可用；而他引今据古，历数陈迹，也都是为了用来证明地利可用。由于全诗花了这么多笔墨对沿途风土人情作详细的描写，由于有了这么多有力的根据，所以，后四句的议论便水到渠成，令人读来无生硬和突兀之感；也正由于诗人在描写自然景物时带着很强的主观感情，所以，和单纯的模山范水之作相比，此诗就显得更有价值；并且诗人的感情所注不是一己的穷通，而是国家的兴衰，因此，和那些寄情山水、吟风弄月之作相比，此诗的格调就显得更高。

（刘禹昌　徐少舟）

归次汉中境上

原文

云栈屏山阅月[①]游，马蹄初喜蹋梁州。
地连秦雍川原壮，水下荆扬[②]日夜流。
遗虏孱孱宁远略？孤臣[③]耿耿独私忧。
良时恐作他年恨，大散关头又一秋。

〔注〕

① 阅月：过了一个月。“阅”与“越”通。
② 荆扬：均古州名，此指湖北、江苏等地。
③ 孤臣：作者自指。

鉴赏

陆游于宋孝宗乾道八年(1172)正月自夔州赴汉中(今属陕西)任四川宣抚使司干办公事，在这年十月因事到四川阆中。这首诗即写于从阆中返回汉中境上。题中的“归次”是归途停留止息的意思。全诗先写诗人回到汉中的喜悦心情，然后通过对山川形胜及金人军事力量的褯叙，抒发了他渴望光复国土的心愿。

诗一开始用“云栈屏山阅月游”，叙述了去阆中的经历和时间。从“阅月”得知诗人这次去阆中往返有一个多月光景。在这一个多月里，途中所见风光，主要写了“云栈”和“屏山”。“云栈”

即连云栈。从汉中去阆中，沿路都是崇山峻岭，悬崖峭壁，十分艰险，前人架木为栈道，故称“云栈”。“屏山”即阆中名胜锦屏山，山上有大诗人杜甫的祠堂。诗人到阆中特意游览了锦屏山，并写下《游锦屏山谒杜少陵祠堂》一诗，表达了对杜甫的仰慕之情。诗人往来于汉、阆之间，所见景物很多，但这里只选了“云栈”和“屏山”，这样高度的概括，表现了他的精炼特色。诗的第二句，既是点题，又表达了诗人回到汉中的喜悦心情。这里的梁州，即古代的梁州（治所在今汉中），用以代指汉中。诗人这次远行归来，路途艰险，风尘仆仆，好不容易回到汉中，一看到广阔的汉中川原，当然有说不出来的喜悦。但诗人避而不说，却写出了“马蹄初喜蹋梁州”。唐人孟郊用“春风得意马蹄疾”来形容中进士后的得意，而这里却用“马蹄初喜”反衬诗人回到汉中的欢快心情，真有出蓝之妙。

诗的三四句，承前意而来。汉中地连秦雍（指秦国故地，今陕西、甘肃一带）。秦川八百里，地势宽阔，民风豪壮，物产丰富。又有水利之便，汉水流经汉中平原，注入长江，更可远达荆州和扬州。山川形势如此好，正是兵家用武之地。诸葛亮北伐中原，就曾以此为根据地。诗人在描述汉中地理形势之后，接着又对金人的军事力量作了描绘。“遗虏孱孱宁远略”，“遗虏”是指金人留在陕西的兵力。“孱孱”形容敌方怯懦软弱无力。像这样兵力不多、又缺少战斗力的对方，怎会有深谋远略呢？言外之意是，正好趁此大好时机进行反攻，夺回失地，重整山河。陆游从青年时期就立下了匡扶之志，但不被重用，自来汉中之后，看到陕南的山川形胜，他心中又起收复中原的希望。他曾积极建议朝廷“经略中原，必自长安始，取长安，必自陇右始”（《宋史·陆游传》）。但此时南宋统治者已和金人订了“隆兴和议”，无意收复失地。当他看到“将军不战空临边”和“朱门沉沉按歌舞”(《关山月》)的情景时，不免黯然“私忧”，“孤臣耿耿独私忧”就是他当时心情的写照。此诗中间两联的描写，使读者既看到了汉中川原雄伟壮阔的地理形势，也看到了诗人深谋远虑的战略思想。而首联的“初喜”和颈联的“私忧”，不仅反映了陆游深沉的爱国热忱；而且在诗的写法上表现出跌宕多姿。

最后两句，抒发了诗人的感叹。这种感叹是承接“私忧”而来。诗人一生都在忧国忧民，而当他亲临西北前线，观察山川形胜，分析敌情之后，认为这时正是收复中原的大好时机，时不可失，机不再来，一旦失去，便成为千载的遗恨。“良时恐作他年恨”，正反映了诗人此时深切的忧虑。“恐作”是推测之语，也是论定之词。由他后来写的“中原机会嗟屡失”(《楼上醉书》)，更可证实诗人的判断是正确的。诗的最后一句，“大散关头又一秋”，表达了无可奈何的悲叹。大散关位于今陕西宝鸡西南，当时是南宋的边防要塞，宋、金曾以关为界。陆游自从来到汉中以后，不仅积极向四川宣抚使王炎提出建议，由此收复中原；而且时着戎装，骑战马，戍守边关，“铁马秋风大散关”(《书愤》)形象地反映出陆游此时得意的军旅生活。然而年复一年，按兵不动，岁月空逝，壮志难伸，使他不得不发出“又一秋”的哀叹。最后两句，是全诗的总结，既要总括全诗，又要开拓出去，给人以深思遐想。此诗的尾联，虽说是表达了诗人壮志难酬的哀叹，又何尝不是对国家前途的无限深愁呢？

陆游诗向以“多豪丽语，言征伐恢复事”(见《鹤林玉露》)见称。此诗正表现了诗人的“寄意恢复”，而“云栈”和“地连”两联更见其"豪荡丰腴"(《南湖集·方回序》)的特色。这首律诗的另一特点是对仗工整,名词、动词、叠字都对得极工,无怪沈德潜说:"放翁七言律队仗工整,使事熨贴,当时无与比埒。"(《说诗晬语》)

(孟庆文)

海棠歌

原文

我初入蜀鬓未苍，南充樊亭看海棠。

当时已谓目未睹，岂知更有碧鸡坊。

碧鸡海棠天下绝，枝枝似染猩猩血。

蜀姬艳妆肯让人？花前顿觉无颜色。

扁舟东下八千里，桃李真成奴仆尔。

若使海棠根可移，扬州芍药应羞死。

风雨春残杜鹃哭，夜夜寒衾梦还蜀。

何从乞得不死方，更看千年未为足。

鉴赏

据《广群芳谱》，古代“海棠盛于蜀，而秦中次之”，唐人贾耽曾称海棠为“花中神仙”。杜甫在蜀久，无海棠诗，世以为异，遂引起种种揣测。唐薛能《海棠》诗有“四海应无蜀海棠，一时开处一城香”之句，郑谷《蜀中赏海棠》诗有“浓淡芳春满蜀乡”之句，皆传诵。宋代咏海棠诗最著名的是苏轼咏黄州定惠院海棠的一篇七古和“只恐夜深花睡去”那首七绝。陆游在蜀多年，写的海棠诗最多，也最出色。这一首诗，却是嘉定元年（1208）八十四岁致仕家居时作，距他的逝世只有一年多，追思在蜀观赏海棠的事，高龄晚岁，而诗笔劲健，热情洋溢，不减当年，尤其难能可贵。

“我初入蜀”四句，写初到四川时在南充看海棠。陆游乾道八年(1172)离夔州通判任赴南郑四川宣抚司幕，途经南充，在该地的“樊亭”观赏海棠，《剑南诗稿》卷三留有绝句两首。本段前二句紧凑直书，已见劲气；“入蜀”是伏笔，与当前家居对照，“鬓未苍”也是伏笔，与当前老耄对照。后二句抑扬急转，顿挫有力。这四句描写海棠是宾陪，但起势不凡，以雄迈胜。

“碧鸡”四句，写碧鸡坊的海棠。碧鸡坊，在成都西南，《梁益州记》：“成都之坊百有二十，第四曰碧鸡坊。”陆游诗中，说成都海棠以蜀王故宫为盛，其次为碧鸡坊。他《花时遍游诸家园》的“走马碧鸡坊里去，市人唤作海棠颠”句，是人们所熟悉的。起二句正面描写，以“枝枝似染猩猩血”的惊人红艳概括碧鸡海棠为“天下绝”。后二句用“艳妆”的“蜀姬”作比喻和比较，“肯让人”极力扬蜀姬，“顿觉无颜色”急遽地贬抑蜀姬以赞海棠。诗人在其他诗中写海棠的花光花色，曾有“尽吸红云酒盏中”“天地眩转花光红”等名句；以人比花，也有“蜀姬双鬟娅姹娇，醉看恐是海棠妖”的名句，和这诗描写的角度不同。这四句描写海棠是主体，比较细腻地刻画形象，但陡起陡落，承前顿挫之势，又从抑扬转折中显得更为峻峭。

“扁舟”四句，写离蜀东归后感到蜀中海棠的难得。“八千里”，言路程之长，叙归途，又为赞海棠张本。江南桃李，繁艳非常，而与蜀中海棠相比，只不过是“奴仆尔”；扬州芍药，天下驰名，见了海棠也“应羞死”。用烘托、夸张的写法盛赞海棠，透过了两层。这四句，笔势极雄迈，足以顶接前文，扬起后文。

“风雨”四句，写思念蜀地和蜀中海棠。蜀地多杜鹃鸟，传说为蜀帝杜宇魂魄所化，其声悲切。江南也有杜鹃，诗人每当“风雨春残”之际，“夜夜”在“寒衾”中闻鹃声而思蜀，以至梦游旧地，梦中所见的，是蜀中的海棠盛景。梦醒之后，还盼望能够长期看到，但愿长生不老，再看“千年”，也不感满足。他这样思念蜀中海棠，实际上是怀念中年在军幕中的充满豪情壮志的生活的一种反映。年光消逝，盛况难再，生平的种种理想都不可能实现，眼前景却是那样历历不饶人，这就更进一步地加深悲凉。这四句总束全诗，点清题旨，以豪放之笔写沉痛之情，矛盾激荡，伤心刻骨，陆游的诗篇往往以这样的意境结束，真有“老骥伏枥，志在千里。烈士暮年，壮心未已”的血泪横流之概。

（陈祥耀）

剑门道中遇微雨

原文

衣上征尘杂酒痕，远游无处不消魂。

此身合是诗人未？细雨骑驴入剑门。

鉴赏

这是一首广泛传诵的名作，诗情画意，十分动人。然而，也不是人人都懂其深意，特别是第四句写得太美，容易使人“释句忘篇”。如果不联系作者平生思想、当时境遇，不通观全诗并结合作者其他作品来看，便易误解。

这首诗作于南宋孝宗乾道八年(1172)冬。当时，陆游由南郑(今陕西汉中)调回成都，途经剑门山，写了此诗。陆游在南郑，是以左承议郎处于四川宣抚使王炎幕中，参预军事机密。“大散关头北望秦，自期谈笑扫胡尘”(《追忆征西幕中旧事》)，讲的就是当时的生活、思想。南郑是当时抗金前方的军事重镇，陆游在那时常常“寝饭鞍马间”(《怀昔》)。而成都则是南宋时首都临安(杭州)之外最繁华的都市。陆游去成都是调任成都府路安抚使司参议官；而担任安抚使的又是当时著名诗人，也是陆游好友的范成大。他此行是由前线到后方，由战地到大都市，是去危就安、去劳就逸。然而，诗人是怎样想的呢？

他先写“衣上征尘杂酒痕，远游无处不消魂”。陆游晚年说过：“三十年间行万里，不论南北怯登楼。”(《秋晚思梁益旧游》)

梁即南郑，益即成都。实则前此的奔走，也应在此“万里”“远游”之内。这样长期奔走，自然衣上沾满尘土；而“国仇未报”，壮志难酬，“兴来买尽市桥酒……如巨野受黄河倾”（《长歌行》），故“衣上征尘”之外，又杂有“酒痕”。“征尘杂酒痕”是壮志未酬，处处伤心（“无处不消魂”）的结果，也是“志士凄凉闲处老”（《病起》）的写照。

“远游无处不消魂”的“无处”（“无一处”即“处处”），既包括过去所历各地，也包括写此诗时所过的剑门，甚至更侧重于剑门。这就是说：他“远游”而“过剑门”时，“衣上征尘杂酒痕”，心中呢？又一次黯然“消魂”。

引起“消魂”的，还是由于秋冬之际，“细雨”蒙蒙，不是“铁马渡河”（《雪中忽起从戎之兴戏作》），而是骑驴回蜀。就“亘古男儿一放翁”（梁启超《读陆放翁集》）来说，他不能不感到伤心。当然，李白、杜甫、贾岛、郑綮都有“骑驴”的诗句或故事，而李白是蜀人，杜甫、高适、岑参、韦庄都曾入蜀，晚唐诗僧贯休骑驴入蜀，写下了“千水千山得得来”的名句，更为人们所熟知。所以骑驴与入蜀，自然容易想到“诗人”。于是，作者自问：我难道只该（合）是一个诗人吗？为什么在微雨中骑着驴子走入剑门关，而不是过那“铁马秋风大散关”的战地生活呢？不图个人的安逸，不恋都市的繁华，他只是“百无聊赖以诗鸣”（梁启超语），自不甘心以诗人终老，这才是陆游之所以为陆游。这首诗只能这样解释；也只有这样解释，才合于陆游的思想实际，才能讲清这首诗的深刻内涵。

一般地说，这首诗诗句顺序应该是：“细雨”一句为第一句，接以“衣上”句，但这样一来，便平弱而无味了。诗人把“衣上”句写在开头，突出了人物形象，接以第二句，把数十年间、千万里路的遭遇与心情，概括于七字之中，而且毫不费力地写了出来。再接以“此身合是诗人未”，既自问，也引起读者思索，再结以充满诗情画意的“细雨骑驴入剑门”，形象逼真，耐人寻味，真是“状难写之景如在目前，含不尽之意见于言外”。但真正的“功夫”仍“在诗外”（《示子遹》）。

（吴孟复）

三月十七日夜醉中作

原文

前年脍鲸东海上，白浪如山寄豪壮。
去年射虎南山秋，夜归急雪满貂裘。
今年摧颓最堪笑，华发苍颜羞自照。
谁知得酒尚能狂，脱帽向人时大叫。
逆胡未灭心未平，孤剑床头铿有声。
破驿梦回灯欲死，打窗风雨正三更。

鉴赏

乾道九年（1173）陆游四十九岁，任成都府路安抚使司参议官，兼摄蜀州（治所在今四川崇州）通判，自蜀州返成都，夜宿驿站而作此诗。

这首诗可分为三段，开头四句为第一段，回忆过去。前年，指前几年，即三十五岁任福州决曹时。“脍鲸东海”，指自福州航行海上。那一年，他作《航海》诗，有“潮来涌银山，忽复磨青铜。饥鹘掠船舷，大鱼舞虚空”之句，作《海中醉题，时雷雨初霁，天水相接也》有“浪蹴半空白，天浮无尽青”，“醉后吹横笛，鱼龙亦出听”之句，可见其航行梗概。去年，指乾道八年他在王炎幕下任四川宣抚使司干办公事时。陆游壮年怀抱救国壮志，不但学文，亦曾习武，似乎颇有膂力，在南郑任内，有亲自射虎、打虎的事，集中写到此事的不少。句中"射虎",指此;南山,指长安附近的终南山,南郑在它的南部,作者身在南郑,心驰长安,故常泛言及之。在"白浪如山"中去"脍鲸东海";在南山射虎,直到寒夜始归,"急雪"洒满了"貂裘"。这种豪情壮举,岂是一般文人所有的?这四句选择了极典型的"壮举"来突出去年以前的"豪情",组成一对"扇对",既集中、整齐、锤炼,又显得飞动、雄伟。"脍鲸东海"稍显夸张,但总的看来是写实的,形象的新奇、激情的高涨,于中可见。诗的第二句有"寄豪壮"三字,这段起势,堪称"豪壮"非凡。

中间四句为第二段,写当前,是诗篇由豪壮到沉痛的一个转折、过渡。"今年"二句忽写"摧颓",写"华发苍颜",意境急转,气势猛跌,表现当前处境的颓唐。但写"最堪笑",写"羞自照",表现不甘心忍受这种处境。"谁知"二句,气势又转向豪壮。但"狂"有赖于"得酒","脱帽"只是向人"大叫",这种行为带有无可奈何的挣扎,不免是苦中作乐、强颜欢笑。这四句表现理想与现实的矛盾,表现诗人在失望中的继续追求,在悲慨中带有豪壮,在豪壮中带有悲慨。

第三段,再写当前,表现刻骨的沉痛。上二段侧重叙事;本段侧重抒情,情与景密切结合,四句一韵,两层意思密不可分。"逆胡未灭"是诗人"心未平"的根源。这正是他一生的悲痛所在,也是本诗主导的思想感情所在,上文的追求和挣扎,都是它的外射。这种思想出于要求抗敌复土之情。正是这种爱国感情的强度与深度及其主客观矛盾,令诗人的豪壮气概与沉痛心情交织在一起。这一句开始倾吐沉痛的心情。接下去一句,以拟人化的手法,写久随身边而现在挂在床头的"孤剑",有如长久而亲密的战友,深深了解诗人的心情,这时也与诗人同有"不平"之感,而发出

“铿然”的鸣声，衬托出诗人的沉痛。“破驿”二句，通过景物描写，进一步渲染沉痛心情。不能灭敌，愤恨难消，寄身“破驿”之中，“梦回”之后，正是“三更”时分，听着“打窗”的“风雨”之声，看着“欲死”的昏灯，这是何等凄凉的况味！与第一段的豪情壮举对照，这种凄凉更觉难堪，显示了刻骨的沉痛。用一“死”字写灯昏尤有力，诗人好用这个字来写灯昏，如《白鹤馆夜坐》的“更阑灯欲死”，《夜坐灯灭戏作》的“忽因灯死得奇观”都是。这也是一种拟人写法，把灯火感情化了。

晏幾道的《阮郎归》词有一传诵的句子：“欲将沉醉换悲凉”。本诗第三段所写的，是深刻的“悲凉”；第二段所写的，正是“欲将沉醉换悲凉”；至于第一段，也可以说是“欲将豪壮换悲凉”吧！但本诗的悲凉，来自恶劣的社会背景，它是诗人解决不了的，是无法可“换”的。诗篇以豪壮的气概，映照深沉的悲痛，笔力饱满，情调激昂，有很强的感染力，成为诗人最有代表性的爱国诗篇之一。

（陈祥耀）

醉中感怀

原文

早岁君王记姓名，只今憔悴客边城。

青衫犹是鹓行旧，白发新从剑外生。

古戍旌旗秋惨淡，高城刁斗夜分明。

壮心未许全消尽，醉听檀槽出塞声。

鉴赏

陆游曾在《史馆书事》一诗的自注中说："绍兴辛巳，尝蒙恩赐对。"辛巳指高宗绍兴三十一年(1161)，陆游三十七岁。次年，孝宗即位，又被召见，他建议孝宗振肃纲纪。孝宗甚称"游力学有闻，言论剀切"，并赐进士出身。此后陆游对孝宗还有不少关于朝政的建议。这些便是诗的第一句所包含的内容。十多年之后，也就是孝宗乾道八年(1172)十一月陆游调任成都府路安抚使司参议官，第二年三月改任代理蜀州(治所在今四川崇州)通判，约在五月又改为代理嘉州(治所在今四川乐山)知州，《醉中感怀》就是这一年秋天在嘉州写的。几个月来频繁的奔波，加之心中的悲苦抑郁，使他心疲力竭，所以说"只今憔悴客边城"。

诗的一二句于今昔变化之中自然流露出"感怀"之意，意犹未足，于是再申两句——"青衫犹是鹓行旧，白发新从剑外生"。青衫，唐代八、九品文官的服色，宋代因袭唐制。陆游早年在朝廷任大理司直、枢密院编修官，都是正八品，所以说“青衫”。鹓行，又称鹓鹭，因二鸟群飞有序，喻指朝官的行列。这句诗的意思是说，身上穿的还是旧日“青衫”，那也就含有久沉下僚的感叹。剑外，指剑阁以南的蜀中地区，此处即代指当时陆游宦游的成都、嘉州等处。青衫依旧，白发新生，形象真切，自成对偶。同时，第三句又回应了第一句，第四句又补充了第二句，怀旧伤今，抚今追昔，回肠千转，唱叹有情，所以卢世㴶说“三四无限感慨”（《唐宋诗醇》引），倒是颇能发掘诗意的。

陆游的感慨不是凭空而来的。他在来成都之前，是在南郑（今属陕西）。南郑是当时西北前线的重镇，是四川宣抚使司驻地。宣抚使王炎是一位颇有才干的主战派人物，陆游在他幕中任干办公事，他曾向王炎“陈进取之策，以为经略中原，必自长安始；取长安必自陇右始”（《宋史·陆游传》）。诗人那时常常深入前线，来往军中，生活是紧张的、艰苦的，但也充满着欢乐和希望。他“朝看十万阅武罢，暮驰三百巡边行”（《秋怀》）；他“铁衣卧枕戈，睡觉身满霜；官虽备幕府，气实先颜行”（《鹅湖夜坐书怀》）。可是，事与愿违。乾道八年九月朝廷召还王炎，幕府人员旋即星散，陆游也只得离开南郑，调任成都府路安抚使司参议官。辛苦付诸东流，希望化为泡影，画策虽工，良机已失，无怪他伤心，无怪他感慨！透过这一感慨，不仅可以看到诗人被伤害的心灵，也可以感受到那郁闷的时代气息。

前四句从叙事中写自己的遭遇和感慨，五六两句转为写景——秋天，古堡上的旌旗在秋风中飘拂，笼罩着阴郁惨淡的气氛；夜深了，城头上巡更的刁斗声清晰可闻。这显然是一个战士的眼中之景，心中之情。“鬓虽残，心未死”（《夜游宫·记梦寄师伯浑》),古戍旌旗,高城刁斗,无不唤起他对南郑军中戎马生涯的怀念和向往。这一联虽是写景,却是诗中承上启下的枢纽,所以接着便说“壮心未许全消尽,醉听檀槽出塞声”。檀槽,用檀木做的琵琶、琴等弦乐器上架弦的格子,诗中常用以代指乐器。《出塞》,汉乐府横吹曲名,本是西域军乐,声调雄壮,内容多写边塞将士军中生活。诗人壮心虽在,欲试无由,唯有寄托于歌酒之中。尾联两句再经这么一层转折,就更深刻地反映了他那无可奈何的处境,及其愤激不平的心情,也刻画出诗人坚贞倔强的性格,可谓跌荡淋漓,而又余意不尽,确是一首可借以了解陆游的好诗,也可以从中见到诗人七律造诣之深。

(赵其钧)

胡无人

原文

须如蝟毛磔，面如紫石棱。

丈夫出门无万里，风云之会立可乘。

追奔露宿青海月，夺城夜蹋黄河冰。

铁衣度碛雨飒飒，战鼓上陇雷凭凭。

三更穷虏送降款，天明积甲如丘陵。

中华初识汗血马，东夷再贡霜毛鹰。

群阴伏，太阳升；胡无人，宋中兴！

丈夫报主有如此，笑人白首篷窗灯。

鉴赏

陆游论诗文主张“以气为主”：“某闻文以气为主，出处无愧，气乃不挠。”(《傅给事外制集序》)其内涵主要是强调文人无论出世还是入仕，都应该培养与保持高尚的品德、气节。此气表现于诗文中，便具有振奋人心、鼓舞士气的巨大精神力量。就当时形势而言，此“气”即是誓复中原的正气与壮气：“中原北望气如山”(《书愤》)，“老夫壮气横九州”(《冬暖》)，“白发未除豪气在”(《度浮桥至南台》)，“气可吞匈奴”(《三江舟中大醉作》)……指的都是此“气”。这样的“以气为主”之作具阳刚之美，“使人读之，发扬矜奋，起痿兴痹矣！”（姚范《援鹑堂笔记》）这首《胡无人》就是一个范例。

《胡无人》属七言歌行体，用的是古乐府篇名，但与诗意极为吻合，可见作者匠心。陆游长于七古，赵翼称其古体诗“才气豪健，议论开辟”，“意在笔先，力透纸背”（《瓯北诗话》），并非溢美。七言歌行往往长短句搭配，参差错落，抑扬顿挫，尤宜于表现雄放豪迈之气。《胡无人》就是一篇勃发着“要使胡无人”的“壮气”之作。

陆游于乾道九年（1173）摄知嘉州事，面临的现实是：尽管“近闻索虏自相残”（《闻虏乱有感》），但南宋朝廷仍按兵不动。然而诗人的一腔忠愤不得不发。《胡无人》勾画了幻想中的北伐胜利图，酣畅淋漓地表现了爱国激情。

全诗可分三个层次：第一层想象北伐战斗的情景，表现了发扬蹈厉之气；第二层幻想北伐胜利的景象，抒发了必胜信心；第三层以议论作结，强调报国之志。

“须如蝟毛磔，面如紫石棱。”开首两句突兀而起：须毛如蝟毛一样有力地张开，显示出英武之气；面色如紫石棱一样闪烁，蕴含着壮怀。宛若一个面部特写镜头，一下子就把“丈夫”非凡之概展示于读者眼前，使人留下生气凛然的印象。据《晋书·桓温传》载：刘惔尝称桓温“眼如紫石棱，须作蝟毛磔，孙仲谋、晋宣王之流亚也。”陆游活用此典，恰到好处，不露痕迹。

“丈夫出门无万里，风云之会立可乘。”此“丈夫”乃诗人心目中报国志士的象征。“出门无万里”即“气无玉关路”（《夜读岑嘉州诗集》）之意，写大丈夫驰骋疆场、气吞万里之概。《易·系辞》曰：“云从龙，风从虎。”大丈夫就如乘云升天之龙，驾风出谷之虎，风云际会，正赶上北伐中原的战机。“立可乘”有二义：一突出了“丈夫”求战心切，刻不容缓，所谓“一闻战鼓意气生，犹能为国平燕赵”(《老马行》)；一表明“丈夫”早已秣马厉兵，恨不能立时“手枭逆贼清旧京”(《长歌行》)，真是斗志旺盛。

“追奔露宿青海月，夺城夜踏黄河冰。”诗笔又转向具体战斗行动，对仗句式铿锵有力。“追奔”“夺城”可见“丈夫”参战时意气风发之态，鏖战之激烈不言而喻；“露宿”“踏冰”写战斗环境的艰苦，也反衬出“丈夫”志气的坚不可摧；“青海月”“黄河冰”，则形象地表明了疆场的广阔，更衬托出“丈夫”一往无前的气概。这两句视野开阔，形象飞动，气魄恢宏，堪称“力透纸背”。

“铁衣度碛雨飒飒，战鼓上陇雷凭凭。”这两句又从听觉方面来写，赞扬壮士乘胜前进的勇气：身披铁甲的勇士冒着飞雨，穿过飞沙走石地带，战鼓声传遍陇坂(在今甘肃东南与陕西接壤处)，如“凭凭”雷鸣，壮我胆气，灭敌威风！有这样不畏艰险的志士，有这样“逆胡未灭心未平”(《三月十七日夜醉中作》)的豪气，岂有金兵不灭之理？

上面是第一层次。火与剑终于开拓出胜利大道。在第二层次，诗人尽情描绘了胜利场面，表现了北定中原的强烈愿望。

“三更穷虏送降款，天明积甲如丘陵。”敌人势穷力竭，连夜送来降书，缴下的盔甲堆积如山，这是暗用汉光武破赤眉“积甲与熊耳山齐”之典。“中华初识汗血马，东夷再贡霜毛鹰。”“汗血马”系汉时产于大宛的良马，又称“天马”；“霜毛鹰”即白鹰，一种猛禽，唐时新罗等国曾贡此物。诗人借此二物，表明了他“四夷宾服”“天下定于一”的理想。

诗人此时完全为自己虚构的胜利情景所激动，热血沸腾，振臂高呼:"群阴伏,太阳升;胡无人,宋中兴!"四个三字句一气直下,节奏短促有力,掷地可作金石声! 它是议论,也是抒情。前两句为比兴,"群阴伏",描摹出敌人威风扫地、诚惶诚恐之态,以喻金贵族必将以惨败而告终;"太阳升"则比喻大宋中兴、前程光明的前景。诗人的感情达到了高潮。

最后两句为第三层。"丈夫报主有如此,笑人白首篷窗灯。""报主"实即报国。"有如此"即前两层所想象的壮美情景。诗人此时正值壮年,有刘越石(琨)、祖士稚(逖)枕戈待旦、闻鸡起舞之概,宁愿战死疆场,马革裹尸,不愿手抱一经,老死牖下。这最后两句所表白的正是此志,真可说能使"懦夫有立志"(《孟子·万章下》)。

刘克庄评陆游诗说:"力量足以驱使,才思足以发越,气魄足以陵暴。"唯有这种风格才能淋漓尽致地表现正气、壮气、豪气。《胡无人》正体现了这种风格。此诗语言明白如话,质朴自然,毫不雕琢。陆游认为"琢雕自是文章病,奇险尤伤气骨多"(《读近人诗》),还说过:"大抵诗欲工,而工亦非诗之极也。锻炼之久,乃失本旨;斫削之甚,反伤正气。"(《何君墓表》)既然"琢雕""斫削"有伤于诗之"气",那么唯以自然出之,才可元气淋漓。《胡无人》正是如此。

(王英志)

宴西楼

原文

西楼遗迹尚豪雄，锦绣笙箫在半空。

万里因循成久客，一年容易又秋风。

烛光低映珠幨丽，酒晕徐添玉颊红。

归路迎凉更堪爱，摩诃池上月方中。

鉴赏

这首七律作于淳熙元年(1174)诗人以蜀州通判摄理知州期间。这年六月，他有事至成都，在西楼宴饮后，有感而作此诗。

首联紧扣题目，从宴饮的场所——西楼着笔。首句先以“豪雄”二字虚点一笔，次句进一步就此着意渲染：“锦绣笙箫”，描绘其豪华壮美、歌管竞逐，暗藏题内“宴”字；句末缀以“在半空”三字，则西楼耸立天半的形象宛然在目。

“万里因循成久客，一年容易又秋风。”颔联从宴饮现境触发自己久客无成的感慨。因循，这里有时日蹉跎，一事无成的意思。万里作客，光阴虚度，忽然又到了秋风萧飒的季节。陆游从乾道六年(1170)入川，任夔州通判；八年入王炎幕，赴南郑前线；同年冬入剑门，先后在成都、蜀州、嘉州等地任职。到写这首诗时，首尾已达五年，确实是“万里”“久客”了。这一联从表面看，似乎只是抒写留滞异乡的客愁和时序更迭的悲叹，实际上所包蕴的内容要深广得多。陆游怀着报国的雄心壮志，到了南郑前线，但未到一年，就因王炎去职而离幕入川。此后几年，一直无所作为。蹉跎岁月，壮志消磨，这对于像他这样的爱国志士，精神上是最大的折磨。“因循”“容易”“成”“又”，感叹成分很浓。清代吴焯说，这两句“语轻而感深”(《批校剑南诗稿》)，确有见地。

“烛光低映珠幯丽，酒晕徐添玉颊红。”颈联折归现境，续写西楼宴饮：烛光低低地映照着穿着盛装的女子，衬托得她们更加俏丽；酒晕渐渐扩散加深，使得她们的玉颊更加红艳。两句意境温馨旖旎。由于有颔联饱含悲慨的抒情在前，这一联所透露的便不是单纯的沉醉享乐，而是透出了无可奈何的悲凉颓放情绪。它使人感到，诗人醉宴西楼，置身衣香鬓影之中，只不过是为了缓和精神的苦闷而已。

“归路迎凉更堪爱，摩诃池上月方中。”摩诃池，故址在成都市旧县城东，为隋将萧摩诃所筑。宴罢归途，夜凉迎面，摩诃池上，明月方中。宴饮笙歌，驱散了心头的愁云惨雾，对此佳景，更生赏爱之情。至此，诗情振起，以写景作结。

（刘学锴）

长歌行

原文

人生不作安期生，醉入东海骑长鲸；
犹当出作李西平，手枭逆贼清旧京。
金印煌煌未入手，白发种种来无情。
成都古寺卧秋晚，落日偏傍僧窗明。
岂其马上破贼手，哦诗长作寒螀鸣？
兴来买尽市桥酒，大车磊落堆长瓶；
哀丝豪竹助剧饮，如巨野受黄河倾。
平时一滴不入口，意气顿使千人惊。
国仇未报壮士老，匣中宝剑夜有声。
何当凯旋宴将士，三更雪压飞狐城！

鉴赏

此诗一起直抒壮怀，“辞气踔厉”，有如长江出峡，涛翻浪涌，不可阻遏。前四句诗实际上不是各自独立的四句诗，而是以“人生”为共同主语，所以必须一口气读到底，从而显示其奔腾前进、骏迈无比的气势。

这个长句的意思是：人生如果不能作一个像安期生那样的

仙人，醉骑长鲸，在汪洋大海里纵横驰骋，就应当作一个像李西平那样的名将，消灭逆贼，收复旧京，使天下清平。李西平，指唐德宗时平服朱泚之乱、收复西京的名将李晟。其因功封为西平郡王，故称为李西平。赵翼曾说陆游“使事必切”；又说陆游“才气豪健，议论开辟，引用书卷，皆驱使出之，而非徒以数典为能事，意在笔先，力透纸背”（《瓯北诗话》卷六），这可以说相当准确地概括了陆游使事极切极活的特点。就这个长句而言，用李西平的史实确切地抒发了自己的抱负，用事实际上起了比喻的作用。不难看出，“手枭逆贼”中的“逆贼”是以朱泚比喻女真统治者，“清旧京”中的“旧京”是以朱泚占据的唐京长安比喻入于女真统治者之手的宋京开封。北中国被占，南宋偏安一隅的历史形势，不都表现得一清二楚吗？

文须蓄势，诗亦宜然。此诗突然而起，二十八字的长句有如长风鼓浪，奔腾前进，但当其全力贯注于“手枭逆贼清旧京”之后，即不复继续前进，来了个“逆折”，折向相反的方面：“金印煌煌未入手”，壮志难酬，不胜愤懑！忽顺忽逆，忽扬忽抑，形成了第一个波澜。乍看变幻莫测，细玩脉络分明。李西平之所以能“手枭逆贼清旧京”，他的爱国心，他的将才等等，当然都起了作用；但更重要的是他得到执政者的重用，肘悬煌煌金印。自己呢，虽有将才和爱国心，而未能如李西平那样掌握兵权，“手枭逆贼清旧京”的壮志又怎能实现？

“金印煌煌未入手”一句连“折”带“抑”，“白发种种来无情”一句再“抑”，“成都古寺卧秋晚，落日偏傍僧窗明”两句更“抑”，直把起头用二十八字长句所抒发的一往无前的壮志豪情“抑”向低潮。“金印煌煌”，目前虽“未入手”，但如果是壮盛之年，来日方长，还可以等待时机。可是呢，无情白发，已如此种种(《左传·昭公三年》:“余发如此种种。”杜注曰:“种种，短也。”)！来日无多，何能久等呢？“成都古寺卧秋晚，落日偏傍僧窗明”，既补写出作者投闲置散，独居古寺僧寮的寂寞处境，又抒发了眼看岁月流逝、时不我与的焦灼心情。就一生说，已经白发种种，年过半百；就一年说，已到晚秋，岁聿其暮；就一日说，日已西落，黑夜将至。真所谓“志士愁日短”！而易逝的时光，就在这“古寺”中白白消磨，这对于一个渴望“手枭逆贼清旧京”的爱国志士来说，怎能不焦灼，怎能不痛心！

一“抑”再“抑”之后，忽然用一个反诘句平空提起:“岂其马上破贼手，哦诗长作寒螿鸣？”形成又一波澜。这两句诗从语法结构上看，不是两句，而是一句，即所谓“十四字句”。意思是：难道我这个马上破贼的英雄，就只能无尽无休地像寒蝉悲鸣般哦诗吗？平空提起，出人意外；然而细按脉理，仍从“犹当出作李西平，手枭逆贼清旧京”而来。穷极变化而不离法度。

接下去，通过描写“剧饮”抒发“手枭逆贼清旧京”的理想无由实现的悲愤:“兴来买尽市桥酒，大车磊落堆长瓶；哀丝豪竹助剧饮，如巨野受黄河倾。”真有“长鲸吸百川”的气概。但一味夸张地描写“剧饮”，难免给人以“酒徒”酗酒的错觉，因而用“平时一滴不入口”陡转，用“意气顿使千人惊”拍合，形成第三个波澜。接下去，波澜迭起，淋漓酣纵:“国仇未报壮士老”一句，正面点明“剧饮”之故，感慨万端，颇含失望之情；“匣中宝剑夜有声”一句，侧面烘托誓报国仇的决心，又燃起希望之火，从而引出结句:“何当凯旋宴将士，三更雪压飞狐城！”

结句从古寺“剧饮”生发，又遥应首句，而境界更为阔大。“飞狐城”指飞狐口，在今河北涞源县北，古代为河北平原与北方边郡间的咽喉。诗人希望有一天能够掌握兵权，在收复北宋旧京之后继续挥师前进，尽复北方边郡，在飞狐城上大宴胜利归来的将士，痛饮狂欢，直至三更；大雪纷飞，也不觉寒冷。读诗至此，才意识到前面写“剧饮”排闷，正是为结句写凯旋欢宴作铺垫。而“三更雪压飞狐城”一句，又是以荒寒寂寥的环境，反衬欢乐热闹的场面。

赵翼说陆游的诗“炼在句前”，主要指在命意、谋篇方面的艰苦构思。这首《长歌行》写于淳熙元年(1174)，当时诗人已五十岁，离蜀州通判任，寓居成都安福院僧寮。他不从几年来的经历和当前的处境写起，却先写报国宏愿及其无由实现的愤懑，直写到“白发种种来无情”，才用“成都古寺卧秋晚，落日偏傍僧窗明”点明了当前的处境。然而这两句诗由于紧承上文而来，其作用又不仅是点处境。于此可见，作者很重视“句前”的“炼”。就这两句诗本身而言，在炼字炼句炼意方面也独具匠心。一个念念不忘“手枭逆贼清旧京”的志士竟然在古寺里闲住，直住到“秋晚”，其心绪如何，不难想见。他珍惜光阴，不愿日落，而日已西落；日已西落，不看见也罢了，而“落日”却“偏傍僧窗明”，硬是要让“窗”内人看见。这样的诗句，不经过锤炼能够写得出来吗?

陆游的诗，起势雄迈骏伟者很不少；结句有兴会、有意味，而无鼓衰力竭之态者尤其多。但首尾皆工，通体完美的作品在全集中所占的比例也不太大。这首《长歌行》，则是首尾皆工、通体完美的代表作之一，方东树说它是陆游诗的“压卷”(《昭昧詹言》卷十二)，确有见地。

(霍松林)

成都大阅

原文

千步球场爽气新，西山遥见碧嶙峋。

令传雪岭蓬婆外，声震秦川渭水滨。

旗脚倚风时弄影，马蹄经雨不沾尘。

属櫜缚裤毋多恨，久矣儒冠误此身。

鉴赏

大阅，对军队的大检阅，语出《左传·桓公六年》。宋代朝廷、州郡阅兵，都可以称“大阅”。淳熙二年(1175)，范成大知成都府，兼四川制置使，制置成都、潼川、利、夔四道，辟陆游为制置使司参议官。这年秋天，陆游参加成都的阅兵大典而作此诗。

第一联写大阅的时令和环境。“千步球场”，写阅兵校场的阔大，这里在练兵讲武之余，也作踢球用，故以球场称之。诗不明点“秋”字，“爽气”二字写出秋季特征，即是点秋。“新”字既接“爽气”，写其新鲜；从第六句看，又兼写雨后，因为雨后的秋气尤其新鲜。第一句从近处写，第二句转写远处。西山，指盘亘成都北部、西南部的岷山山脉的山峦。“遥见”，指出向远处看。“碧嶙峋”写出山势峻峭，山色青碧。这一联用笔轻淡，却已把大阅的时令、环境写得鲜妍可爱，烘托出诗人参加大阅的愉快心情，远近俱到，景中有情。

中间两联写大阅的情况。颔联承第二句向远处开拓。雪岭，位于成都以北、松潘南部。蓬婆，《元和郡县志》说是大雪山的别名。诗中雪岭、蓬婆，泛指岷山主峰一带的山峰。“令传雪岭蓬婆外”，似是写实，因为这一带地区当时名义上属四川制置使统辖；而又带有理想和愿望，因为实际上地为吐蕃所占据。秦川，原指秦岭以北的关中平原地带；渭水，指横贯今陕西省的渭河；诗中用指长安附近之地。长安是汉、唐故都，当时被金人占据。陆游于乾道八年(1172)到南郑任四川宣抚使王炎的幕僚之后，时时向往于收复关中失地；同时他又认为收复长安与关中，是恢复中原的根本条件，愿望更为迫切。他诗中常提到这种愿望，如《山南行》：“会看金鼓从天下，却用关中作本根。”《送范舍人还朝》：“公归上前勉画策，先取关中次河北。”诗中的“声震秦川渭水滨”，是用夸张手法抒写理想与愿望，因为成都阅兵的号令之声，根本无法传到这些地区。这一联用理想与激情，渲染阅兵声势的盛大，笔调雄壮，气势一扬。颈联则转入写实，写风吹而旗影闪动，用“倚”字、“弄”字，见风势不大。“马蹄”能“不沾尘”，一是明指“经雨”之故，即雨后尘埃不扬；一是暗指士兵训练有素，驰马轻捷。这一联从动态中反映校场中的宁静、整齐、严肃的气氛，是对大阅的赞美，笔调精细、疏淡。

结联抒情。“属櫜缚裤”，写自己身着军装；“毋多恨”，写乐意为此。为什么乐意呢？因为诗人久抱从戎壮志，恨“儒冠”的“误此身”，这一句乃化用杜甫《奉赠韦左丞丈》“儒冠多误身”句。属櫜，佩戴箭囊，语出《左传·僖公二十三年》。这一联在喜悦中带有感慨余音。

这一首诗写诗人以戎装参加阅兵，是符合他的志趣的，故情主喜悦;但当时朝政腐败,军事废弛,阅兵场面,无法过事铺张,故喜悦之情又只能以闲淡、冷静的笔触来描写。阅兵事件触动了诗人的理想与愿望,故闲淡中又着一联富有激情的雄壮笔墨;理想与现实的矛盾,最终在喜悦中又不免带出感慨。八句中笔调多变,而以和易清远为主。

(陈祥耀)

对　酒

原文

闲愁如飞雪，入酒即消融。

好花如故人，一笑杯自空。

流莺有情亦念我，柳边尽日啼春风。

长安不到十四载，酒徒往往成衰翁。

九环宝带光照地，不如留君双颊红。

鉴赏

这一首诗是淳熙三年(1176)春，陆游任四川制置使范成大的幕僚时作。全诗一韵到底，一气舒卷，可分为三层。

开头四句为第一层，写饮酒的作用和兴致，是“对酒”的经验和感受。这一层以善于运用比喻取胜。“酒能消愁”是诗人们不知道说过多少遍的话了，陆游却借助于“飞雪”进入热酒即被消融作为比喻，便显得新奇。以愁比雪，文不多见；飞雪入酒，事亦少有；通过“雪”把“愁”与“酒”的关系连结起来，便有神思飞来之感。对着“好花”可助饮兴，说来还觉平常，把花比为“故人”，便马上使人倍感它的助饮力量之大，因为对着好友容易敞怀畅饮的事，是人们所熟悉的。通过“故人”，把“好花”与“空杯”的关系连结起来，便有力量倍增之感。这两个比喻的运用，新鲜、贴切而又曲折，表现了诗人有极丰富的想象力和生活经验，有极高的艺术创造才能，它使诗篇一开始就带来了新奇、突兀而又真切动人的气概。诗人对于“飞雪”一喻是得意的，所以他在《读唐人愁诗戏作》中又有“飞雪安能住酒中，闲愁见酒亦消融”之句；对“故人”一事是深有体会的，所以他在《酒无独饮理》中又有“酒无独饮理，常恨欠佳客。忽得我辈人，岂计晨与夕”之句。

“流莺”两句为第二层，补足上文，表自然景物使人“对酒”想饮之意，并为下层作过渡。“流莺有情”，在“柳边”的“春风”中啼叫，承接上文的“好花”，显示花红柳绿、风暖莺歌的大好春光。春光愈好，即愈动人酒兴，写景是围绕“对酒”这一主题。这一层写景细腻、秀丽，笔调又有变化。

结尾四句为第三层，从人事方面抒写“对酒”想饮之故。长安，指代南宋的首都临安。自隆兴元年(1163)陆游三十九岁时免去枢密院编修官离开临安，到写诗之时，已历十四年了，故说“长安不到十四载”。第二句不怀念首都的权贵，而只怀念失意纵饮的“酒徒”，则诗人眼中人物的轻重可知，这些“酒徒”，当然也包括了一些“故人”。身离首都，“酒徒”“故人”转眼成为“衰翁”，自然诗人身体的变化也会大体相似，则“衰翁”之叹，又不免包括自己在内。“酒徒”中不无壮志难酬、辜负好身手的人，他们的成为“衰翁”，不止有个人的身体变化之叹，而且包含有朝廷不会用人、浪费人才之叹。这句话外示不关紧要，内涵深刻的悲剧意义。这两句在闲淡中出以深沉的感慨，下面两句就在感慨的基础上发出激昂的抗议之声了。“九环宝带”，指佩带此种“宝带”的权贵。《北史·李德林传》说隋文帝以李德林、于翼、高颎等修律令有功，赐他们九环带，《旧唐书·舆服志》则记载不但隋代贵臣多用九环带，连唐太宗也用过。“光照地”，又兼用唐敬宗时臣下进贡夜明犀，制为宝带，“光照百步”的典故。这句诗写权贵的光辉显耀。接下去一句，就用“不如”饮酒来否定它。用“留君双颊红”写饮酒，色彩绚丽，足以夺“九环宝带”之光，又与“衰翁”照应，法密而辞妍，既富力量，又饶神韵。

陆游写饮酒的诗篇很多，有侧重写因感慨世事而痛饮的，如《饮酒》《神山歌》《池上醉歌》等；有侧重因愤激于报国壮志难酬而痛饮的，如《长歌行》《夏夜大醉醒后有感》《楼上醉书》等；有想借酒挽回壮志的，如《岁晚书怀》写“梦移乡国近，酒挽壮心回”；本诗则侧重蔑视权贵而痛饮。开头奇突豪放，中间细致优美，结尾以壮气表沉痛，笔调灵活多变，而以豪壮为基调。清范大士《历代诗发》评：“始终极颂酒德，亦是放翁寄托之词”，“起有奇气”，是有见地之言。

（陈祥耀）

春　残

原文

石镜山前送落晖，春残回首倍依依。
时平壮士无功老，乡远征人有梦归。
苜蓿苗侵官道合，芜菁花入麦畦稀。
倦游自笑摧颓甚，谁记飞鹰醉打围！

鉴赏

本篇作于淳熙三年(1176)春暮，时陆游五十二岁，任成都府路安抚司参议官兼四川制置使司参议官，实际上是闲职。春残日暮，触景增慨，写下这首七律。

"石镜山前送落晖，春残回首倍依依。"石镜山在今浙江杭州临安区。首句所写，是诗人对往日情事的回忆。遥送落晖，当日就不免年近迟暮、修名不立之慨；今日回首往事，更添时光流逝、年华老大之感。句法圆融而劲健。

"时平壮士无功老，乡远征人有梦归。"颔联承上"春残""回首"，抒写报国无门之叹和思念家乡之情。陆游从军南郑，本图从西北出兵，恢复宋室河山，但不到一年即调回成都，从跃马横戈的壮士变为驴背行吟的诗人。如今忽忽又已四年，功业无成，年已垂暮，因此有"壮士无功老"的感慨。宋金之间自从隆兴和议(1164)以来，不再有大的战事，所谓"时平"，正是宋室用大量财物向金人乞求得来的苟安局面，其中包含着对南宋当权者不思振作的不满。既然无功空老，则何必远客万里，思乡之情也就倍加殷切，故说“乡远征人有梦归”。“无功”与“有梦”相对，情味凄然。

“苜蓿苗侵官道合，芜菁花入麦畦稀。”颈联宕开写景，紧扣“春残”，写望中田间景象。暮春时节，正是苜蓿长得最盛的时候，故有“苗侵官道合”的景象。芜菁一称蔓菁，开黄花，实能食。司空图《独望》诗有“绿树连村暗，黄花入麦稀”之句，陆诗“芜菁花入麦畦稀”化用司空诗意。两句所描绘的这幅暮春图景，一方面透出恬静和平的意致，另一方面又暗含某种寂寥的意绪。

“倦游自笑摧颓甚，谁记飞鹰醉打围！”尾联总收，归到“倦游”与“摧颓”。末句拈出昔日“飞鹰醉打围”的气概，似乎一扬；而冠以“谁记”，重重一抑，顿觉感慨横溢，满怀怆然。昔年的雄豪气概不过更增今日的摧颓意绪罢了。

“春残”，在这首诗里是触景增慨的契机；既是自然景象，又兼有人生的象征意味。通过对春残景物的描写，诗人把情、景、事，过去和现在，自然与人事和谐地结合起来。

（刘学锴）

月下醉题

原文

黄鹄飞鸣未免饥，此身自笑欲何之。
闭门种菜英雄老，弹铗思鱼富贵迟。
生拟入山随李广，死当穿冢近要离。
一樽强醉南楼月，感慨长吟恐过悲。

鉴赏

这一首诗作于淳熙三年(1176)，诗人年五十二岁，这年春间仍任四川制置使司参议官；据《年谱》，六月罢职，以主管台州桐柏观的名义领祠禄，仍留成都。然从这年的诗篇看，诗人在春末夏初似已因事离职，如《饭保福》有“免官初觉此身轻”之句。

诗篇抒写壮志难酬、罢职闲居的感慨。前四句用“黄鹄”事起兴，写闲居情况。杜甫《同诸公登慈恩寺塔》诗的结尾说：“黄鹄去不息，哀鸣何所投？君看随阳雁，各有稻粱谋。”以“哀鸣”无“所投”的黄鹄自比；以“各有稻粱谋”的“随阳雁”比胸无大志、只谋衣食的常人，感慨自己因怀抱大志而遭遇饥寒。陆游在诗的起联，即运用杜诗作典故，抒发和杜甫同样的感慨。杜诗说黄鹄“何所投”，此诗不明说自己罢职后所受饥寒的威胁，只用“黄鹄”的“未免饥”作比兴，倒过来用“自笑”“欲何之”扣住“此身”。语意达观、含蓄，但处境的艰难可知。诗人一贯想为国驰驱，收复失地，以“英雄”自命，现在却被迫“闭门种菜”，命运可能要他“老”于这种境遇之中，不免引起他的愤慨。颔联起句，却以闲淡语出之。对句用《战国策》冯谖客孟尝君家，不受重视，弹铗而歌“食无鱼”的故事，以自嘲富贵难求。这句表面说“思鱼”和叹“富贵迟”，实际上是表现对富贵并不强求。这两句也写得含蓄，但愤慨与达观之情并见。“黄鹄”句可与同期《遣兴》的“鹤料无多又扫空”句参看，“种菜”句可与同期《归耕》的“有圃免烦官送菜”句参看。

后四句写闲居心情。颈联以仰慕李广与要离明志。李广是汉初文、景、武帝时的名将，勇敢正直，爱护士卒，屡立战功，匈奴人称为“汉之飞将军”；曾被罢职居蓝田南山中，再起用仍不得封侯，终被迫自杀，“百姓闻之，知与不知，无老壮，皆为垂涕”(见《史记·李将军列传》)。要离是春秋时勇士，曾为吴王阖闾行刺公子庆忌不成功，伏剑自杀，也是慷慨之士(见《吴越春秋》)。要离墓相传在苏州阊门外。诗说要“入山随李广”，指李广罢居南山射猎事；“穿冢近要离”，则表示死后墓地要与要离为邻。诗人对这两个失败英雄，常常形诸吟咏，如《躬耕》写“无复短衣随李广”，《江楼醉中作》写“生希李广名飞将”，《言怀》写“愿乞一棺地，葬近要离坟”，《感兴》写“起坟仍合近要离”，这是诗人意识到自己的悲剧遭遇与悲剧性格的表现。这一联诗也是慷慨辛酸，兼而有之。结联说要对月“强醉”，以解“过悲”之情；但一“强”字，一“过”字，更增辛酸之感。

诗从闲淡到慷慨到辛酸。情境可悲，而意气犹豪，不失陆游诗的特色；至于对仗与呼应的灵活自然，尤其是他的长技。

(陈祥耀)

江楼醉中作

原文

淋漓百榼宴江楼，秉烛挥毫气尚遒。

天上但闻星主酒，人间宁有地埋忧？

生希李广名飞将，死慕刘伶赠醉侯。

戏语佳人频一笑，锦城已是六年留。

鉴赏

本篇是淳熙四年（1177）诗人在成都时所作，时诗人五十三岁。在这前一年，诗人因积极主战而遭当权者之忌，被言官指斥为“燕饮颓放”，免去了知嘉州的任命，于是他干脆自号“放翁”。这首《江楼醉中作》，正是以“燕饮颓放”的方式发抒内心愤郁的一曲醉歌。

“淋漓百榼宴江楼，秉烛挥毫气尚遒。”淋漓，这里形容喝酒尽兴之状。榼（kē），盛酒的器具。起联正点题面，说自己江楼宴饮，尽兴百榼，醉中秉烛挥毫，赋诗抒慨，意气十分遒劲。两句放笔直抒，意态豪纵，活现出放翁的自我形象。次句应题内“醉中作”。“尚”字传出顾盼自赏之状。

“天上但闻星主酒，人间宁有地埋忧？”颔联因醉酒而发抒内心的深沉忧愤。星主酒，指酒旗星。《后汉书·孔融传》李贤注引融与曹操书云：“天垂酒星之耀，地列酒泉之郡。”地埋忧，语出仲长统《述志诗》：“寄愁天上，埋忧地下。”两句说，只听说过天上有专门主管酒的酒星，哪里听说过人间有埋藏忧愁的地方呢？这表面上似乎是为自己的醉酒辩解，实际上却是借此表明：自己之所以“燕饮颓放”，正是由于忧愤填膺，又无地可埋忧的缘故。上句是宾，用“但闻”放开一步；下句是主，用“宁有”这样的反诘语勒转。

“生希李广名飞将，死慕刘伶赠醉侯。”汉代名将李广，屡败匈奴，匈奴称为“汉之飞将军”。西晋刘伶嗜酒。皮日休《夏景冲澹偶然作》之二：“他年谒帝言何事？请赠刘伶作醉侯。”颈联貌似平列“生希”“死慕”，实则有因果关系：正因为“报国欲死无战场”，生作李广无望，所以只能逃于醉乡，慕刘伶之死赠醉侯了。语气颇多感慨。这一联与上联交错相应，互相发明。

尾联回到“江楼”宴席现境：“戏语佳人频一笑，锦城已是六年留。”佳人，指宴席上陪侍的歌伎。陆游从乾道八年(1172)冬离南郑到成都，至此已首尾六年，所以说“锦城已是六年留”。这句下有自注说：“退之诗云：‘越女一笑三年留。’”这本是极言女子的魅力，能使远客逗留三年；这里说“戏语”“一笑”，明显是宴席间的戏谑调笑之词。但它的内在涵义，却是忧愤自己投闲置散，报国无路，无可奈何地白白消磨了六年光阴。

这首诗写淋漓醉饮，写死慕刘伶，写戏语佳人，貌似颓放，但其实质却是对报国功业的追求和对现实处境的不满。即使是颓放的内容，也每每通过雄豪遒劲的诗句表现出来。纵怀醉歌中含有深沉的愤郁。这种诗风，是他入剑门以后，由于理想抱负不能实现而逐步形成的。前人评这首诗，或赞其“造句雄杰”(方东树《昭昧詹言》)，或赞其“裁对工整”(陈衍《宋诗精华录》)，似尚未涉及其精神实质。

(刘学锴)

万里桥江上习射

原文

坡陇如涛东北倾，胡床看射及春晴。
风和渐减雕弓力，野迥遥闻羽箭声。
天上欃枪端可落，草间狐兔不须惊。
丈夫未死谁能料？一笴他年下百城。

鉴赏

万里桥，在四川成都南锦江上。淳熙四年(1177)正月孝宗有诏："自今内外诸军，岁一阅试"；"沿江诸军，岁再习水战"(《续资治通鉴》卷一四五)。这首诗就是记淳熙四年春天，诗人观看万里桥一带江上演练的情景，以及由此而触发的感想。

开篇写景，诗人从大处落墨，说放眼望去，那高高低低的丘陵，犹如起伏的波涛向东北倾流而下。这就诗题而言，似是闲笔，其实不然，那"如涛"的比喻，是很容易让人联想到江水滔滔的画面；同时，诗人将静的"坡陇"化成奔流的波涛，这阔大的境界，跃动的形象，不也隐含着诗人激动兴奋的心情吗？这便为全诗设置了背景，创造了气氛。胡床，即交椅，因为最初从域外传入，故称胡床。诗人说正当一个晴朗的春天，我坐在交椅上观看江上将士演习射箭。这一方面点题，一方面点明时间，而后者又为下文伏笔。

第二联紧承“春晴”生发。雕弓，指用雕画装饰的弓。古时角弓用胶黏结兽角制成，春天风和日暖，胶的粘力受到影响，所以弓的力量也有所减弱。但是，尽管“风和渐减雕弓力”，还是可以听到将士们射出的羽箭带着一声长啸，飞向旷野的远处。这两句诗一退一进，刻画出将士们认真演习，膂力不凡的形象。正因为这样，诗人才感到“天上欃枪端可落”。天欃、天枪，星名，都是彗星，古人认为它的出现主有兵乱，这里代指金人；端，正。狐兔，喻小盗小贼。五六两句是从上联引出来的议论，意思是如此习武练兵，正可击退金人的南犯，那些“草间狐兔”大可不必因此而惊慌。有这下一句作陪衬，更加强了上句的力量，更强调出收复失地的宏愿。颔联描写见闻，颈联借以发论，一实一虚，相得益彰。“端可”“不须”二语，下得有力，并前后呼应。

尾联宕开一笔：“丈夫未死谁能料？一笴他年下百城”。笴，箭杆。“一笴”句典出《战国策·齐策六》鲁仲连事。时燕军所占之齐地聊城为齐人所围，鲁仲连作书劝燕将识大势，及早归降，以箭将此书射入城内，燕将果降。这两句诗实是诗人抒怀咏志。男子汉大丈夫只要不死，谁能料到一定无所作为呢？他年有遇，我也能像鲁仲连那样，一箭下百城！壮怀激烈，气势磅礴，无怪方东树评曰：“收语亦豪”（《昭昧詹言》）。这一豪壮的结语，使全诗的思想得到升华，精神为之一振，大大增强了诗的感染力，显示了陆诗豪迈雄健的风格。

陆游在蜀中的心情是极其苦闷的，但是，他不管在哪儿，不管自己只是个临时代理的地方官，也不管自己心情如何，每一次校阅，总是照常主持、参与，并热情赋诗。在他的诗集中可以看到乾道九年（1173）写的《八月二十二日嘉州大阅》，淳熙元年（1174）

写的《蜀州大阅》，淳熙二年写的《成都大阅》，特别是淳熙三年陆游被人攻击为“燕饮颓放”，遭到落职处分之后，淳熙四年春他还要去观看万里桥江上习射，并写了这样一篇慷慨磊落、意气昂扬的诗篇。这些行动，这些诗歌的出现绝不是偶然的。它反映了诗人一贯重视习武练兵以抵制侵扰的思想，反映了诗人对恢复中原的执著追求，也表现出诗人身处逆境，心怀国事，忧天下之忧，而不计个人得失的可贵品格。可见他后来劝勉辛弃疾所说的“深仇积愤在逆胡，不用追思灞亭夜”（《送辛幼安殿撰造朝》），绝不只是口头上说说的，也绝不只是对别人的，而是自己早就是这样实践着的！明白了这些，就更能体会到这些作品的思想价值及其感人之处。

这首诗以景兴起，继而叙事，转而议论，结以抒怀。转接自然，愈转愈深，但又始终围绕着“射”字在写，因而与“射”字相关的“箭”，也就或明或暗、或虚或实地反复涉及，不过那背景、那含意又是各不相同的。

（赵其钧）

秋晚登城北门

原文

幅巾藜杖北城头，卷地西风满眼愁。
一点烽传[①]散关信，两行雁带杜陵秋。
山河兴废供搔首，身世安危入倚楼。
横槊赋诗非复昔，梦魂犹绕古梁州。

〔注〕

① 烽传：古时边境备警急，筑高土台，积薪草，夜间有寇警，即举火燃烧，以相传告，谓之举烽；白天则燃烧积薪或狼粪以望其烟，谓之燔燧。

鉴赏

这首诗写于宋孝宗淳熙四年(1177)九月。诗人当时在四川成都。一天他拄杖登上了城北门楼，远眺晚秋萧条的景象，激起了对关中失地和要塞大散关的怀念。进而抒发了壮志难酬的悲愤和忧国伤时的深情。

首句“幅巾藜杖北城头”，“幅巾”指不着冠，只用一幅丝巾束发；“藜杖”，藜茎做成的手杖。“北城头”指成都北门城头。这句诗描绘了诗人的装束和出游的地点，反映了他当时闲散的生活，无拘无束和日就衰颓的情况。“卷地西风满眼愁”是写诗人当时的感受。当诗人登上北城门楼时，首先感到的是卷地的西风。“西风”是秋天的象征，“卷地”形容风势猛烈。时序已近深秋，西风劲吹，百草摧折，寒气袭人，四野呈现出一片肃杀景象。当这种萧条凄凉景象映入诗人眼帘时，愁绪不免袭上心来。“满眼愁”，正是写与外物相接而起的悲愁。但诗人在登楼前内心已自不欢，只有心怀悲愁的人，外界景物才会引起愁绪。所以与其说是“满眼愁”，勿宁说是“满怀愁”。“满眼愁”在这里起承上启下的作用，而“愁”字可以说是诗眼。它既凝聚着诗人当时整个思想感情，全诗又从这里生发开来。这句诗在这里起到了点题的作用。

颔联“一点烽传散关信，两行雁带杜陵秋”。这两句是写对边境情况的忧虑和对关中国土的怀念。大散关是南宋西北边境上的重要关塞，诗人过去曾在那里驻守过，今天登楼远望从那里传来的烽烟，说明边境上发生紧急情况。作为一个积极主张抗金的诗人，怎能不感到深切的关注和无穷的忧虑呢？这恐怕是诗人所愁之一。深秋来临，北地天寒，鸿雁南飞，带来了“杜陵秋”的信息。古代有鸿雁传书的典故。陆游身在西南地区的成都，常盼望从北方传来好消息。但这次看到鸿雁传来的却是“杜陵秋”。杜陵在今陕西西安市东南，秦置杜县，汉宣帝陵墓在此，故称杜陵。诗中用杜陵借指长安。长安为宋以前多代王朝建都之地，故在这里又暗喻故都汴京。秋，在这里既指季节，也有岁月更替的意思。“杜陵秋”三字，寄寓着诗人对关中失地的关怀，对故都沦陷的怀念之情。远望烽火，仰视雁阵，想到岁月空逝，兴复无期，不觉愁绪万千，涌上心头。

“山河兴废供搔首，身世安危入倚楼。”这联诗句，抒发了诗人的忧国深情。“山河”在此代表国家，国家可兴亦可废，而谁是兴国的英雄？“身世”指所处的时代。时代可安亦可危，又谁是转危为安、扭转乾坤的豪杰？山河兴废难料，身世安危未卜，瞻望前途，真令人搔首不安，愁肠百结。再看，自己投闲置散，报国无门，只能倚楼而叹了。

“横槊赋诗非复昔，梦魂犹绕古梁州。”这一联既承前意，又总结全诗。“横槊赋诗”意指行军途中，在马上横戈吟诗，语出元稹《唐故工部员外郎杜君墓系铭并序》：“曹氏父子鞍马间为文，往往横槊赋诗。”其后苏轼在《前赤壁赋》中也曾写过“横槊赋诗，固一世之雄也。”“横槊赋诗”在这里借指乾道八年（1172）陆游于南郑任四川宣抚使幕府职时在军中作诗事。他经常怀念的，正是“铁马秋风大散关”的戎马生涯，而现在这些已成往事。“非复昔”三字包含着多少感慨啊！诗人虽然离开南郑已有五年之久，但金戈铁马，魂绕梦萦，仍未去怀。“梦魂犹绕古梁州”道出了诗人的心声。他为什么念念不忘古梁州呢？古梁州州治在汉中，南郑、大散关皆在这个地区。诗人曾有以此为基地收复失土的宏伟计划，也曾建议四川宣抚使王炎，从这里进取中原。但良机已失，徒唤奈何？虽然如此，可是诗人仍未忘怀古梁州；不仅这时未忘，就是到了老年，退居山阴后，仍高唱着“当年万里觅封侯，匹马戍梁州”的诗句。可见“梦魂犹绕古梁州”，正是报国心志的抒发，诗虽结束，而余韵悠长。

这首诗主要写诗人登城所见所想。写法是记叙与抒情相结合。开头两句记叙出游的地点、时间和感受，并点明题旨。第二联写远望烽火，仰观雁阵所兴起的失地之愁。第三联由失地而想到“山河兴废”和“身世安危”。最后追忆“横槊赋诗”，激起壮志难酬之悲。全诗以“愁”字为线索，贯穿全篇。边记事边抒情，层次清楚，感情激愤，爱国热情毕呈纸上。此外，如语言的形象，对仗的工整，也是此篇的艺术特点。

（孟庆文）

登拟岘台

原文

层台缥缈压城闉，倚杖来观浩荡春。

放尽樽前千里目，洗空衣上十年尘。

萦回水抱中和气，平远山如酝藉人。

更喜机心无复在，沙边鸥鹭亦相亲。

鉴赏

拟岘台在蜀中，具体所在不详。《剑南诗稿》卷十二载八首以拟岘台为题的诗，中有“垂虹亭上三更月，拟岘台前清晓雪。我行万里跨秦吴，此地固应名二绝”之句，可见放翁对此处风物的激赏。

首联点题，拈出拟岘台的地形和登临的时序。“缥缈”以见层台之高，“浩荡”以明春意之广，两个形容词都用得颇为贴切。但相比之下，更为入神的还推一个“压”字。城闉依山，本自高大险峻，而层台雄踞其上，反使城闉见得矮小局促。诗人用“压”字将这种感受精确不移地表达了出来，不但更显示层台的巍峨，且将台与城从静止变为活动，从互相孤立变为浑然一体，使整个句子也产生了流动感。清人陈訏《剑南诗选题词》云：“读放翁诗，须深思其炼字炼句猛力炉锤之妙，方得真面目。”首联二句出语浅易，但下一“压”字，便振起全联精神，如试易以“出”“跃”“立”“接”诸字，于平仄均无不合，而境界终逊一筹。放翁炼字妙处，于此可见一斑。

第三句照应第一句，以层台高峻，方能极目远眺，尽千里之远。第四句则生发第二句，因春色浩荡，才觉心旷神怡，涤十年尘虑。颔联二句既承上，又启下。于骋目惬心之际，眼前的景物不知不觉也变了样子，那便是颈联"萦回水抱中和气，平远山如酝藉人。"在"衣上"凡尘洗涤一空的放翁看来，萦回曲折的江水，潺潺流去，毫无汹涌激荡之势，倒是充满一团和气；平缓起伏的峰峦，款款移来，不见峻峭陡拔之态，却似蕴藉深沉的哲人。颈联写景，但并非纯粹描山绘水，其间有诗人主观的思想感情。王国维《人间词话》云："有有我之境，有无我之境……有我之境，以我观物，物皆着我之色彩。"放翁这两句诗，所造的正是有我之境。春日登临，心头一片恬静，因此看得山山水水都那么冲淡，那么悠然。同样是拟岘台风光，在另一首《秋晚登拟岘望祥符观》中，却现出"雨昏回望殿突兀，秋晚剩觉山苍寒"的萧瑟之气来。什么原因呢？原来"中原未复泪横臆，故里欲归身属官"，国恨家愁，无可排解，眼中的山水又焉能不惨然变色！传情入景，或托景言心，是很有感染力的，所以"萦回水、平远山"一联可称全诗警策。

最后二句复言自己有情而无机心，故沙边鸥鹭可与相亲。《列子·黄帝》："海上之人有好鸥鸟者，每旦之海上从鸥鸟游。鸥鸟之至者百住而不止。其父曰：吾闻鸥鸟皆从汝游，汝取来，吾玩之。明日之海上，鸥鸟舞而不下也。"放翁"鸥鹭相亲"句，盖反用其意出之。末联结语拓开一层，言诗人在春光溶溶之中，浑然忘机，与天地万物化为一体，冲和淡泊的意境至此是表达得很圆满的了。微感缺憾的是末联造语似嫌直露，词意倾泻，不耐咀嚼。

放翁有《九月一日夜读诗稿走笔作歌》，自论诗法云："琵琶弦急冰雹乱，羯鼓手匀风雨疾。诗家三昧忽见前，屈贾在眼元历历。"钱钟书《谈艺录》评曰："自羯鼓手疾、琵琶弦急而悟诗法，大可着眼。二者太豪太捷，略欠渟蓄顿挫；渔阳之掺、浔阳之弹，似不尽如是。若磬、笛、琴、笙，声幽韵慢，引绪荡气，放翁诗境中，宜不常逢矣。"用来评论此诗结语，也是适当的。

陆放翁诗，论者多称其雄浑豪健、峻峭沉郁；而这首诗则以雅洁冲淡、清新脱俗的格调反映了他的诗风的另一个侧面。吴仰贤《小匏庵诗话》以少陵、放翁并称，言"大家诗集中无体不包"，也不能说是虚誉。

（蒋见元）

关山月

原文

和戎诏下十五年，将军不战空临边。
朱门沉沉按歌舞，厩马肥死弓断弦。
戍楼刁斗催落月，三十从军今白发。
笛里谁知壮士心，沙头空照征人骨。
中原干戈古亦闻，岂有逆胡传子孙？
遗民忍死望恢复，几处今宵垂泪痕！

鉴赏

《关山月》，本为汉乐府横吹曲名，这里是古题新用。

隆兴元年(1163)宋军在符离大败之后，十一月，孝宗诏集廷臣，计议与金国讲和的得失，旋即达成和议，到了孝宗淳熙四年(1177)，距朝廷下诏议和已近十五年了。朝廷文恬武嬉，不图恢复，诗人抚事伤时，不能自已，写下了这首沉痛感人的诗篇，时诗人年五十三。

诗的前几句主要是描写对与金议和所带来的恶果。“戎”，本是中国古代对西方一种少数民族的称呼，这里是指女真族的金国。金国从灭辽、灭北宋之后，形成了与南宋对峙的局面，并不断进攻南宋，攻占了大片土地。腐朽的南宋朝廷不仅不奋发图强，收复失地，反而苟且偷安，屈膝求和。由于这一次的与金议和，所以，将军不战，军备松弛。战马久不临阵，只好在马厩中食肥老死；弓弦多年不用，也陈旧折断；连那白天当炊具夜里作更鼓用的刁斗，也只好催促光阴飞度，别无他用。更有甚者，那些居于沉沉朱户之内的朝廷大员，不顾国家安危，只知道及时行乐，歌舞升平。

然而，此时毕竟不是一个国泰民安的太平盛世。卧榻之侧，分明已让他人酣睡；国门之外，金人虎视眈眈。虽然朝廷上下企图偷安于东南的半壁河山，但中原遗民却盼望恢复，戍边壮士亟欲报国。在这首诗的后半部里，诗人表达的正是这些思想。在诗人看来，中原发生战事，这并不稀奇，因为古已有之。但像现在这样，让外族几十年来安然盘踞中原而不闻不问，听凭他们繁子衍孙，世代相传，真是千古罕见的事了。所以，应该整顿军备，恢复失土。然而，纵把横笛吹破，又有谁知壮士之心？月光照耀着那沙上的征人白骨，但如今朝廷不战，功业无成，他们是白白地失去了生命！中原遗民忍死含垢，南望王师，但朝廷并不打算恢复故地，他们的希望岂有实现之日？今宵该有多少遗民在伤心落泪啊！

这首《关山月》集中体现了陆游一生的政治主张。正如他的其他很多诗作一样，这首诗也是以情取胜，以气见长。初看起来，这首诗并没有什么特别的佳句，但仔细一品味，便会发现它句句是血，声声是泪。它所抓的是一些典型的、触目惊心的、令人愤慨的现象；它所表达的是强烈的忧国忧民的感情。由于此诗抓住了当时现实中的一些最反常的细节来加以描写，并且以一股浓烈深沉的感情和意气贯穿其中，使其浑然一体，不可句摘，故千百年来，人们只要一读起它，便不禁要欷歔感叹了。

（刘禹昌　徐少舟）

寓驿舍

原文

闲坊古驿掩朱扉，又憩空堂绽客衣。

九万里中鲲自化，一千年外鹤仍归。

绕庭数竹饶新笋，解带量松长旧围。

惟有壁间诗句在，暗尘残墨两依依！

鉴赏

陆游四十八岁那一年，自夔州通判调到南郑，为四川宣抚使王炎幕宾。七个月后，改官成都，后为范成大幕中参议。数年中，虽曾权判蜀州，摄知嘉、荣，总是以成都为中心，往来奔走。到成都时间短暂，多客寓驿舍寺院（五十岁到成都，曾客寓多福院，有“四到锦城身愈老”之句以纪其事）。这首《寓驿舍》即写其第三次寄寓于某一驿舍的思想感情。

大概，驿舍也因官职大小而异吧？他住的这个地方显然不是大僚下榻的处所。地属僻静“闲坊”（坊，街道），驿是陈旧“古驿”，门虽“朱扉”，却又常“掩”，客厅是荡荡“空堂”，诗一开头便仿佛把读者带进一个古寺，一种荒凉幽寂的气氛扑面而来。客衣初解，四观寂寥，不由人想起这些年的宦海浮沉，于是带出次联，写此行的心情感受。“鲲自化”用《庄子·逍遥游》鲲化为鹏故事，喻指不少得志者飞黄腾达，官运亨通，但他们扶摇直上，与我本不相干;“鹤仍归”用《搜神后记》中丁令威成仙后化鹤归来的故事,一方面切自己此日旧地重来,一方面有物是人非之叹。这一联用的两个典故,概言升沉异势,深寓感慨。三联紧承“仍归”,写此日追寻旧迹的行动。故地重游,驿中庭院已经起了变化。那片竹子比过去长得更多了,那株古松比过去长得更粗大了。竹子,他是一根根数过的;古松,他是解下腰带量过的。这哪里是在数竹、量松,他分明是在思量这些年闲抛的岁月,分明是在寻找这些年往来奔波的脚印啊!竹增松长,岁月如流。可见这数竹量松看似悠闲的动作中,实含有无穷感慨,万种凄惶。陆游当初入蜀,来到宋、金对峙的南郑前线,满怀恢复壮志。他曾一再代王炎划进取长安、恢复中原之策,也曾“华灯纵博,雕鞍驰射”,短衣刺虎,那意气何等豪纵。谁知不久王炎内召,他也改官成都,恢复大志,初既不行于江淮,今复受阻于西北。一番心事,都付东流;几多岁月,蹉跎以尽。今日故地重来,数竹量松而兴“木犹如此,人何以堪”的感叹,那感情是十分深沉复杂的。哪里去追寻流逝了的岁月?哪里去寻觅失去了的心?诗人在彷徨,在摩挲,突然,他发现了——

“惟有壁间诗句在,暗尘残墨两依依!”

这诗句题在壁上,字迹漫漶,蛛网尘封,尚依稀可以辨认。这壁上的诗句,留下了往日的雪泥鸿爪,也记下了当时的激烈壮怀。抚今追昔,他怎能不心事万千!结联“暗尘”“残墨”,回应起句“闲坊古驿”,首尾回环,加深了全诗的怀往感旧之情。“依依”叠字收篇,声情缭绕,更留下无穷的酸楚,不尽的沉思,供人品味。

这首诗,气氛沉重,感情抑郁而强烈。从开始的“闲”“古”“掩”“空”诸字,直贯结尾的“暗尘”“残墨”,始终幽暗凄冷。客之孤独与堂之空旷的映衬，化鹤故事神幻色彩的渲染，数竹量松，摩挲残墨的行动，凡此种种，使气氛显得沉闷低徊，给人一种压抑之感。从感情看，全诗神完气厚，沉痛深婉。而独具机杼的是：全诗无一字明说“情”，其意象却又处处含有深沉强烈的感情。比如说，以“闲坊古驿”寓天涯落拓，以鲲鹤变化概人事升沉，以竹松寄岁月不居，以残墨追怀往昔，个人的心迹，时代的风雨，都涵蕴其中，因此获得摧抑人心之力。至于中二联的对仗工绝，犹其余事。赵翼《瓯北诗话》激赏陆诗，谓其“以一筹莫展之身，存一饭不忘之谊”，“每结处必有兴会，有意味，绝无鼓衰力竭之态”。潘德舆《养一斋诗话》说，陆游七律中的佳者“著句既遒，全体亦警拔相称。盖忠愤所结，志至气从，非复寻常意兴”。他们评断陆诗，都从思想感情的诚挚深厚出发以探求其兴会风格，可谓于牝牡骊黄之外，独具真赏。

（赖汉屏）

舟中对月

原文

百壶载酒游凌云，醉中挥袖别故人。
依依向我不忍别，谁似峨嵋半轮月。
月窥船窗挂凄冷，欲到渝州酒初醒。
江空袅袅钓丝风，人静翩翩葛巾影。
哦诗不睡月满船，清寒入骨我欲仙。
人间更漏不到处，时有沙禽背船去。

鉴赏

宋孝宗淳熙五年(1178)二月陆游自成都奉召东归。这首诗就写在过嘉州(治今四川乐山)向渝州(今重庆)的旅船中。诗以“对月”为题，实际上抒写的是无人理解的孤单处境和凄凉情怀。

首四句说自己即将离开蜀地的时候，故人已经远远地留在后边，只有月亮是不懈的伴侣。起言“百壶”载酒，以示在凌云山设酒送行者之众多，但“谁似”二字轻轻一拨，就在故人的陪衬下突出了峨嵋山月同作者的联系。这是《舟中对月》一诗最成功的艺术手法之一：从此“月”便成了故人，下边的抒写全在“月”“我”之间进行。

中间四句承第四句，着力写月。峨嵋之月到了渝州，尚且频频“窥船”，可见月有情；人近渝州，凌云之酒方才“初醒”，在浓醉的背后读者也许看得出“不忍别”时作者借酒浇愁的初衷，是人有意。更妙的是人初醒时看见的只有月光的“凄冷”，这里“月色恼人眠不得”竟成了“月挂凄冷眠不成”了。“钓丝”有二义，一指钓竿上的丝，一为竹名。“葛巾”是用葛布做的头巾，常为位卑者所服。诗中说“江空”“人静”，因此“钓丝”当指竹，“葛巾影”当是作者自己的影子。“江空”两句不用“月”字，但竹形袅袅，人影翩翩，分明是一片空明的月光，状物至此，可谓神笔。对月只见“葛巾影”，不但再写孤独，而且以“起舞弄清影”启下句中的“哦诗”。

最后四句在前八句已经酝酿成的意境上再作突破，终于由孤寂进入飘逸，在清寒中寄寓作者对自我解脱的追求。诗至此，人由醉中别友到江船初醒，再到哦诗不睡；月则由峨嵋山巅到时窥船窗，再到清光满船，最后月光入骨、月人一体，把“舟中对月”这一题目发挥到淋漓痛快的地步。特别值得一提的是末尾两句。这两句中，“更漏不到”直承“我欲仙”，同时又用无更漏暗含唯有月满船的意思——这里明写更漏，暗写月光，但结果怎么样呢？结果是虚无的是更漏，实际存在的倒是月光。“沙禽背船”继续写“月满船”，因为只有月光明亮，离去的沙禽才清晰可见；不过，诗句又以沙禽背船而去照应诗人遗世欲仙：这两句字字不离“月”和“我”，却又能字字不涉“月”和“我”，像这样的诗句，真可谓炉火纯青，余音满万壑。《白石道人诗说》云：“一篇全在尾句，如截奔马。”本篇截中有纵，是善于收束的神品。

方东树的《昭昧詹言》对陆游诗颇多微词，但于此首却道：“超妙。太白、坡公合作。‘江空’二句正写留，重。‘哦诗’二句再议。收二句，三妙合空。”说它是李白、苏轼合作，大约首先是因为起句用东坡《送张嘉州》诗中“颇愿身为汉嘉守，载酒时作凌云游”，第四句、第六句用太白《峨嵋山月歌》:“峨嵋山月半轮秋,影入平羌江水流。夜发清溪向三峡,思君不见下渝州。”第八句又用太白《月下独酌》:“花间一壶酒,独酌无相亲。举杯邀明月,对影成三人。”不过,更重要的却是此诗清隽奔放,飘逸欲仙,酷似太白;轻灵流丽,如行云流水,又颇类东坡。然而也应该看到,陆游是一位个性十分鲜明的诗人,他向一切人学习长处,同时又主张:“文章最忌百家衣,火龙黼黻世不知。谁能养气塞天地,吐出自足成虹蜺。”在这种创作思想的指导下,他以超迈的笔力熔太白、坡公于一炉,自铸雄浑奔放、明朗流畅的风格,因而使这首诗既如李白、苏轼合作,又为陆游所独有。

(李济阻)

南定楼[①]遇急雨

原文

行遍梁州[②]到益州[③]，今年又作度泸[④]游。

江山重复争供眼，风雨纵横乱入楼。

人语朱离[⑤]逢峒獠，棹歌[⑥]欸乃[⑦]下吴舟[⑧]。

天涯住稳归心懒，登览茫然却欲愁。

〔注〕

① 南定楼：《舆地纪胜・潼川府路泸州》："南定楼在州治，晁公建，取诸葛《出师表》中语为名。"

② 梁州：此指汉中。

③ 益州：此指成都。

④ 泸：泸水，指金沙江经泸州这一段江流。

⑤ 朱离：同侏离。《后汉书・南蛮传》："语言侏离。"形容异地语音难辨。

⑥ 棹(zhào)歌：鼓桨而歌。棹，船桨。

⑦ 欸乃：桨橹声。柳宗元《渔翁》："欸乃一声山水绿。"《苕溪渔隐丛话前集》引《元次山集・欸乃曲注》云："欸音袄，乃音霭，棹船之声。"

⑧ 吴舟：高步瀛《唐宋诗举要》注："此诗吴舟当取喧哗进船之义，非吴、越之吴。"从诗句的文义上看，高说亦通。但这样解释，"吴舟"与上句"峒獠"就不能成对，故还是以吴、越之"吴"解为是。

鉴赏

放翁入蜀，奔走八年，先在汉中四川宣抚使王炎幕下供职，后调回成都。至宋孝宗淳熙五年（1178）二月，始奉召自成都东归。顺江而下，途经泸州，登南定楼，骤雨忽来，四顾茫茫，中心凄迷，遂即景命篇。

首联交代了在四川的行踪以及沿江东下，颔联写登楼所见。

南定楼在泸州州治，对江负山。江上风大，山间雨急，风雨相挟，纵横奔突。而在这雨横风狂之时，随着萧萧风声，透过森森雨幕，但见重岩叠嶂，百川千流，奔腾呼啸，竞赴眼底。因其风劲雨骤，更觉山重水复；而山洪奔涌，又衬出风紧雨急。一“争”字、一“乱”字，形象地写出暴风急雨时的景状，可谓传神。这两句与许浑名句“溪云初起日沉阁，山雨欲来风满楼”（《咸阳城东楼》），在表现手法上相似，即都从瞬息即变的景物之中，抓住最能体现情景的形象来渲染。许浑笔下溪云四起、山风满楼，正是欲雨之景；而放翁笔下山重水复，风横雨乱，非急雨无此景象。写景如此，始可称工。

颈联继写眼前所见所闻。出句承山，兼写土俗。峒獠，旧时对居住在西南山地的少数民族的辱称。“泸控西南诸夷，远逮爨蛮，最为边隅重地。”（《舆地纪胜》）在宋之时，犹土俗犷陋，风教未开，语言外人难解。其地不可久留之意，隐现言外。对句承江，兼写行旅。“棹歌欸乃下吴舟”，犹杜诗“门泊东吴万里船”（《绝句》）。但“吴”字用在杜甫诗中，只是沿江东下之意，而在放翁诗中，则包含着不少乡情。这二句诗，分开看，都只是客观的描写，放在一起，则形成对照，含蓄地表达了归乡心情。

“客舍并州已十霜，归心日夜忆咸阳。无端更渡桑乾水，却望并州是故乡。”（贾岛《渡桑乾》）末联两句诗意，与贾岛诗有相似之处，但其时其情，又有很大不同。贾岛恨久客并州远隔故乡，今非但不能归去，反北渡桑乾，离家更远，故其情痛切。放翁久居蜀地，对此怀有一种特殊的感情，无论是汉中形胜，还是成都繁华，都使他依恋难舍。一旦离去，往事分明在目，惜别之情顿起，所谓惯住天涯、归心倦懒，便是此意。但十载为客，方许归去，思乡之情，终不能免。留也难安，去也难安，两种情思，一般缱绻。登高远望，仰对茫茫云天，欲向谁语？俯视迢迢原野，不辨去路。心无所主，怎不生愁！末联所写的，正是这种迷茫之情。

这首诗纵横驰突，跌宕飘忽。诗中忽写行役之促，忽写江山之胜，忽写风雨之狂，忽写土俗之陋，忽写归心之切，忽写登览之愁，句句转，笔笔奇，如山间云雨、大江波澜，幻变奇绝。故读此诗，须以神会其神，以气驭其气，于飘忽回荡之中，求诗之精神所在。此诗另一个显著特点是节奏极快，盖非快不能状瞬息万变之景，非快不能成此幻变奇绝之诗。首联连用梁、益、泸三地名，将十年旅宦、千里蜀中，概括在一联之中，如骏马注坡，读之可闻迅足踏地之声。

（黄　珅）

楚城

原文

江上荒城猿鸟悲，隔江便是屈原祠。

一千五百年间事，只有滩声似旧时。

鉴赏

淳熙五年(1178)正月，孝宗召陆游东归。二月，陆游离成都，顺长江东下，五月初到达归州，作《楚城》及《屈平庙》等诗。据他所写的《入蜀记》，楚城在长江之南的“山谷间”，与归州(秭归)城及其东南五里的屈原祠隔江相望；而江中“滩声”，“常如暴风雨至”。

题为“楚城”，而只用第一句写“楚城”；第二句和三四句，则分别写“屈原祠”和江中“滩声”。构思谋篇，新颖创辟。

“江上荒城猿鸟悲”，先点明“城”在“江上”，并用“荒”和“悲”定了全诗的基调。“楚城”即“楚王城”，“楚始封于此”，是楚国的发祥地。楚国强盛之时，它必不荒凉；如今竟成“荒城”，就不能不使人“悲”！接下去，作者就用了一个“悲”字，但妙在不说人“悲”，而说“猿鸟悲”，用了拟人法和侧面烘托法。“猿鸟”何尝懂得人世的盛衰？说“猿鸟”尚且为“楚城”之“荒”而感到悲哀，则凭吊者之悲哀更可想见。“江上”二字，在本句中点明“楚城”的位置，在全诗中则为第二句的“隔江”和第四句的“滩声”提供根据，确切不可移易。

在第二句，诗人并没有直接回答“楚城”为什么“荒”，却用“隔江便是屈原祠”一句进一步确定“楚城”的地理位置，但不仅如此。

屈原辅佐楚怀王，主张彰明法度，举贤授能，东联齐国，西抗强秦，却遭谗去职。怀王违反屈原联齐抗秦的主张，使楚陷于孤立，为秦惠王所败。此后，怀王又不听屈原的劝告，应秦昭王之约入秦，被扣留，死在秦国。楚顷襄王继立，信赖权奸，放逐屈原，继续执行亲秦政策，国事日益混乱，秦兵侵凌不已。屈原目睹祖国迫近危亡，悲愤忧郁，自投汨罗江而死。至秦始皇二十四年(前 223)，楚国终为秦国所灭。

明乎此，就不难理解：因为楚国的命运与屈原的遭遇密不可分，诗人一见“楚城”的荒芜，就想到了屈原的遭遇。

“江上荒城，——猿鸟悲！”从语气看，这是慨叹；就文势说，这是顿笔。楚城如此荒凉，连猿鸟都为之悲伤，而楚城的隔江，便是屈原的祠庙啊！这无限感慨中又蕴蓄了多少说不出、说不尽处。

两句诗，欲吐又吞，低回咏叹，吊古伤今，余意无穷。

三四两句，仍然是再伸前说。一二两句，只用“便是”绾合“江上荒城”与“屈原祠”，接下去似应伸说那两者之间的关系。然而这样写，其意便浅，所以诗人别出心裁，照应着第一句的“江上”与第二句的“隔江”去写“滩声”。

从屈原那时到现在，时间已过了一千五百年，除了江上的“滩声”仍像一千五百年前那样“常如暴风雨至”(《入蜀记》)而外，人间万事都不似旧时。“滩声”依旧响彻“楚城”，而“楚城”已不似旧时；“滩声”依旧响彻归州，而归州亦已不似旧时。陵变谷移，城荒猿啼，一切的一切，都不似旧时啊！

诗人在此以少总多，纳“楚城”和“屈原祠”于“滩声”之中，并以“滩声”的“似旧”反衬人间万事的非旧，而“楚城”之所以“荒”、“猿鸟”之所以“悲”、屈原之所以被后人修祠纪念，以及诗人抚今思昔、吊古伤今的无限情意，许多不便说、说不尽处，都蕴蓄于慨叹和停顿之中，令人寻味无穷。全诗也就到此结束，不再“伸说”，也无须“伸说”。

这首七绝，在运用反衬手法上也有独创性。第一句写楚城在“江上”，第二句写屈原祠在“隔江”，从而以两个“江”字引出响彻两岸的“滩声”，使四句诗形成了天衣无缝的整体。江水流怨，滩声吐恨，那流经楚城与屈原祠之间、阅尽楚国兴亡和人世巨变的江水及其“常如暴风雨至”的“滩声”，是为屈原倾吐怨愤之情呢，还是为南宋时期与屈原有类似遭遇的一切爱国志士倾吐怨愤之情呢？

（霍松林）

泊公安县

原文

秦关蜀道何辽哉！公安渡头今始回。
无穷江水与天接，不断海风吹月来。
船窗帘卷萤火闹，沙渚露下蘋花开。
少年许国忽衰老，心折柁楼长笛哀。

鉴赏

此诗写于宋孝宗淳熙五年(1178)。整整八年前的一个秋日，诗人曾经乘舟溯江，经过湖北公安入蜀，在北临秦关的南郑前线以及成都等地任职。所以说："秦关蜀道何辽哉！公安渡头今始回。"一个"辽"字，一个"回"字，照应甚密，含蕴很深。不仅指时间的漫长，空间的辽远，更寓有诗人对最高统治者恩怨交织的复杂心情。

陆游入川后，曾参与四川宣抚使王炎的幕府工作。能够亲临宋金对峙的前线，"宾主相期意气中"，并参加了一些小的战斗，牛刀小试，兴奋异常。这时的孝宗，尚有恢复之意，王炎也在积极进行军事部署。然而陆游在南郑不到一年，王炎便被召回，随即免职，他的幕僚也被遣散。陆游奉调成都，北伐的热烈期待又一次破灭了。他仰天长叹："渭水函关元不远，著鞭无日涕空横。"(《嘉州铺得檄遂行中夜次小柏》)此后五年，他的生活是"冷官无一事，日日得闲游”(《登塔》)，但热血无时不在沸腾：“逆胡未灭心未平，孤剑床头铿有声。”(《三月十七日夜醉中作》)淳熙三年，他又一次受到打击，嘉州知州之职被罢免。后复起用为叙州知州，旋即奉诏到临安廷对。《泊公安县》就是他赴临安途中，舟经公安时所写。

孝宗对决策北伐是举棋不定的。他对陆游仅是赏识其文才而已。明乎此，“何辽哉”“今始回”二语的内涵可知。陆游对此感慨很深：“少鄙章句学，所慕在经世。诸公荐文章，颇恨非素志。”(《喜谭德称归》)“何辽哉”，写尽了八年外放之感，“今始回”，又透露出身赴廷对，以求一用之情。一冷一热，诗人饱经颠沛、壮志未泯的形象，跃然纸上。面陈素志的机会就在眼前，诗人心中又燃起了希望之火。他不由长长地吐出一口郁闷之气，凭靠在卷起窗帘的船窗口远眺——“无穷江水与天接，不断海风吹月来。船窗帘卷萤火闹，沙渚露下蘋花开。”秋高气清，江天无际；海风送爽，月光如水，境界是何等的开阔！胸次是何等的高远！正与诗人心中的宏愿相交融。尽管已是黄昏，但萤火喧闹，蘋花盛开，生意盎然。诗人虽然已经五十四岁，可理想之火，希望之花，不是也还在放射光辉么？

“少年许国忽衰老，心折柁楼长笛哀。”回首往事，二十岁时即已树立“上马击狂胡，下马草军书”(《观大散关图有感》)的志向，以身许国；时光奄忽，弹指间三十多年过去了，几经挫折，至今仍是一介“癯儒”。此去临安，面见那位犹豫反复、优柔寡断的孝宗，又将会是怎样的结局呢？想到这里，心情不免又有些沉重。不知是谁，在舵楼上吹起了长笛，呜呜的哀音在晚风中飘荡。诗人不禁想起了去年自己写的那首《关山月》中的两句：“笛里谁知壮士心，沙头空照征人骨！”耳边的笛音，不是也传出了爱国壮士的心曲吗？一样忠心几处同，然而前途渺茫，恢复难期，捐躯无地，“胡未灭，鬓先秋，泪空流”，怎不令人心折涕下啊！

陆游是把他创作的成熟期定在入川以后的。南郑前线火热的生活，使他觉得“诗家三昧忽见前……天机云锦用在我”，古体纵横飞动，律诗精炼深至。这一首《泊公安县》，苍凉雄浑，意深境远。颔联气象阔大，浑然天成；颈联信手拈来，属对工巧。两联一远一近，一上一下，错落有致。且颔联之阔大承首联之辽远；颈联之细密启尾联之哀思，可谓珠圆玉润、毫无雕琢痕迹。正如杜甫夔州以后之诗，“豪华落尽见真淳”（元遗山《论诗绝句》中句）。

（李正民）

初发夷陵

原文

雷动江边鼓吹雄，百滩过尽失途穷。
山平水远苍茫外，地辟天开指顾中。
俊鹘横飞遥掠岸，大鱼腾出欲凌空。
今朝喜处君知否？三丈黄旗舞便风。

鉴赏

孝宗淳熙五年(1178)，陆游在度过八年的川陕生活之后，奉诏离蜀东归，往临安廷对。官船经岷江，过川江，顺流而下，端午过后便到达夷陵(今湖北宜昌)。这首诗是船发夷陵时写的，描写了夷陵江面的壮观景象，表达了诗人豁然开朗的心境。

起首一联“雷动江边鼓吹雄，百滩过尽失途穷”，是回顾到达夷陵之前，船过三峡时的惊心动魄的情景。古时放舟出峡，舟人往往击鼓而行，鼓声响如春雷，震彻两岸，气势雄壮。诗人经过瞿塘峡时便曾有“旗下画鼓如春雷”的惊叹。长江三峡向以滩险闻名于世，巨石暗礁密布水底，使得江流“峻激奔暴，鱼鳖所不能游”。而且三峡一带水道曲折，舟行江中，常有川尽途穷之感。因此，当闯过这些险滩到达夷陵的时候，惊魂甫定、充满喜悦的心情是可想而知的。

第二联写夷陵地段江面的壮阔。夷陵在三峡出口处，江水在峡中约束既久，至此则奔涌而出，一泻千里，江面豁然开阔。此时站在船头，极目远望，“山平水远”，江天一色，苍茫一派；而且回顾来路，指点眼前，峡内峡外两相对比，确有“地辟天开”之感。所以“山平水远苍茫外，地辟天开指顾中”，既是从阔远的画面上来描绘夷陵江面的景色，更刻画了初出三峡时那种豁然开朗、乍喜还惊的心情，生动传神。

第三联如同用近镜头，摄取了江面上一组美丽奇特的画景。“俊鹘横飞遥掠岸，大鱼腾出欲凌空”，是说雄鹰振翮奋飞，追风逐浪，掠岸而去；大鱼腾跃出水，几乎要凌空而上。前句写天上，后句写水面。前句中，“遥”字可见江面之宽，“掠”字可见鹰飞之迅；后句中，“腾”字状鱼之活泼，“欲凌空”，更形腾跃之势。此联与上联互相映衬，由远及近，由虚而实，将夷陵江面壮而又奇的景象描绘得十分生动。

末联写诗人自己的心情。“今朝喜处君知否？”诗人所喜何在？一方面当然是船行出峡，心胸为之开朗，喜悦之情油然而生；但另一方面更是对故乡的渴想和对未来充满希望的一种自慰之感，所以不由高唱“三丈黄旗舞便风”。“黄旗”本指战旗，陆游其他诗中便有“将军驻坡拥黄旗”“大将牙旗三丈黄”等句。此处指诗人坐船上的旗帜。“便风”是顺风。沿江而下，轻舟顺风，旌旗猎猎，是令人惬意的。诗人从入川到出川，连同途中往返，已经十个年头了。十年间，虽然曾有过亲临前线戍边的生活，但更多的时候是不受朝廷重用，心头压着报国无门的痛苦。而这次奉诏还朝廷对，或许能向皇上倾吐报国的襟怀。果能如此，“三丈黄旗舞便风”便是驰骋疆场、为国杀敌的吉兆了。这种感情的表达与前三联的客观描写十分协调。

综观全诗，其特色有二：一是极尽点染之功，将一幅锦绣长江图展现在读者面前。作者的写景手法，既有大笔濡染，又有细致勾画，有远有近，或高或低，历历如绘。二是表达了对祖国山川的热爱和对生活的希望，热情洋溢，意气飞动，感人至深。

（李敬一　张　翰）

六月十四日宿东林寺

原文

看尽江湖千万峰，不嫌云梦①芥吾胸。
戏招西塞山②前月，来听东林寺里钟。
远客岂知今再到，老僧能记昔相逢。
虚窗③熟睡谁惊觉？野碓④无人夜自舂。

〔注〕

① 云梦：楚国泽名。其址大致包括今湖南益阳、湘阴以北，湖北江陵、安陆以南地区。
② 西塞山：在今湖北大冶东，山临长江。
③ 虚窗：敞窗。凡开窗必空其中，故解做敞窗。
④ 野碓(duì)：此处指田野间用水力舂米的水碓。

鉴赏

淳熙五年(1178)正月，宋孝宗召陆游东归，二月诗人离开成都，顺江东下，秋天到达京城临安。这首诗写于六月东归过九江时。东林寺在九江庐山麓，为我国古代著名寺院之一。陆游在乾道六年(1170)入蜀，路过九江，曾游历庐山，并住宿在东林寺；经过多年宦游生活，这次又来到东林寺留宿，望明月，听钟声，洗心涤虑，心旷神怡，不免对游宦生活产生一种厌倦情绪。

“看尽江湖千万峰，不嫌云梦芥吾胸。”诗的起势突兀，好似千里归来，有说不尽的心意。事实也是如此。诗人由临安到夔州，再由夔州到南郑，然后调往成都府，又在蜀州、嘉州任官。最后顺江东下，来到九江。他宦游八年，不仅阅尽巴山蜀水；就是汉中、云栈、剑阁，也无不跋涉；至于长江、汉水，浩渺的洞庭湖也尽在游赏之中。诗人行程万里，真可以说是“看尽江湖”，阅尽了“千万峰”。既已观赏过无数高山大川、奇峰秀水，那么云梦大泽又怎能芥蒂在我的心中？芥，芥蒂，本作“蒂芥”，指细小的梗塞物。司马相如《子虚赋》：“吞若云梦者八九于其胸中，曾不蒂芥。”后来宋人把“蒂芥”颠倒用作“芥蒂”，比喻为心里的怨恨或不快。如苏轼《送路都曹》诗有“恨无乖崖老，一洗芥蒂胸”。陆游的“不嫌云梦芥吾胸”句，既用了司马相如的句意，也含有苏轼诗句的意思。这句是说，云梦虽大，对于一个“看尽江湖千万峰”的人来说，它岂能梗塞在我的心中，言外之意，云梦在我心目中也不过是小小的水泽罢了，既能容纳它，也能忘却它；至于宦海沉浮，人间的恩怨，更算不得什么。这首诗以议论开始，形象地概括了诗人的行程，抒发了胸臆，表现出一种旷达的情怀。

“戏招西塞山前月，来听东林寺里钟”，再次表现了诗人豪放豁达的胸怀。这本是写实之笔。诗人留宿在东林寺，眼望着天上皎洁的明月，耳听着寺里悠扬的钟声，这境界确实很清幽，但不免又想起一段往事。那是乾道六年八月中秋节。诗人曾记述过当时的月景：“空江万顷，月如紫金盘，自水中涌出，平生无此中秋也。”(《入蜀记》)这优美的中秋夜景，是诗人入蜀途经西塞山，在大江对岸留宿时所见到的。自此以后，那如紫金盘的明月似乎一直伴随着自己，今日在庐山脚下，又看到她，何不邀来共听古寺钟声。戏，嬉戏之意。诗人为什么对钟声那样感兴趣？月下闻钟，当然是一种美的享受。但用佛教的说法，寺院的钟声可以发人深省。是不是诗人也想要深省一番？这两句诗写得洒脱而含蓄，反映诗人对幽静的东林寺的喜爱。

“远客岂知今再到，老僧能记昔相逢。”“远客”是诗人自谓。诗人没想到今日又旧地重游，真是喜出望外，而且老僧还记得昔日相逢的情景。这两句虽似浅近，但含意丰富，从中可见诗人倦于仕途、委心任运的思想。

这种心情，诗人虽没有直接描述，但从“虚窗熟睡谁惊觉？野碓无人夜自舂”中透露出来。“虚窗”指敞窗，敞窗入睡，而且睡得很熟，说明诗人心情坦然，忘怀一切。“谁惊觉”的“谁”字不仅指人，也包括各种声音。意思是说，究竟是谁把我从熟睡中惊起的呢？原来是远处村野传来的水碓夜舂声！“虚窗熟睡”点明题旨，全篇诗意尽蕴含其中。结句以野碓夜舂的田园生活把诗人沉寂的心带进一个新的境界。

从全诗来看，首联以议论入诗，这是宋人常用手法。颔联写邀月闻钟，涤除尘虑，表现对游宦的厌倦。颈联用转折含蓄的笔法，写与老僧话旧，表现出诗人对东林寺的深厚感情。尾联写山寺熟睡和野碓夜舂，点明题旨。此诗意境高旷超脱，得庄生委心任运之旨，所以姚鼐评为“最似东坡”。(《五七言今体诗钞》卷九)至于“野碓无人夜自舂”，虽说是化用唐韦应物的“野渡无人舟自横”(《滁州西涧》)句法，但别出新意。前者写静，后者写动，各有千秋。

（孟庆文）

登赏心亭

原文

蜀栈秦关岁月遒，今年乘兴却东游。

全家稳下黄牛峡，半醉来寻白鹭洲。

黯黯江云瓜步雨，萧萧木叶石城秋。

孤臣老抱忧时意，欲请迁都涕已流。

鉴赏

“君诗妙处吾能识，正在山程水驿中”，这是陆游对萧彦毓诗的赞语。诚然，“万象毕来，献予诗材”，是写出好诗的条件之一，陆游自己也何尝不是这样；但陆诗的感人之处，并不在写景的穷形尽相和叙事的丰满委曲，而是寓于景物和事件之内的激情。

此诗的写作时间上承《泊公安县》，亦为诗人于宋孝宗淳熙五年(1178)奉诏回临安时路上所作。《景定建康志》载：“赏心亭在(城西)下水门之城上，下临秦淮，尽观览之胜。”可见赏心亭是建在建康城上的亭子，登高远望，可以赏心悦目。陆游从四川回来舟经建康，登亭有感而赋此诗。

全诗的感情脉络，前半由一“兴”字点出，后半为一“忧”字包孕。“兴”乃因一线希望而引起——赴阙召对，将面陈恢复大计，或蒙采用，则宿愿得偿；“忧”，则是希望渺茫的表现——面对现实，他深知孝宗的软弱，国家前途如满目衰败之秋景。首句“蜀栈秦关岁月道”，恰与《泊公安县》诗中的“秦关蜀道何辽哉”呼应，一说空间之远，一说时间之长；一写“蜀道”，突出“难”，一写“蜀栈”，突出“险”；“何辽哉”，以感叹语气状其偏远；“岁月道”，则以兴奋语气言其东还。朱彝尊等人曾批评陆游诗的复句多，实际上如这两句，貌似“复句”，但各有意趣，故不能仅以形式的重复轻下断语。诗人被外放四川、陕南，一去八年，备尝艰辛，度过了不平常的岁月。“岁月道”之“道”本作强劲解，这句是指在南郑的一段戎马生活，故用“岁月道”来形容，犹“岁月峥嵘”之意。回忆起来，按捺不住心头的喜悦之情，伏下句之“乘兴”。但“乘兴东游”之“兴”，却不是从“游”中来，而是从“东”中来的。诗人东行的目的是奉诏见孝宗，将有再进忠言的机会，这也是兴奋的重要原因；至于“游”，不过是乘着兴致高和顺路之便，沿途观赏罢了。于是，“全家稳下黄牛峡，半醉来寻白鹭洲”，一个“稳”，一个“醉”，呈现出诗人经险如夷、平安归来的心境。“黄牛峡”在今湖北宜昌西，长江流经此峡，水势湍急，而作者全家乘舟安然渡过，故着“稳下”二字表其幸运，上承“乘兴”，下启“半醉”。“白鹭洲”，在今南京西南长江中，李白《登金陵凤凰台》所云“二水中分白鹭洲”者是也。陆游既然要“乘兴东游”，此景岂能不观？于是，酒酣气张，登亭遥望，想一抒怀抱。

然而，映入诗人眼帘的，却是“黯黯江云瓜步雨，萧萧木叶石城秋”，一派肃杀凄凉的秋景。瓜步山在长江北岸六合境内，与建康遥遥相对。石城即石头城，北临长江，形势险峻。这两处都是历代兵家必争之地。南朝宋文帝元嘉二十七年(450)，魏太武帝拓跋焘率军攻宋，曾至瓜步山，建立行宫，即后来的佛狸祠，辛弃疾《永遇乐》词中所谓“佛狸祠下，一片神鸦社鼓”，即指此。此地此景，不由使诗人忧从中来。回想十五年前(隆兴元年)，自己曾向朝廷提出迁都建康的建议，被置之不理；这次赴阙，固将再陈迁都之策，但孤忠忧时，而朝廷避战，又能有何结果呢？如今登上建康城头，念及迁都之事，不禁涕泪交流，不能自已——这便是“孤臣老抱忧时意，欲请迁都涕已流”两句的意蕴。

建都建康，是主战派的一贯主张。他们认为从建康渡江，通过皖北，可以随时收复东京，这正是由“忧时”而求“光复”的一项重大决策。而主和派主张建都临安，一则为避金人的猜忌，二则当金兵南攻时，可以更方便地逃命，必要时还可以出海。故建都问题是和战两派斗争的一个焦点。在已经建都临安之后，陆游还念念不忘迁都建康，正是他“忧时”的表现。

从章法上看，前两联之“兴”与后两联之“忧”，形成对比，富抑扬顿挫之致；而前后又以爱国之情的线索贯穿，悲欢忧喜之情，无不以国事为因，这就使全篇浑然一体。

读陆游这首诗，很容易使人联想起辛弃疾的《水龙吟·登建康赏心亭》。辛弃疾登亭是在陆游前四年，他在赏心亭上“把吴钩看了，栏杆拍遍，无人会，登临意”，因此，“英雄泪”夺眶而出。陆诗的“忧时意”正是辛词的“登临意”。二人心心相印，千载以下，仍令人感叹不已。

(李正民)

冬夜听雨戏作二首（其二）

原文

绕檐点滴如琴筑，支枕幽斋听始奇。

忆在锦城歌吹海，七年夜雨不曾知。

鉴赏

古代描写听雨的著名诗句，如王维的“山中一夜雨，树杪百重泉”（《送梓州李使君》），孟浩然的“夜来风雨声，花落知多少”（《春晓》），杜牧的“一夜不眠孤客耳，主人窗外有芭蕉”（《雨》），李商隐的“秋阴不散霜飞晚，留得枯荷听雨声”（《宿骆氏亭寄怀崔雍崔衮》），苏轼的“急雨潇潇作晚凉，卧闻榕叶响长廊”（《连雨涨江二首》），都是偏于幽清的情境。陆游写雨的诗特别多，他在《夜雨》中写道：“吾诗满箧笥，最多夜雨篇。”他的夜间听雨诗，有幽清、喜悦、悲凉、沉痛等情境，而这首诗却独以写豪放之境出奇。

这首诗写于淳熙五年（1178）十月诗人五十四岁初由四川回到故乡山阴时。起二句从山阴听雨说起：在屋檐边听雨，点点滴滴，声如琴筑；在清幽的书斋床上，支枕而听，其声始觉清奇有味。这二句稍作转折，但出以闲淡，为下文相反的笔调蓄势。结二句急转陡变，写出极为豪放绚丽的意境：七年中，生活于锦官城（成都别名）“歌吹”如“海”的环境，夜雨之声都不曾听到。诗人从乾道六年（1170）四十六岁时入蜀，到五十四岁离蜀回乡，前后九年;起先在夔州、南郑住过一段时间,以后到成都任安抚使、制置使的参议官,中间曾出任蜀州通判、摄知嘉州、荣州等职,但仍往返于成都与诸州之间,有七年时间长短不等地在成都住过。在南郑、成都过的是军府的生活,符合诗人的从军素愿,所以他后来对这两段生活,最为留恋和怀念,写的回忆诗篇最多。这两句就是回忆成都军府生活的。当时成都边境没有战事,军府晚上常有歌舞、鼓吹的盛会。在这种盛会中,诗人豪情发越,兴高采烈,有时忘了屋外响着雨声是很可能的。但"七年夜雨不曾知",却是极度夸张。他的《怀成都十韵》的"椽烛那知夜漏残",也有类似的夸张意味。这两句诗如果出于陈后主、江总一类人之手,便是沉醉声色、丧失心肝的表现;出于陆游之手,则性质不同,因为它是诗人热爱军中生活,借以抒发其强烈的豪情壮志的表现。不作如此夸张,便难以表现其豪放和热烈的感情。

这首诗以极端豪放的气概,大胆夸张的手法,为古今听雨诗创造一种壮丽、新奇的意境,堪称独特无二。

(陈祥耀)

自咏示客

原文

衰发萧萧老郡丞，洪州又看上元灯。
羞将枉直分寻尺，宁走东西就斗升。
吏进饱谙箝纸尾，客来苦劝摸床棱。
归装渐理君知否？笑指庐山古涧藤[1]。

〔注〕

① 诗末自注："庐山僧近寄藤杖，甚奇。"

鉴赏

陆游在"西州落魄九年余"的五十四岁那一年，宋孝宗亲下诏令，调他回临安，似将重用；但不旋踵又外放福建，一年之后再调江西抚州供职，依然担任管理茶盐公事的七品佐僚。这首诗就是在抚州任内所作，诗里的"洪州"即今江西南昌，离抚州不远。

把自己这些年的生活、情怀写给朋友们看，提笔便有许多辛酸。诗人把这许多辛酸，熔铸在"衰发萧萧老郡丞"这个起句里，先给朋友们展示一幅自画像：白发稀短，老态颓唐，这已是一层辛酸；官位又不过是辅佐州长官的郡丞，而且是"老郡丞"——多年来一直做一些细碎事务，更加上一层辛酸。计自三十四岁初入官场，在宦海中沉沦二十多年，始终未曾独当一面，以展其抗敌救国的壮志雄心。岁月流逝，人生倏忽，自然界的酷暑严冬与政治生涯中的风刀霜剑，交相煎迫，他安得不老？虚掷少壮之年，空销凌云之志，又安得不颓？这个起句，挟半生忧患以俱来，把斯人憔悴的形象描绘得非常逼真，读之便令人泫然。第二句"洪州又看上元灯"是反接，以上元灯火的彻夜通明，反衬此翁的颓唐潦倒，更有酒酣耳热，悲从中来的感慨。于是引出颔联直抒胸臆，诗情步步展开："羞将枉直分寻尺，宁走东西就斗升。"这十四字是近年宦海生涯的概括。古制八尺为"寻"，"寻尺"犹言"高低""长短"。谗言可畏，三人成虎，世间枉直，一时谁能评断清楚？即以放翁而论，他一生受了多少冤枉？哪一件又曾得到公正的裁判？早在四川，他就有"讥弹更到无香处，常恨人言太刻深"(《海棠》)的感慨；去岁奉诏东归，孝宗有意任为朝官，又被曾觌等人从中梗阻，这些政治上的枉和直，是和非，是语言所能分辨其寻尺高低的么？何况，他本来就不屑向他们分辩，甚至以这种分辩为"羞"呢！显然，他对政治上的翻云覆雨、勾心斗角是十分厌恶的，对那些吠影吠声的群小是不屑一顾的。他宁愿作外郡佐僚，东奔西跑，就升斗之俸以糊口，这样倒能避开许多风波。这是陆游郑重的选择，也是无可奈何的选择。诗句中"羞"字、"宁"字，下得很重，感慨遥深。

但是，高飞远引，甘居下僚，是不是就能使自己的心安适下来呢，不！远郡佐僚生涯，带给他的是更大的苦恼："吏进饱谙箝纸尾，客来苦劝摸床棱。""箝纸尾"用韩愈《蓝田县丞厅壁记》故事①，说明自己现任分管茶盐的佐僚，对主官只能唯唯诺诺，天天在公文上随着主官的意志画押签名，丝毫不能作主；甚至，连属吏也不把他放在眼里。他尝尽了俯仰随人的滋味。“饱谙”二字，浓缩了无限屈辱辛酸。下句“摸床棱”用《新唐书·苏味道传》中事②，全句说：好心的朋友来了，总是苦苦劝我遇事模棱两可，假装糊涂，不要固执己见。当然，这不失为一种处世自全之道；但，这岂是壮夫所为？岂是陆游所愿？

看来，进而分枉直，论是非，诗人不屑；退而走东西，就升斗，更是屈辱难忍，真是“乾坤大如许，无处著此翁”（《醉歌》），他是走投无路了。愈转愈深的诗情，逼得他说出了一句隐忍已久却又不得不说的话——“归装渐理君知否？笑指庐山古涧藤。”归隐山林，这是更大的退却，是在他心中酝酿了多年的无可奈何的退却！但是，他真正打算退隐么？要正确理解这句话，还得联系他一生出处行藏来看。他毕生心存社稷，志在天下，到老不忘恢复，“蹈海言犹在，移山志未衰”（《杂感》之三），怎么会真的想到退隐山林？就在早一年，他也写过“向来误有功名念，欲挽天河洗此心”（《夜坐偶书》）的话。显然，这不是认真的后悔，而是愤激的反语，应该从反面读。那么，“笑指庐山”这层归隐山林的意思，自然也只能从反面来理解了。我们从无可奈何的一再退却中，看出他对颠倒是非、不辨枉直的朝政的愤慨。所谓《自咏示客》者，也就是出示这样一种愤世嫉俗之情。

这首七律写的是一种特殊的人生痛苦，一种壮志难酬的苦恼悲哀，感情十分深沉。诗的抒情契机，全在一个“羞”字，一个“笑”字。这两个字是全诗线索，兴起许多波澜，构成许多转折，包含许多苦恼。在“羞”字里可以看到诗人的尊严，在“笑”字里可以看出诗人的眼泪。从句法上看，颔联属对工整，颈联用事贴切，增加了诗的容量。刘克庄在《后村诗话》中就曾激赏“箝纸尾”一联，谓"古人好对偶被放翁用尽"。在章法上，诗意层层退却，诗情却层层推进，愈转愈深，尽曲折回旋之能事，而全诗以衰颓气象起，以苦笑终，更加强了这首诗的感染力。

〔注〕

① 韩愈《蓝田县丞厅壁记》说，县丞有职无权，属吏抱来文书，左手挟卷正文，右手指着纸尾，要县丞签署，却不许他看清公文内容。详见《昌黎先生集》卷十三。

② 《新唐书·苏味道传》中云，苏味道初拜相，依违无所发明，他对人说："决事不欲明白，误则有悔；摸稜持两端可也。"即遇事含含糊糊，不可认真决断。

（赖汉屏）

五月十一日，夜且半，梦从大驾亲征，尽复汉唐故地，见城邑人物繁丽，云“西凉府也”。喜甚，马上作长句，未终篇而觉，乃足成之

原文

天宝胡兵陷两京，北庭安西无汉营；
五百年间置不问，圣主下诏初亲征。
熊罴百万从銮驾，故地不劳传檄下；
筑城绝塞进新图，排仗行宫宣大赦。
冈峦极目汉山川，文书初用淳熙年；
驾前六军错锦绣，秋风鼓角声闻天。
苜蓿峰前尽亭障，平安火在交河上；
凉州女儿满高楼，梳头已学京都样。

鉴赏

这首诗写于孝宗淳熙七年(1180)，陆游五十六岁。两年前，奉旨出川赴临安廷对时，他曾向孝宗涕泣陈请出兵中原，可是孝

宗却叫他担任“提举福建路常平茶盐公事”的职务。后从福建建安调到江西抚州，官职不变，地方却强多了。这对陆游来说，是越级提拔，陆游也心知这是孝宗的特恩，但因为他始终不能忘怀“铁马秋风大散关”那一段战斗生活和从南郑兵出长安恢复中原的宏图大计，所以在这类后方“仓司”任上总是意气颓然。对恢复大业却始终萦怀，不免情入梦境。在江西任上，现实中无法实现的这个理想，梦中得到了升华，令他写下了这首诗。

陆游一生报国无门，因而他诗中的激昂慷慨总是和悲愤沉郁结合在一起。但这首诗却是另一种格调。诗人在梦中、醒后驰骋想象，场景宏丽，气魄雄迈，洋溢着山河统一的胜利激情。这类记梦诗，正是诗人对现实感到极大愤慨后精神上所找到的一种补偿。它异彩夺目，是全部陆诗的一个重要方面。而在九十多首记梦诗中，这一首又写得特别恣肆。

诗题长至四十八字，在叙写中见出豪情满怀。“从大驾亲征”，是举国同忾；“尽复”丧失数百年的“汉唐故地”，复地兴邦，是理所当然；“见城邑人物繁丽”，是山河生色；“云‘西凉府也’”，是兵临边塞，大功告成；“喜甚，马上作长句”，是诗情喷薄；“未终篇而觉，乃足成之”，则隐寓着并非全在梦境，诗中所写，正是现实的当务之急。这个诗题，如同一则简洁有致的抒情散文，读来兴味盎然。

全诗四用韵，四句一转，每转一韵，诗意递进一层。首韵四句，写孝宗诏告天下，御驾亲征。这四句又从“天宝胡兵陷两京”写起，以追溯历史，说明这次复地动兵，乃王者正义之师。唐代自天宝十四载(765)安禄山发动叛乱后，国势逐渐衰弱。北庭、安西，是唐代在今新疆境内设置的两个都护府，后扩置方镇，德宗贞元年间被吐蕃攻占，从此这些地区“无汉营”，而且，“五百年间置不问”，到今天，才有“圣主下诏初亲征”之举。“置不问”，乃历朝无力收复而弃置不问。“五百年”，指作诗时上距天宝之乱四百二十五年，说五百年，是举其成数。“圣主”，指孝宗。陆游称为“圣主”，固然因为对自己有知遇之恩，也是因为这位皇帝登基之初，确曾有收复失地的雄心。这四句一气而下，天宝乱后的伤心史直贯入“圣主下诏初亲征”，显出这次军事行动的正气凛然，为下文叙写张本。

诗中写汉唐故地，只写北庭、安西，是举其远者而言。后晋石敬瑭割燕云十六州献契丹，使汉族政权退居白沟以南；靖康之变，金兵入据中原，又使宋室退居淮河以南；两宋诗人曾为这段伤心史不断慨叹过，当然都包括在此句之内了。其次，唐人早已在追怀的“平时安西万里疆”，正为陆游所衷心仰慕，他自己在《凉州行》中也说过：“安西北庭皆郡县，四夷朝贡无征战。”陆游瞩目汉唐盛世，诗题说“尽复汉唐故地”，而北庭、安西正是西北边境要地，所以要着意写。兴兵及于此地，中原大地已包括在内，固不待论；而又止于此地，并不再向外开疆拓土，所以为正义之师也。

次韵四句，极写出师胜利。“熊罴”，代指勇猛的将士。“熊罴百万从銮驾”，言其军容之壮。“檄”，指收复失地的宣谕文书。古代王朝在出师之前，要颁发檄书，敌人慑于声威，不战而降，称为“传檄而下”。这里说“故地不劳传檄下”，则传檄之劳也用不着；因是故地，人心向汉，都望风来归。这一句七个字囊括尽万里山河，直抵“绝塞”。其中暗写进军神速，人心向背。“绝塞”，极远的边塞，它照应开头，指原来北庭、安西辖地。兵至绝塞而止，于是，一面“筑城绝塞进新图”：修筑城堡以固边防，绘制新图以明疆域；一面又“排仗行宫宣大赦”：皇帝在行宫中排列仪仗，对掠城夺地的敌方宣布大赦。这里又暗写了不劫掠异邦，不报复杀戮，是在突出王者的仁义之师。

陆游诗歌中的爱国思想，有个耀眼的特色。在当时的民族矛盾中，他鼓吹抗金，鼓吹收复失地，但反对穷兵黩武，反对报复。“乾坤均一气，夷狄亦吾人”（《斯道》）：这就是他的民族观。“不须绝漠追败亡，亦勿分兵取河湟。但令中原歌时康，千年万年无馈粮”（《观运粮图》）：这就是他的睦邻主张。“诏书许汝以不死，股栗何为汗如洗”（《战城南》），“还汝以旧职，牧羊辽海边”（《长歌行》）：这就是他在想象中的抗金全胜后，用优抚以释仇怨的主张。这种思想，在诗人中是极为可贵的。

三韵四句，则写全胜后的欢悦。先写重归一统的祖国山川，极目远望，冈峦起伏，壮丽非凡。次写辽阔的疆域政令归一，颁行全国的文书都在使用孝宗的淳熙年号了。人人都曾梦寐以求的理想，而今一旦实现，怎能不上下欢腾呢？君不见随驾的六军将士，衣着锦绣，五彩相错！君不闻劲烈的秋风中，欢声笑语，鼓角喧天！是举行庆功盛典呢，还是准备班师凯旋？这场面用浓墨重彩，写得景壮气豪，是全诗的抒情高潮。而结尾四句，却出以旖旎舒缓，像一路欢唱的溪流，诉说恢复中原后的和平气象。

“苜蓿峰”，今地未详；岑参自安西都护府东归时作七绝诗《题苜蓿峰寄家人》，当为安西辖地；陆游不过借此代指边境。“亭障”，即守望亭、堡垒之类。“交河”，在今吐鲁番市西，源出天山；唐置交河县于此，为安西都护府治所；这里也是代指边地。“平安火”，边境上每三十里置一烽候，无事则夜举烽火以报平安，故称平安火。“苜蓿峰前尽亭障，平安火在交河上”，是说尽复故地、大赦敌邦之后，边境上遍设堡垒，已加强防守，因而夜举烽火，永报平安。这是用两组镜头概写边疆安靖。最末两句则是一个秀丽的特写画面："凉州女儿满高楼，梳头已学京都样。""凉州"，即诗题中提到的西凉府，府治在今甘肃武威，北宋时被西夏攻占，现在回归祖国，当然有许多新气象，但只写了这件生活小事。凉州姑娘，满坐高楼，临街梳妆，已是一片太平景象，则"城邑人物繁丽"可知；姑娘们梳头又都在学京都流行的发式，改胡妆为汉饰，中原习俗被于四境，则人心之归一又可知。这个画面，有即小见大之妙。

此诗写的是梦境，诗人完全没有这种亲身经历。诗中的地名、年代、边制、史事，都从书本中来。不见经传的苜蓿峰，也是从前举岑参诗里来的；末句的高楼梳头，也可从《云谣集》所载唐人《内家娇》第二首（"及时衣着，梳头京样"）得到印证。西凉府城邑人物繁丽，也明显见于元稹《和李校书新题乐府·西凉伎》："吾闻昔日西凉州，人烟扑地桑柘稠；葡萄酒熟恣行乐，红艳青旗朱粉楼。"余皆可知。换句话说，进军绝塞、尽复汉唐故地这些并非现实的场景，陆游是利用他所掌握的书本中的材料组织成的。但写的虽全是幻想，读来却浑然实情，而具有震撼人心的艺术力量，这就不是"资书以为诗"所能办得到的。收复失地本是当时社会各阶层最普遍最迫切的愿望；而陆游对抗金前途的信念，和人民息息相通，正是它，构成了这首诗的灵魂。有了这个灵魂，死材料可以变活；没有这个灵魂，活材料可以变死。宋人无不资书为诗，为诗恐亦未必能完全不"资书"，但人的气质有高下，诗的格调便迥异，当不可一概而论。

（程一中）

夜泊水村

原文

腰间羽箭久凋零，太息燕然未勒[①]铭。
老子犹堪绝大漠，诸君何至泣新亭[②]。
一身报国有万死，双鬓向人无再青。
记取江湖泊船处，卧闻新雁落寒汀。

〔注〕

① 燕然未勒：《后汉书·窦宪传》载，宪率部逐北单于，“遂登燕然山，去塞三千余里，刻石勒功，纪汉威德。”燕然，山名，即今蒙古杭爱山。

② 泣新亭：《世说新语·言语》载，晋室南渡，“过江诸人，每至美日，辄相邀新亭，藉卉饮宴。周侯中坐而叹曰：‘风景不殊，正自有山河之异。’皆相视流泪。唯王丞相愀然变色曰：‘当共戮力王室，克复神州，何至作楚囚相对！’”新亭，又名劳劳亭，三国吴建，在今江苏南京南劳劳山上。

鉴赏

此诗作于孝宗淳熙九年(1182)，时放翁主管成都府玉局观，奉祠居家，孤寂无聊。这和他所向往的“楼船夜雪”“匹马秋风”的戎马生涯，和他“提刀独立”“手枭逆贼”的远大抱负，相迕殊甚。“此身谁料，心在天山，身老沧州！”(《诉衷情》)此诗所要表现的，就是这种矛盾。

在杜甫集中，有不少咏马诗。少陵写马，笔笔有意，句句含情，处处表现出一个轩昂磊落之士的形象。而读放翁此诗，则如见一匹骏马，意态雄杰，顾影长嘶。若能将此诗与少陵咏马诗比较参看，也许有助于运用想象，加深理解。

首联写遭时弃置而壮志未酬这样一个矛盾，使人如闻骏马不得其平的长鸣。“良相头上进贤冠，猛将腰间大羽箭。”（《丹青引赠曹将军霸》）杜甫用这二句诗，形容了凌烟阁上雄姿英发的功臣形象。放翁于此，以“久凋零”三字，反其意而用之，即使没有下面“燕然未勒”之语，其功业未就的叹息，也已属耳可闻。这是壮士的不平，是请缨的高呼。

颔联写诗人雄飞奋发的壮怀与达官贵人懦怯孱弱的矛盾，使人如闻骏马风厉猋举、亟思腾骞的骄嘶。“绝大漠”三字，出自《史记·卫将军骠骑列传》，是汉武帝表彰霍去病之语。今放翁虽已两鬓萧然，犹能横度大漠，奋战沙场，胸中浩气，不让少年。可惜当时朝廷衮衮诸公，却只知楚囚相对，作新亭之泣，非但自身不能戮力王室，而且还阻人击楫中流。一面是“以一筹莫展之身，存一饭不忘之谊”（《瓯北诗话》语），一面却是肉食者鄙，在其位不谋其政。两者形成了鲜明的对照。

颈联写诗人热血沸腾和岁月蹉跎的矛盾，使人如闻骏马腾山绝壑、赴人急难的慷慨之声。上句只有一个平声字，下句拗救，读来自有英姿勃发之感。为国雪耻，不辞万死，这是何等豪迈的气概！但如今放翁却如骏马伏枥，空有此怀，既不能图名青史，也不能长留青丝。镜中生涯，梦里功名，历代有志之士，常为之怵然而惊、凄然而悲、喟然而叹。“塞上长城空自许，镜中衰鬓已先斑。"(《书愤》)这感慨,在放翁诗中,尤觉深沉。

上面三联俱写诗人的报国情怀,末联点题,落到眼前景状。渡冰河,绝瀚海,只是梦中景象,眼前唯有一个孤寂的老翁,夜泊水村,卧闻雁唳。此联所写的萧条秋景,与上面的慷慨之词,似不相称,而这正是放翁的现状和其抱负的矛盾。在这寂寞的景况之中,诗人所发出的是不甘寂寞的呼声。就诗人来说,"骁腾有如此,万里可横行。"(杜甫《房兵曹胡马》)然而有志无时,找不到驰骋之地;但烈士暮年,壮心未已,依然"哀鸣思战斗,迥立向苍苍"(杜甫《秦州杂诗》)。这首诗的主题正在于此。

(黄　珅)

感　愤

原文

今皇神武是周宣，谁赋南征北伐篇？
四海一家天历数，两河百郡宋山川。
诸公尚守和亲策，志士虚捐少壮年！
京洛雪消春又动，永昌陵上草芊芊。

鉴赏

以“喜论恢复”著称的陆游，曾因此多次获罪。宋孝宗淳熙六年(1179)和七年，他自福建和江西召还之际，曾有两次陛见的机会，诗人已经在激动地考虑着“宣温望玉座，何以待咨访”了，但却被权臣赵雄从中作梗，准其罢官还乡，并“无须入都”。此后，直到淳熙十二年，陆游只好住在家乡山阴，过着“卧读陶诗未终卷，又乘微雨去锄瓜”的田园生活。尽管“骏马宝刀俱一梦”，但诗人仍耿耿不忘对敌作战，收复失地。宦途的挫折和家乡的情趣都不能动摇他的意志。《感愤》这首诗便是一个有力的证据。

此诗写于淳熙十年冬，诗人已经五十九岁了，但对统一大业依然抱着热切的希望。“今皇”指宋孝宗。“周宣”就是西周的“中兴之主”周宣王，他任用仲山甫、方叔、召虎等人北伐“猃狁”，南征“荆蛮”又平定淮“夷”、徐“戎”，取得了赫赫战果。旧说《诗经》中的《六月》《采芑》《江汉》《常武》等诗，就是赞美周宣王南征北伐的诗篇。“今皇”句是对孝宗的激励、期待；“谁赋”句则不仅对当朝将帅寄予希望，而且隐然以仲山甫等人自命。“赋”固应解作“写”，说是盼望着孝宗下令北伐，自己当感奋而赋诗，自无不可；但，陆游并不甘以诗人自居，就在写这首诗的两年前，他还发出“八十将军能灭虏”的壮语。只是由于昏君佞臣的当道，才使他“辜负胸中十万兵，百无聊赖以诗鸣”。所以，这里的“谁赋南征北伐篇?”就不仅仅是表现作者动笔的愿望，而是含有“为王前驱”“手枭逆贼清旧京”的更为实在的意义。

然而实际上，“今皇”并不神武，并不主张北伐，不重用志在恢复的陆游就是明证。那么，此诗不是有阿谀之嫌了么？否。这是诗人苦口婆心的曲笔，是对孝宗失望而还未绝望时的希冀。诗人的抱负在当时只能通过皇帝的意旨来实现，今皇尽管不争气，但要决策北伐，还非他下令不可。以周宣王比孝宗，正表现出诗人渴望统一的深挚苦心。于此等处，正可体会陆游高于一般诗人的那种爱国激情。

“四海”两句是说：四海之内的百郡山川，本来都是宋朝的国土，统一是必然的趋势。历数即天历运行之数，也就是所谓天命、气运。两河，指黄河、淮河。黄河流域在金人统治区，淮河一线是当时宋、金国界。郡的建置，宋已废，这里是借用。全诗头两句意在激励求统一之志，这两句则认为统一必然能到来。

颈联转到眼前现实。现实是无情的：执政诸公“雍容托观衅”，借口伺敌人的空隙，不愿出兵北伐，仍然拘守着“和约”。宋、金在绍兴十一年（1141）结成和议，规定划淮为界，宋对金称臣，年贡银、绢各二十五万两、匹，并割唐、邓二州及陕西余地给金。诗中“和亲策”即指此。这一政策始于西汉初年对匈奴作战失败之后，以公主嫁匈奴单于来“和亲”，并岁奉匈奴金帛等物。执政者奉此和约为国策，使多少志士的宏愿付诸流水，诗人自己也“报国欲死无战场”，“放翁白发已萧然”，这是何等的悲痛！

然而，这位老诗人的感人之处正在于他身屡挫而志弥坚：“京洛雪消春又动，永昌陵上草芊芊。”诗人的恢复之志正如永昌陵上草，“野火烧不尽，春风吹又生”！京、洛，指汴京（今开封）、洛阳；汴京是北宋国都，洛阳是北宋西京，也是宋太祖的出生地。永昌陵是宋太祖陵墓（在今巩义），地近洛阳。芊芊，草茂盛的样子。大地回春，雪消草长，象征着生机。而作者特别点出汴京和永昌陵的春意，则和前所谓“天历数”者相应——大宋气运正佳，太祖皇泽正盛，显喻此时乃北伐的大好时机。首写今皇，末写太祖，其意若云：今皇纵不念“忍死望恢复”之中原父老，独不恤祖宗之基业乎？诗人之用心，真可谓良苦矣！

全诗纯用赋体，直抒胸臆。开头的用典恰当有力；结句以自然的变化象征国运的盛衰，信念坚定，意味深长。

诗人热情虽高，头脑却清醒。这时他的虚名是“主管成都府玉局观”。这样的闲差已不是第一次得到，真令人啼笑皆非。他痛心地写道：“半世儿痴晚方觉。”这便是诗题大书“感愤”的原因。

（李正民）

书　愤

原文

早岁那知世事艰？中原北望气如山。

楼船夜雪瓜洲渡，铁马秋风大散关。

塞上长城空自许，镜中衰鬓已先斑。

《出师》一表真名世，千载谁堪伯仲间？

鉴赏

此诗作于孝宗淳熙十三年(1186)春，这时陆游退居于山阴家中，已是六十二岁的老人。从淳熙七年起，他罢官已六年，挂着一个空衔在故乡蛰居，直到作此诗时，才以朝奉大夫、权知严州军州事起用。因此，诗的内容兼有追怀往事和重新立誓报国的两重感情。

诗的前四句是回顾往事。“早岁”句指隆兴元年(1163)他三十九岁在镇江府任通判和乾道八年(1172)他四十八岁在南郑任王炎幕僚事。当时他亲临抗金战争的第一线，北望中原，收复故土的豪情壮志，坚定如山。以下两句分叙两次值得纪念的经历：隆兴元年，主张抗金的张浚都督江淮诸路军马，楼船横江，往来于建康、镇江之间，军容甚壮。诗人满怀着收复故土的胜利希望，“气如山”三字描写出他当年的激奋心情。但不久，张浚军在符离大败，狼狈南撤，次年被罢免。诗人的愿望成了泡影。追忆往事，怎不令人叹惋！另一次使诗人不胜感慨的是乾道八年事。王炎当时以枢密使出任四川宣抚使，积极擘画进兵关中恢复中原的军事部署。陆游在军中时，曾有一次在夜间骑马过渭水，后来追忆此事，写下了"念昔少年日，从戎何壮哉！独骑洮河马，涉渭夜衔枚"（《岁暮风雨》）的诗句。他曾几次亲临大散关前线，后来也有"我昔从戎清渭侧，散关嵯峨下临贼。铁衣上马蹴坚冰，有时三日不火食"（《江北庄取米到作饭香甚有感》）的诗句，追写这段战斗生活。当时北望中原，也是浩气如山的。但是这年九月，王炎被调回临安，他的宣抚使府中幕僚也随之星散，北征又一次成了泡影。"楼船夜雪瓜洲渡，铁马秋风大散关"，这十四字中包含着多么丰富的愤激和辛酸的感情啊。

岁月不居，壮岁已逝，志未酬而鬓先斑，这在赤心为国的诗人是日夜为之痛心疾首的。陆游不但是诗人，还以战略家自负，可惜毕生未能一展长材。"切勿轻书生，上马能击贼"（《太息》），"平生万里心，执戈王前驱"（《夜读兵书》）是他念念不忘的心愿。自许为"塞上长城"，是他毕生的抱负。"塞上长城"，典出《南史·檀道济传》，南朝宋文帝杀大将檀道济，檀在临死前投帻怒叱："乃坏汝万里长城！"陆游虽然没有如檀道济一般被冤杀，但因主张抗金，多年被贬，"长城"只能是空自期许。这种怅惘是和一般文士的怀才不遇之感大有区别的。

但老骥伏枥，陆游的壮心不死，他仍渴望效法诸葛亮的"鞠躬尽瘁"，干一番与伊、吕相伯仲的报国大业。这种志愿至老不移，甚至开禧二年（1206）他已是八十二岁的高龄时，当韩侂胄起兵抗金，"耄年肝胆尚轮囷"（《观邸报感怀》），他还跃跃欲试。

《书愤》是陆游的七律名篇之一，全诗感情沉郁，气韵浑厚，显然得力于杜甫。中两联属对工稳，尤以颔联“楼船”“铁马”两句，雄放豪迈，为人们广泛传诵。这样的诗句出自他亲身的经历，饱含着他的政治生活感受，是那些逞才摛藻的作品所无法比拟的。

（何满子）

临安春雨初霁

原文

世味年来薄似纱，谁令骑马客京华？

小楼一夜听春雨，深巷明朝卖杏花。

矮纸斜行闲作草，晴窗细乳戏分茶。

素衣莫起风尘叹，犹及清明可到家。

鉴赏

陆游的这首《临安春雨初霁》写于淳熙十三年(1186)，此时他已六十二岁，在家乡山阴(今浙江绍兴)赋闲了五年。诗人少年时的意气风发与壮年时的裘马清狂，都随着岁月的流逝一去不返了。虽然他光复中原的壮志未衰，但对偏安一隅的南宋小朝廷的软弱与黑暗，是日益见得明白了。这一年春天，陆游又被起用为严州知府，赴任之前，先到临安(今浙江杭州)去觐见皇帝，住在西湖边上的客栈里听候召见，在百无聊赖中，写下了这首广为传诵的名作。

自淳熙五年孝宗召见了陆游以来，他并未得到重用，只是在福建、江西做了两任提举常平茶盐公事；家居五年，更是远离政界，但对于政治舞台上的倾轧变幻，对于世态炎凉，他是体会得更深了。所以诗的开头就用了一个独具匠心的巧譬，感叹世态人情薄得就像半透明的纱。世情既然如此浇薄，何必出来做官？所以下句说：为什么骑了马到京城里来，过这客居寂寞与无聊的生活呢？

“小楼”一联是陆游的名句，语言清新隽永。诗人只身住在小楼上，彻夜听着春雨的淅沥；次日清晨，深幽的小巷中传来了叫卖杏花的声音，告诉人们春已深了。绵绵的春雨，由诗人的听觉中写出；而淡荡的春光，则在卖花声里透出。写得形象而有深致。传说这两句诗后来传入宫中，深为孝宗所称赏，可见一时传诵之广。历来评此诗的人都以为这两句细致贴切，描绘了一幅明艳生动的春光图，但没有注意到它在全诗中的作用不仅在于刻画春光，而是与前后诗意浑然一体的。其实，“小楼一夜听春雨”，正是说绵绵春雨如愁人的思绪。在读这一句诗时，对“一夜”两字不可轻轻放过，它正暗示了诗人一夜未曾入睡，国事家愁，伴着这雨声而涌上了眉间心头。李商隐的“秋阴不散霜飞晚，留得枯荷听雨声”，是以枯荷听雨暗寓怀友之相思。晁君诚“小雨愔愔人不寐，卧听羸马龁残刍”，是以卧听马吃草的声音来刻画作者彻夜不能入眠的情景。陆游这里写得更为含蓄深蕴，他虽然用了比较明快的字眼，但用意还是要表达自己的郁闷与惆怅，而且正是用明媚的春光作为背景，才与自己落寞情怀构成了鲜明的对照。在这明艳的春光中，诗人在做什么呢？于是有了五六两句。

“矮纸”就是短纸、小纸，“草”就是草书。陆游擅长行草，从现存的陆游手迹看，他的行草疏朗有致，风韵潇洒。这一句实是暗用了张芝的典故。据说张芝擅草书，但平时都写楷字，人问其故，回答说，“匆匆不暇草书”，意即写草书太花时间，所以没工夫写。陆游客居京华，闲极无聊，所以以草书消遣。因为是小雨初霁，所以说“晴窗”，“细乳”即是沏茶时水面呈白色的小泡沫。“分茶”指鉴别茶的等级，这里就是品茶的意思。无事而作草书，晴窗下品着清茗，表面上看，是极闲适恬静的境界，然而在这背后，正藏着诗人无限的感慨与牢骚。陆游素来有为国家作一番轰轰烈烈事业的宏愿，而严州知府的职位本与他的素志不合，何况觐见一次皇帝，不知要在客舍中等待多久！国家正是多事之秋，而诗人却在以作书品茶消磨时光，真是无聊而可悲！于是他再也按捺不住心头的怨愤，写下了结尾两句。

陆机的《为顾彦先赠妇》诗中云："京洛多风尘，素衣化为缁"，不仅指羁旅风霜之苦，又寓有京中恶浊，久居为其所化的意思。陆游这里反用其意，其实是自我解嘲。"莫起风尘叹"，是因为不用等到清明就可以回家了，然回家本非诗人之愿。因京中闲居无聊，志不得伸，故不如回乡躬耕。"犹及清明可到家"实为激楚之言。偌大一个杭州城，竟然容不得诗人有所作为，悲愤之情见于言外。

（王镇远）

雪中忽起从戎之兴戏作四首

原文

狐裘卧载锦驼车，酒醒冰髭结乱珠。
三尺马鞭装白玉，雪中画字草军书。

铁马渡河风破肉，云梯攻垒雪平壕。
兽奔鸟散何劳逐，直斩单于衅宝刀。

十万貔貅出羽林，横空杀气结层阴。
桑干沙土初飞雪，未到幽州一丈深。

群胡束手仗天亡，弃甲纵横满战场。
雪上急追奔马迹，官军夜半入辽阳。

鉴赏

孝宗淳熙十三年(1186)，六十二岁的陆游赴严州(治所在今浙江建德东北)上任。临行前陛辞时，皇帝对他说："严陵山水胜处，职事之暇，可以赋咏自适。"(见《宋史·陆游传》)然而，诗人并没有一味地流连于山明水秀之中。他身在江南，魂恋塞北。一日，大雪弥漫，他不由萌发出投笔从戎、杀敌报国的豪兴。这四首绝句即作于此时。

第一首写雪中行军的艰苦生活。“狐裘”，狐皮大衣。“锦驼车”，装饰着锦幔的驼车。在这冰天雪地，尽管穿着狐裘，卧于锦驼车中，因酣饮而沉醉，但一觉醒来，只见须上结着一串串如珠的冰块，三尺马鞭上也裹满了雪（所以说“装白玉”）。但是，诗人倚马而立，扬眉舒腕，盾上草军书，好一派豪壮气概。

第二首想象渡河攻城的战斗情景。“铁马”，指精壮的骑兵。“云梯”，攻城工具。单于，匈奴最高首领的称号，此代指金兵首领。“衅”，指用鲜血来祭自己初用之刀。此首的意思是，大雪之夜，铁马渡河，云梯攻垒，势如破竹，敌军士兵望风披靡，如鸟兽散，何劳追逐，还是直斩单于，祭我宝刀吧！

第三首是写大军出征的威武场面。貔、貅，均为古籍所载的猛兽名，常用来喻指勇猛的军队。“羽林”，汉、唐皇帝的禁卫军。“桑干”，古县名，在今河北蔚县东北。幽州，州治和所辖范围历朝有所不同，大致包括今河北北部和辽宁一大部分。前一首描绘攻战场面，诗情激烈动荡。这一首写大军出师，所以诗情是威武雄壮，并有暇整气象，颇有高适《燕歌行》的风格。

最后一首写想象中消灭金国的胜利结局。群胡，指金人。仗天亡，典出《史记》所载项羽“此天之亡我”之语。陆游在这里的意思是说天亡金国，宋军大获全胜，追奔逐北，夜半入辽阳，终于一战功成，天下一统。辽阳，府名，治所在今辽宁辽阳，辽、金均曾置东京于此。

这四首诗虽然都可独立成章，但前后贯串，组成了一个整体。从内容上讲，它们基本上一致；从情节上讲，它们也互相联系。第一首写行军，第二首写一次战斗，第三首写更大的出征，第四首写最后胜利。环环相扣，步步向前，直到兴尽而止。虽然这些场面都是诗人一时兴之所至的想象之辞，但是，如果结合陆游的生平，结合他的其他许多作品来看，可知这四首诗绝非“戏作”，而是集中反映了他的平生壮志，既是诗人的回忆，又是诗人的理想。这些事对于诗人来说，是太熟悉了，太向往了，脑中时时会泛起。值此大雪之夜，诗思忽然涌出，于是提笔狂书，作成了这四首“戏作”。

这四首诗气势壮阔，笔力劲健，充满着一股积极乐观的情调，创造出一个雄奇豪迈的意境，直追盛唐高适、岑参诸人的边塞之作，亦不愧“小太白”之称。

（刘禹昌　徐少舟）

枕上偶成

原文

放臣不复望修门，身寄江头黄叶村。
酒渴喜闻疏雨滴，梦回愁对一灯昏。
河潼形胜宁终弃，周汉规模要细论。
自恨不如云际雁，南来犹得过中原。

鉴赏

宋孝宗淳熙十六年(1189)冬，南宋朝廷以“嘲咏风月”的罪名，罢了陆游的官，面对这种无稽谗言和无理处置，陆游愤然离开临安，回到山阴故居。他虽然为官多年，却没有为自己积攒家财，相反的倒是“仕宦遍四方，每出归愈贫”(《杂兴十首》)。不过对于贫困，他倒是可以用前人安贫乐道的遗训来宽慰，此外，徜徉山水，啸傲林泉，讽诵诗书，长养子孙，都是可愉悦之事。这便是他自己所说的：“溪上之丘，吾可以休。溪中之舟，吾可以游。”(《溪上杂言》)“脱粟未为饥，短褐未为寒。众毁心自可，身困气愈完。”(《寓怀》)当然陆游的心境也并非真的终日宁静，他说：“一身不自恤，忧国涕纵横。”(《春夜读书感怀》)是的，私事可以不顾惜，但是国事怎能忘怀?《枕上偶成》一诗，作于庆元元年(1195)的冬天，正是这种生活和心境的写照。

第一句中的“放臣”，指放逐之臣，这是作者自称；“修门”，楚国郢都城门的名称，这里借指南宋都城临安，言下亦有以屈原自况之意。“放臣不复望修门”，起句突兀，读来自有一股愤然不平之气扑面而来。其实这对陆游来说，是蓄之也久，其发也烈。因为他当年离开临安时就已经痛下了这个决心，有诗为证：“束书出东门，挥手谢国人。笑指身上衣，不复染京尘。”（《赠洞微山人》）既然“不复望修门”，那么此身何寄呢？这不寻常的起句，如高山落石，势不可遏，所以接着便顶上一句：那江畔遍地黄叶的村庄便是我的托身之所。“黄叶村”，既点出寄身之处，也于景色之中暗示了季节，并为尾联伏笔。

“长饥未必缘诗瘦，多闷惟须赖酒浇。”（《信步近村》）酒渴，即长时间没有酒喝如渴之思水。疏雨声声，听来犹如把壶沥酒，故曰“喜闻”，这比老杜“酒渴爱江清”的诗句，写得更有情致。不过，尽管沉沉白昼，无酒销愁，在睡梦之中还是尽可驰骋奇想的，可是一梦醒来，依旧是昏灯一盏，愁绪满怀。这挥之不去的愁情，究竟是什么呢？答案在下联——“河潼形胜宁终弃，周汉规模要细论”。河，黄河；潼，潼关；形胜，指地理形势的险要。这两句的意思是：像黄河、潼关那样形胜之地，难道就忍心这么永远地放弃了吗！要知道周汉两代都是以河潼为根基，而逐鹿中原，统一海内。朝廷对周、汉立国的规模不是应该细加思索吗？前句用反诘提问，后句引古喻今，论证了“会看金鼓从天下，却用关中作本根”（《山南行》）的思想。十四个字，如高屋建瓴，委婉而又恳切地击中时弊，正显示出诗人精于历史、谙熟国事，以及驾驭语言的功力。颔联写村居生活，情景、神态细致入微，而又妙在实而不滞，第四句的“愁”字既是实写心境，也为思绪的发展打开通道。颈联便是“愁”字的延伸，妙在不再说“愁”，而是拓开一层，提出自己对时局的主张，立意颇为高远。诗到这里似乎话已说完，不过陆游毕竟才力不凡，他又借云间飞来之物别开一境——“自恨不如云际雁，南来犹得过中原”。接得不即不离，不即，因为宕开一笔，不说朝政，转言自己；不再议论，转而即景抒情。然而万变又不离其宗，秋冬之际，北雁南飞，这与首联“黄叶村”遥相呼应，意境和谐。而“自恨”云云，也正是出于对恢复中原的关切之情。似断实续，血脉相连，如此结尾，不仅完满地收束全诗，更把那报效无门的悲怆之情抒写得悠悠难尽，扣人心弦。

（赵其钧）

秋夜将晓出篱门迎凉有感二首

原文

迢迢天汉西南落，喔喔邻鸡一再鸣。
壮志病来消欲尽，出门搔首怆平生。

三万里河东入海，五千仞岳上摩天。
遗民泪尽胡尘里，南望王师又一年！

鉴赏

六十八岁的放翁，被罢斥归山阴故里已经四年了。看来，平静的村居生活并不能使老人的心平静下来。尽管“食且不继”，疾病缠身，他依然心存天下，壮怀激烈。此时虽值初秋，暑威仍厉，天气的热闷与心头的煎沸，使他不能安睡。将晓之际，他步出篱门，以舒烦热，心头怅触，成此二诗。

第一首落笔写银河西坠，鸡鸣欲曙，从所见所闻渲染出一种苍茫静寂的气氛。“一再鸣”三字，可见百感已暗集毫端。三四句写“有感”正面。一个“欲”字，一个“怆”字表现了有心杀敌、无力回天的感慨。他几乎与宋朝的国难一起降临人间，出生的第三年就遇上徽、钦二帝被掳，北宋灭亡。亡国之痛，流离之苦，与他的年龄一齐增长。六十多年的身世之感、家国之痛，岂是一首绝句容纳得下！诗人把这一切熔铸在“搔首”这一细节中，诗情饱满，溢出纸外。

如果说，第一首以沉郁胜，第二首则是以雄浑胜。第一首似一支序曲，第二首才是主奏，意境更为辽阔，感情也更为沉痛。

“三万里河”指黄河，“五千仞岳”指华山，两者都在金人占领区内。诗一开始劈空而来，气象森严。山河本来是不动的，由于用了“入”“摩”二字，就使人感到这黄河、华山不仅雄伟，而且虎虎有生气。但大好河山，陷于敌手，怎能不使人感到无比愤慨！“东入海”的黄河，仿佛夹着愤怒之气，倾泻而来；“上摩天”的华山，昂然挺立，直刺苍穹。这两句意境阔大深沉，对仗工整犹为余事。

“遗民泪尽胡尘里”的“尽”字，更含无限酸辛。眼泪流了六十多年，怎能不尽？但即使“眼枯见血”，那些心怀故国的遗民依然企望南天；金人马队扬起的灰尘，隔不断他们苦盼王师的视线。以“胡尘”作“泪尽”的背景，感情愈加沉痛。

结句“南望王师又一年”，一个“又”字扩大了时间的上限。遗民苦盼，年复一年，但路远山遥，他们哪里知道，南宋君臣早已把他们忘记得干干净净！诗人极写北地遗民的苦望，实际上是在表露自己心头的失望。但失望又终究不同于绝望。诗人为遗民呼号，目的还是想引起南宋当国者的警觉，激起他们的恢复之志。他不是临终还希望“王师北定中原”吗？于此可见，全诗以“望”字为眼，表现了诗人希望、失望而终不绝望的千回百转的心情。这是悲壮深沉的心声。诗境雄伟、严肃、苍凉、悲愤，读之令人奋起。

（赖汉屏）

九月一日夜读诗稿有感走笔作歌

原文

我昔学诗未有得，残余未免从人乞。
力孱气馁心自知，妄取虚名有惭色。
四十从戎驻南郑，酣宴军中夜连日。
打球筑场一千步，阅马列厩三万匹。
华灯纵博声满楼，宝钗艳舞光照席。
琵琶弦急冰雹乱，羯鼓手匀风雨疾。
诗家三昧忽见前，屈贾在眼元历历。
天机云锦用在我，剪裁妙处非刀尺。
世间才杰固不乏，秋毫未合天地隔。
放翁老死何足论，广陵散绝还堪惜。

鉴赏

陆游的诗歌，前期广泛学习，风格在多样中已有自己的特色；中期豪迈俊逸的气概和爱国主义精神高度发展；后期爱国精神不衰退，诗笔稍趋平淡，而豪气犹存。这首诗写于绍熙三年(1192)六十八岁奉祠家居山阴时，是后期之作，总结他中期诗歌创作发展的经验。

起四句为第一段，写从军南郑以前的诗歌。起句“学诗未有得”，是说缺乏自得之妙，还未能很好地形成自己的独特风格。第二句，申明“未有得”的表现是还不免要“乞人残余”，意即还要在别人的创作中讨生活，向别人取材，向别人学技巧。三四句说当时在创作上虽然已“妄取”一点“虚名”，但对诗笔“力孱气馁”，未造雄劲，还有“自知”之明，回顾不免惭愧。这一段是自谦之词，为说明下段诗歌转变的重要性抑遏蓄势，事实上他这时期已有不少雄劲的作品。这段叙述中带议论，节奏较舒平，但语言紧凑、劲炼。

中间十二句为第二段，写从军南郑后诗境的转变，是全诗重点。这段以具体的描写为主，笔调急剧转向壮丽，是古代论诗作品的一段极为出色的描写。起联和结两联用散句，其余三联全用对偶。“四十”两句承上转接，为下文总冒。陆游入南郑王炎宣抚使幕时是四十八岁，为期不满一年，时间短，却成为他生活中最乐于回忆的一段，这是和他的“从军乐事世间无”（《独酌有怀南郑》）的志趣分不开的。“四十”岁是举整数；军中“酣宴”的“夜连日”带有夸张，与其志趣密切相关。“打球”一联写校场、球场的广阔，检阅时兵马的众多，“一千步”“三万匹”，声势极盛。这一联是写室外的讲武、阅兵，写白天。“华灯”一联则是写军幕中晚上的“博弈”、歌舞；以“华灯”与“光照席”“声满楼”写场面，以“宝钗艳舞”写人物，极壮丽。“琵琶”一联写乐声和鼓声，也是写幕中、写晚上，承上歌舞而来。弦乐、鼓乐并作，“弦急”表琵琶声的响亮，“手匀”表鼓手的熟练；“冰雹乱”形容弦声并显示弹者非一人，“风雨疾”形容鼓声也显示击者非一人，使人有繁弦急鼓、声声震耳之感。这一联比喻恰切，形象生动，也写得很有气势。这三联以夸张手法描写军中生活，旦暮兼备，演武与娱乐并写，突出其壮丽足以震撼人心的场景，但并非单纯写军中生活，而是为证明诗歌创作的体会服务的。本段结束四句即对此作出总结：有了这种生活，就可以使人受到触发而把握到诗歌的“三昧”（佛经语，这里用作要诀、要领之义），眼前“历历”分明地看到屈原、贾谊一类忧国诗赋的精神实质和根源，创作时能像神话传说中的织女“剪裁”用云霞织成的锦绣那样无须动用“刀尺”地巧妙天成。在本段中，诗人形象地告诉人们：他中期诗歌的进一步走向雄壮，是如何受南郑军中生活的刺激的，文学创作所受现实生活的影响是怎样在他自己的实践中体现的。这可与他的《示子遹》诗的“我初学诗日，但欲工藻绘。中年始少悟，渐若窥弘大”等句参看。

最后四句为第三段，感叹自己的经验未必为他人所理解，从描写转向议论和抒情。他指出自己的实践体会，还未必为其他“才杰”所认识，如果对于生活与创作的关系，认识上有“秋毫”偏差，其效果的相去可能会有“天地隔”之远；又说自己虽无补于世，死不足惜，但这点体会不传达给他人，就像魏末嵇康被杀之前，他弹奏起独擅胜场的《广陵散》琴曲，成为世间绝调那样可惜。这里对自己经验体会的大力肯定，以感慨语气出之，感情转向深沉，语言也极劲炼。

这首诗以夸张手法，出色地再现当年军中生活场景，以当年军中生活场景来阐明诗歌创作的经验和规律。理在事中，词藻工丽而气势雄壮，转接突兀而法度严密，是阐明生活与创作关系极有说服力、极有艺术感染力的不可多得之作。

（陈祥耀）

十一月四日风雨大作二首（其二）

原文

僵卧孤村不自哀，尚思为国戍轮台。

夜阑卧听风吹雨，铁马冰河入梦来。

鉴赏

南宋光宗绍熙三年（1192）农历十一月四日深夜山阴（今浙江绍兴）骤起一场风雨，震响了僵卧孤村的六十八岁老诗人的心弦。在三年前他以“嘲弄风月”的罪名被弹劾罢官，归隐于山阴三山故居，但老骥伏枥而志在千里，此刻诗的灵感又随风雨同至。诗中强烈的报国感情、豪迈的诗风，使人读之足可“发扬矜奋，起痿兴痹”（姚范《援鹑堂笔记》）！

诗人境遇不佳，罢官时两袖清风，归居后祠禄亦时有中断，故有《薪米偶不继戏书》诗；经济上捉襟见肘之外，尚心力交瘁，时常卧病。但他“穷且益坚，不坠青云之志”（王勃《滕王阁序》语），仍发出高亢之音。“卧”而“僵”，形体可谓衰朽；“村”而“孤”，处境亦属艰难，但是“不自哀”三字颇有力量，显示出崇高的气节与情操。其一，诗人并未沉湎于一己之否泰荣辱而顾影自怜，他仍“杜门忧国复忧民”（《春晚即事》）；其二，“老病虽意甚，壮气颇有余”（《夜读兵书》），诗人“不自哀”是对复国大业仍充满胜利信心。“不自哀”以“僵卧孤村”来反衬，更显得其志坚定不移。

唯其“尚思为国戍轮台”，才能有“不自哀”之壮志。“轮台”原系汉代西域地名，为今新疆轮台县，这是借指宋代北方边疆。“尚思”是针对“僵卧孤村”而言，年近古稀，而又卧病，犹不失其当初渴望马革裹尸的“平胡壮士心”（《新春》），其忧国忧民的拳拳之念，是何等感人！

后两句转入实写。诗人心头始终郁结着慷慨之情，所以当夜深人静，忽听到窗外“风如拔山怒，雨如决河倾”（《大风雨中作》），岂能不触景生情，由风雨大作的气势联想到官军杀敌的神威！心似翻江，夜虽深而难寐；有所思，才有所梦。激动之余，入梦的是“铁马冰河”，诗人的感情至此推向高潮。冰河，泛指北方严寒之地，以此衬托抗金义士的坚强勇武及收复失地的斗志。“入梦来”，颇值得玩味。诗人化宾为主，写“铁马冰河”直闯入梦境，造成一种先声夺人的气势。这是陆游论诗文“以气为主”（《傅给事外制集序》）说的生动体现。“入梦来”又曲折地反映了现实的可悲。“诸公可叹善谋身，误国当时岂一秦？”（《追感往事》）朝廷衮衮诸公正在断送恢复大业。但诗人并不悲观，此诗总的基调是高昂向上的，情绪是令人鼓舞的。全诗意境开阔，气魄恢宏，又有很强的艺术概括力，赵翼称陆游诗“言简意深，一语胜人千百”（《瓯北诗话》），此诗正是一例。

（王英志）

初夏行平水道中

原文

老去人间乐事稀，一年容易又春归。

市桥压担莼丝滑，村店堆盘豆荚肥。

傍水风林莺语语，满原烟草蝶飞飞。

郊行已觉侵微暑，小立桐阴换夹衣。

鉴赏

平水在绍兴以东四十余里，以产茶著称。陆游曾几度在家乡山阴闲居，六十五岁以后，更是长期住在家里。诗以“老去”发端，似即写于晚年闲居期间。初夏的一天，诗人出东南郊向平水方向走去。初夏来临，春已归去，诗人不胜感慨。

首联便是以抒发感慨的议论提起：人老了，感到生活中乐事不多。时间一年年地过去，眼下春天又完了。这两句诗，联系陆游的经历来看，不应视作叹老嗟卑的陈词。诗人有志难伸，被迫赋闲，光阴空逝，欲挽无由，当此之际，不会没有“战马死槽枥，公卿守和约”（陆游《醉歌》）的激愤，只是这首诗没有触着这方面的话题，因而出语平和罢了。不过，“容易”和“又”二语，还是约略透出了一丝感慨之情。

中间两联就承接“春归”二字落笔，具体展示初夏时分平水道上的景象。

颔联写集市风光：桥上莼丝担，路旁小酒店。莼菜是一种水生草本植物，春天时嫩叶开始入菜，夏季时大量繁衍。因为莼菜的叶背和嫩茎胶状透明，切成丝做成羹，其味滑腻可口。陆游生于江南，对于其味深有体会，一个“滑”字，最能表现莼菜特色。桥头是过往行人必经之路，莼丝担停在桥头，可谓善于选择地址。从“压”字可见，担中莼丝数量不少。在这桥畔村头，酒店自然是少不了的。初夏时，豌豆、黄豆相继粒绽。江南村俗，带荚水煮，用以佐酒。村店中常可以见到用粗瓷碟子堆起几盘以招徕顾客。二句颇能表现时令特点与江南水乡的地方特色。

颈联转而写初夏自然风光：傍水林中，随风传来声声莺语。市上人家的园内，碧草如烟，蝴蝶翻飞。不说“莺语”“蝶飞”，而说“莺语语”“蝶飞飞”，动词叠用，情景热闹，读来更有亲切之感，表现了诗人的愉悦心情。

时当初夏，郊行稍久，即感暑气侵人。于是诗人便取出单衣，在梧桐阴下站立片刻，换下了夹衣。“小立桐阴换夹衣”，是这首诗中最动人之句。诗人描绘了这一生活琐事，而换衣之处是历来以喻清节的梧桐之阴，则更增添了几分雅致。

陆游除创作大量忧国忧民的诗篇之外，也写了不少富有生活情趣的作品，这首《初夏行平水道中》便是一例。

（陈志明）

书室明暖，终日婆娑其间，倦则扶杖至小园，戏作长句二首

原文

放翁老手竟超然，俗子何由与作缘？
百榼旧曾夸席地，一窗今复幻壶天。
梦回橙在屏风曲，雨霁梅迎拄杖前。
吾爱吾庐得安卧，笑人思颍忆平泉。

美睡宜人胜按摩，江南十月气犹和。
重帘不卷留香久，古砚微凹聚墨多。
月上忽看梅影出，风高时送雁声过。
一杯太淡君休笑，牛背吾方扣角歌。

鉴赏

这两首诗是绍熙五年(1194)陆游七十岁奉祠家居山阴时作，写他“婆娑”(盘旋)于书室内外的闲居生活。这时候，陆游已为他的书室起过“老学庵”“书巢”等名字，反映出他老年好学不倦的精神；这一年他又在屋子东面整治了一个小园，也有“小园风月得婆

娑"之句。诗篇主要写在"书室"与"小园"中的活动情况。

第一首。起联自表老年闲居的"超然"脱俗。"老手",老年身手,犹老身。这联概述作冒。颔联出句忆旧,写壮年饮量大,能"席地"而坐,喝它"百榼",忆南郑诗有"雪中痛饮百榼空"之句,即可说明。对句写当今,切题目的"明"字,写书室阳光明亮,窗边景色好,不异"壶中天地";"壶天",本指神仙境界,传说古代神仙施壶公,"常悬一壶,如五升器大,变化为天地,中有日月,如世间,夜宿其内,自号壶天"(《云笈七签》)。此表书室虽小陋,亦足徜徉自适。这联今昔对照,豪情消减、投老湖村的感慨,见于言外。颈联出句写梦醒之后看见曲折的屏风边放着一些橙子,不联系诗人其他作品,是不易解其用意的。"菊枕"和被迫与诗人离异的前妻唐琬有关,前人已注意到;"橙"与此事的关系,前人尚未注意。看来"橙"是容易引起诗人对失去了的爱情的回忆之物,试读《悲秋》的"梦回有恨无人会,枕伴橙香似昔年",《十一月四日夜半枕上口占》的"檐间雨滴愁偏觉,枕畔橙香梦亦闻"等句,就可窥见此中消息。得此消息,才能体味这句诗的命意所在。对句写"雨霁""拄杖"出游,迎面见着早梅的情景。要领会"迎"字的传神,可以参看《探梅》的"欲寻梅花作一笑,数枝忽到拄杖边"两句。结联写平屋小斋,亦自可爱,不必求田问舍,经营阔气的园林别墅。"吾爱吾庐",用陶渊明《读山海经》"吾亦爱吾庐"句。思颍,指宋欧阳修知颍州后,喜欢颍州风物,买田筑室于其地;平泉,指唐李德裕在洛阳有平泉别墅,饶园林之胜。本诗陆游自注:"李卫公忆平泉山居,欧阳公思颍诗,皆数十篇。"

第二首。起联写江南十月天气温和、"美睡宜人",切题中的"暖"字。颔联写室中帘不卷而"留香久",砚微凹而"聚墨多",是细致的细节刻画，为陆游名句。这两联都写白天。颈联转写晚上，出句写“月”映“梅影”，幽细；对句写“风高”传送“雁声”，凄清。结联写喝淡酒亦可酣歌。用春秋齐桓公的卿相宁戚未出仕前为人挽车，在车前“扣牛角而歌”（见《吕氏春秋·举难》《晏子春秋》等）的典故，自表颓放，而兼叹壮志未伸，含意隐微。

这两首诗把一些生活细节和片段感想组织起来。室内室外，白天晚上，怀旧写今，描景抒情，安排错落；思议古人，解嘲自适，壮气难回，旧恨萦心，随手拈来。感情中有喜悦的，有伤感的，有慷慨的，有凄恻的；描写有细致的，有疏淡的，有豪放的，有朴素的。不拘泥于一定的线索和集中的题材，而大要归于闲适清淡的风格和安贫乐道的意境。

（陈祥耀）

禹迹寺南，有沈氏小园。四十年前，尝题小词一阕壁间。偶复一到，而园已三易主，读之怅然

原文

枫叶初丹槲叶黄，河阳愁鬓[①]怯新霜。

林亭感旧空回首，泉路凭谁说断肠？

坏壁醉题尘漠漠，断云幽梦事茫茫。

年来妄念消除尽，回向蒲龛[②]一炷香。

〔注〕

① 河阳愁鬓：即潘鬓。晋潘岳曾为河阳令，其《秋兴赋》云："斑鬓髟以承弁兮"。后世因以潘鬓为鬓发斑白的代词。

② 蒲龛：蒲，蒲团，僧徒坐禅及跪拜之具。龛，供奉佛像或神像的石室或柜子。

鉴赏

据陈鹄《耆旧续闻》、刘克庄《后山先生大全集》、周密《齐东野语》诸书载，放翁初娶表妹唐琬（亦作婉），伉俪相得，以不得陆母

欢心，遂至仳离。后唐氏改嫁，放翁亦再娶王氏。挥涕一别，两情竟隔。然昔日恩爱，常萦心头，虽身作别凤，犹心通灵犀。尝以春日出游，相遇于禹迹寺南之沈园，唐琬遣致酒肴，以表心意，放翁感其旧情，怅然久之，为赋《钗头凤》一阕，题园壁间。唐氏见而和之，未几怏怏而卒。光宗绍熙三年(1192)，放翁故地重游，但见亭台深闭，楼阁长扃，鸿影不留，墨痕犹在，诵读遗篇，惊心怵目；往事分明，触绪生悲，复作此诗，以抒长恨。

此诗之"眼"，为一"空"字。首联写空冷之景。玉露流空，秋山正寂，枫树初丹，槲叶已黄。当此之时，唯有一皤然老翁，愁对新霜。这二句连写枫"丹"、槲"黄"、霜"白"，通过色彩描绘，来渲染深秋景象。

颔联写空寞之感。秋景满眼，愁绪萦怀，而林间小亭，尤惹人旧情。昔日佳人于此殷勤致意，如今唯有诗人抚迹伤心。园林萧瑟，人去台空，回首往事，空生怅望。然幽明路隔，重见无期，青鸟难觅，衷肠谁诉？

颈联写空虚之情。生者肠已断，死者阒无闻。但见坏壁之上，题诗犹在，尘渍苔侵，依稀可辨。而昔日欢爱，已如巫山云散，高唐梦醒，事已杳杳，情犹绵绵。中间两联，与苏轼词"十年生死两茫茫，不思量，自难忘。千里孤坟，无处话凄凉"(《江城子》)，情意相似。只是东坡直抒情怀，放翁寓情于景。苏词真率，如江河直下；陆诗委婉，似溪流百折。

此情此景，导致了诗人的空无之念。既然世事已如空花，空门也就成了唯一可以安慰心灵之处。末联谓近年已消尽一切非分的欲念，虔心顿首在佛龛之前。但这又何曾能平息那难愈的悲愤？"此身行作稽山土，犹吊遗踪一泫然。"(《沈园》)这才是放翁晚年心情的真实写照。事实上，他对唐琬的一往深情，始终不能自已。在这似乎已经看穿一切的言词背后，正是诗人永远不能忘怀的长恨。

墨痕掩不住泪痕和血痕。据字面分析，此诗似以"空"字贯始终。但在那空冷之景中跳动的，正是一颗灼热的心；诗人的空寞之感，起于对幸福生活的无限向往；而若没有那难以忘却的旧情，也就不会产生眼下的空虚之感；至于空无之念，更是创巨痛深之后的愤激之言。否则，诗人决不会如此情深意切，诗也决不可能具有这么巨大的感人力量。云空实未空，这是理解此诗的一把钥匙。

（黄　珅）

小舟游近村，舍舟步归四首（其四）

原文

斜阳古柳赵家庄，负鼓盲翁正作场[①]。

死后是非谁管得，满村听说蔡中郎[②]。

〔注〕

① 作场：指艺人圈地演出。

② 蔡中郎：东汉蔡邕，官至左中郎将，故称蔡中郎。流传的戏曲说唱，将他说成是一个背亲弃妻的负心汉，如《琵琶记》即演他与妻子赵五娘的离合故事。其实蔡邕性至孝，并没有重婚之事。

鉴赏

斜阳古柳，数家茅屋，江树带烟，青山沉雾。有失意骚人，朝天无路，屏居乡里，随意漫步。当此时，但觉湖山秀色，尽染襟袖；人世纷扰，暂离心头；且尽农家之乐，不以是非萦心。放翁暮年所作《小舟游近村》诗四首，对此情景作了真切的表现。

这组诗作于宋宁宗庆元元年（1195），时放翁年逾七旬，隐居山阴已达六年。这里所录的是其中比较别致的一篇。诗人用速写手法，描绘了盲人说书这样一件事，虽着墨不多，然涵咏有致，其佳处全在神韵不匮，词意深远。

“神韵”一语，出自唐张彦远《历代名画记》，清王士禛力主神韵之说，使之成为谈艺者的一面大旗。王氏之神韵，乃清远之谓，具体一些说，即王、孟等人笔下的山水清音，但神韵实非清远的同义词，神韵诗也决不止于山水清音，即使是纪事、写怀、登览、咏史，也都有不少神会韵远之作。

神即诗之精神，韵即言外远致。惟其神至，故更觉韵远。因为重神，故诗人不作琐屑的描写；因为重韵，故诗意决不停留在字面之上。如这首诗本记听盲翁说唱之事，但诗中对此却只用一句轻轻带过，对于盲翁的形貌、说唱的场面，只字未提，便以一声感叹，结束全篇。而就在这声感叹之中，流露了诗人的情意，诗之精神顿出。因为诗中有神，故不可拘泥于字句，须将死句看活，以探求其意；因为诗中有韵，又不可不深入字句之中，讽咏涵濡，玩味其意。盲翁说唱，不过是诗人一时所见，借题发挥，其作诗之意原不在此。至于蔡邕故事，只是民间传说，其是其非，无关紧要，诗人也无意为之正名；即使正名，也正不了。但就在这声感叹之中，诗人晚年无可奈何、聊以自解之情，已尽在不语之中。因为不语，故又留下余地，让读者去寻索，去回味。此即谓之有神，此即谓之有韵，这样的诗，就是神韵不匮之诗。

（黄　珅）

六月二十四日夜分，梦范至能、李知几、尤延之同集江亭，诸公请予赋诗，记江湖之乐，诗成而觉，忘数字而已

原文

露箬霜筠织短篷，飘然来往淡烟中。

偶经菱市寻溪友，却拣蘋汀下钓筒。

白菡萏香初过雨，红蜻蜓弱不禁风。

吴中近事君知否？团扇家家画放翁。

鉴赏

陆游现存的九千多首诗中，除抒写豪情壮志和忧国忧民情怀的作品外，还有相当一部分作品描写日常生活中的各种情趣，如此诗即是。至能，范成大字。他和陆游交情甚厚。知几，李石字，他性情刚直，不附权贵。延之，尤袤字，袤为南宋四大诗人之一，与陆游齐名。这首诗是宁宗庆元二年（1196）陆游在故乡越州山阴（今浙江绍兴）时据梦中所作而补写。其时，他已七十二岁，在家乡闲居多年。此诗所描写的就是这段时间的生活情状。

“箬”，即箬竹，亦称篛竹，高不及一米，竿细枝多，叶片宽大，多产于江、浙、闽、广，常制作防雨用具。“筠”，竹子的青皮，用来

编织器物，经雨不烂。“篷”，这里是指船篷。这首联的意思是说，自己驾着露箬和霜筠织成的短篷小舟，在淡烟缭绕的湖光山色中飘然而来，又飘然而去。此联淡雅飘逸，尤其是第二句，更是飘飘有仙气，活现出诗人的悠闲心境和高雅情趣。这两句，不禁令人想起唐人张志和《渔歌子》中的“青箬笠，绿蓑衣，斜风细雨不须归”，以及苏东坡《定风波》词中的“竹杖芒鞋轻胜马”“何妨吟啸且徐行”诸句，而陆句有出蓝之胜。

颔联承接上文，作细致的描写。诗人所寻的是“溪友”，可见也是隐逸之士。不过，他并不是特地寻访，而是“偶经菱市”，忽而想起，才起了寻访之念。可是溪友还未访得，又见到一汀的浮萍，不由得钓兴大发，于是握竿下饵，索性坐下钓起鱼来。“偶经”“却拣”二语，前后呼应，转动灵活，使全联显得十分空灵，而且又补足了首联“飘然来往”之意。

第三联纯粹写景，描写更为细腻。菡萏，即荷花。雨后荷花，分外洁白，分外清香。白色的荷花，碧色的莲叶，加上一只红色的蜻蜓，色彩真是美极了。诗人不仅写了静态，还写了动态之美。红蜻蜓毕竟纤弱，在雨后的微风中，翻飞上下，不能自主。诗人体物之工巧，可说臻于极致。一般律句是四一三句式，这一联却是三一四句式。然而，由于字下得稳，对仗很工，声调也流畅，所以读来并无生拗之感。

第七句一笔挽回，诗人郑重其事地问范、李诸公说：“吴中近事你们知道吗？”乍见此句，读者以为作者有什么重大事件要讲。诗人的回答却是：吴中家家团扇之上，画着一个放翁。放翁，陆游别号。放翁者，放达老翁之谓也。小舟一叶，往来于淡烟之中。偶经菱市，欲访溪友；忽见蘋汀，却下钓筒。一阵雨过，菡萏飘香，蜻蜓戏水，红白碧相间，何等绚丽。诗人悠然四顾，悦目赏心。试问，这样一位老翁，非"放"而何？一般律诗的作法，是第三联作转折，末联收结。而此首前三联相承而下，末联既作转折，另辟新境，同时又总收前三联的意思。家家团扇上所画之放翁，岂非就是前六句所描摹的放翁吗？

陆游诗以兴会猋举，辞气踔厉擅场。不过作为一个大诗人，他有多种风格，此诗即以清新、飘逸、空灵见胜，表现了他诗歌风格的另一面。

（刘禹昌　徐少舟）

枕上作

原文

一室幽幽梦不成，高城传漏过三更。

孤灯无焰穴鼠出，枯叶有声邻犬行。

壮日自期如孟博，残年但欲慕初平。

不然短楫弃家去，万顷松江看月明。

鉴赏

陆游自己曾说过："诗因少睡成。"(《夜坐庭中》)翻一翻《剑南诗稿》，就会发现"因少睡"而"成"的诗确实不少，单以《枕上》和《枕上作》为题的就有二十九首，如果再加上如《雨夕枕上作》《枕上口占》《枕上感怀》之类便有近五十首。诗人怀恢复之念，伤金瓯之有缺，恨壮志之难成，而今垂垂老矣，从戎无日，而此情此志，犹刻刻不忘，每于夜深人静之际，感慨欷歔，形诸歌咏。这就是此类"枕上作"的来由。

诗的前四句写诗人在不寐之夜对周围环境的感受。因为夜不成寐，才能听到城楼上的更漏已经报过三更。也因为是在深夜，才能感到"孤灯无焰穴鼠出，枯叶有声邻犬行"。"孤灯无焰"，如何能知道"穴鼠出"呢？那只有是听声而知了。这是说室内。在室外，只听得窸窸窣窣的脚踏枯叶之声，可以推知，那是"邻犬"在行走。这两句细致刻画了静夜不寐的情景。

“枕上三更雨，天涯万里游。”（《枕上》）被淹没在如此黑暗、冷寂的气氛中的诗人，岂止是孤独难眠，更是万千思绪齐涌心头——“壮日自期如孟博，残年但欲慕初平”。东汉人范滂，字孟博，他“少厉清节……有澄清天下之志”（《后汉书·党锢传》）。初平，即黄初平，“丹溪人也，年十五，家使牧羊，有道士见其良谨，便将至金华山石室中，四十余年……其兄初起……留住就初平学，共服松脂茯苓，至五百岁……而有童子之色”（《神仙传》）。这两句诗将“壮日”与“残年”相对，在时间上有个相当大的跨度，在内容上也有许多省略，要将这省略的内容填补进去，方好理解由“自期如孟博”，到“但欲慕初平”的心理变化。陆游生于动乱，长于忧患，人民的悲苦，国家的分裂，父辈爱国思想的感染，使得他很早就立志报国，以天下为己任。这用他自己的话来说，就是“少小遇丧乱，妄意忧元元”（《感兴》），“少年不自量，妄意慕管葛（管仲、诸葛亮）”（《白警》）等等。这些诗句都可以说是“壮日自期如孟博”的注脚。可是，生活所给予他的只有挫折和打击，几十年的岁月就在无数次希望、无数次努力和无数次幻灭中流逝了。行遍天涯千万里，报国欲死无战场。终于，不得不怀着失望的心情，拖着衰老的身躯，寂寞地回到故园。而今已是风烛残年（陆游写这首诗时已八十一岁），“既不能挺长剑以抉九天之云，又不能持斗魁以回万物之春”（《寒夜歌》）。贫病交加，僵卧孤村，抚今追昔，真想能够像黄初平那样走进“金华山石室”，修道成仙，远离尘世。用“壮日自期”与“残年但欲”相对，感慨极深。但是神仙之事悠邈，于是只得另觅安身立命之所，因而诗人到此笔锋一转，“不然短楫弃家去，万顷松江看月明”。松江，即吴淞江，太湖的支流。此处似不必拘泥，可泛指江湖。这两句要联系上文来理解，意思是说，虽不得往“金华山石室”，也要泛舟江湖，与清风明月为伴。这看来是超脱语，其实，和李白所说的“人生在世不称意，明朝散发弄扁舟”一样，只是愤激之词罢了。他的另一些诗句——“八十将军能灭虏，白头吾欲事功名”（《冬夜不寐至四鼓起作此诗》）；“犹期垂老眼，一睹天下壮”（《秋怀十首……》）——才说出了他真正的心声，真正的期待。

诗的后四句，由回首往事生发开去，以豪放洒脱之词，抒发出深沉激烈之情，排宕开阖，波澜迭起，反复吟咏，只觉得无限辛酸，悲愤难抑。此亦可谓“忠愤蟠郁，自然形见，无意于工而自工”（《唐宋诗醇》评语）。

（赵其钧）

雪夜感旧

原文

江月亭前桦烛香，龙门阁上驮声长。

乱山古驿经三折，小市孤城宿两当。

晚岁犹思事鞍马，当时那信老耕桑。

绿沉金锁[①]俱尘委，雪洒寒灯泪数行。

〔注〕

① 绿沉金锁：杜甫《重过何氏》诗："雨抛金锁甲，苔卧绿沉枪。"

鉴赏

这首诗作于宋宁宗庆元三年(1197)，陆游七十三岁，闲居山阴。诗从远处落笔，开篇便是忆"旧"。江月亭，在小益(今四川广元)道中；桦烛，以桦树皮为烛；龙门阁，在今广元市北；驮声，指运输马队的驮铃声；三折，即三折铺，在夔州至梁山道中；两当，指两当县，在今甘肃东南部。这前四句诗在写法上有几点值得体味：第一，句式灵活。一联中的地名在句首，二联中的地名便放在句尾；第二，景与事相融，然亦各有轻重隐显之别。首联偏于绘景，"事"(即诗人的经历)则是暗寓其中；二联以叙事为主，然而"乱山古驿""小市孤城"，却也是笔墨如画；第三，散而不散。这四句诗写了不同的地点、景象、事件，然而其中活动着同一个人物，即诗人自己，贯串着同一个内容，那便是二十几年前诗人从戎南郑，为积极筹划抗金而奔走于幕府、前线、军营……所以，只要将人物与背景融入诗中，就感到它们犹如一气呵成的四个镜头，而且似乎只有这样，才能酣畅淋漓地描绘出“忆昔轻装万里行，水邮山驿不论程”(《忆昔》)的生活与气概，同时，还可以体会到在那些不断闪过的镜头中，所饱含的幽美抒情的意境。那江月亭前桦烛飘香的夜晚，给人一种温馨的情味；那龙门阁上叮当的驮铃声，在远近的山林栈道之中回响飘荡，不也是极富于诗意的吗？三四两句虽然写了“乱山古驿”“小市孤城”，然而一“经”一“宿”，顺流而下，一气贯注，非但没有艰难寂寞之感，反而衬托出意气昂扬、关山飞渡之势。因此，诗的前半虽然都是忆旧，又是一句一个地名，但是并不显得呆板、累赘，读来只觉得事真景切，活泼流走，而且那字里行间还流露出无限神往的情味。这，又为下文打下了基础。

诗的第三联用“晚岁”二字领起，从“旧”转到“今”。“犹思”二字，表明了诗人执着报国的心愿。“当时那信老耕桑”一语补叙了这一点，写得极沉痛。纪昀说：“六句逆挽有力。‘那信’二字尤佳，若作‘谁料’便不及。”(《瀛奎律髓汇评》)之所以“有力”，大概是由于这一句的出现，不仅将昔日之心和盘托出，而且又从另一个侧面强调了今日之志。于是诗人的悲愤，诗人对理想的执着便跃然而出。当年陆游在对南郑幕府和西北地形有所了解之后，他便认为，以南郑为基地，向关中进军，加上中原人民的配合，北伐的胜利是指日可待的，正如他在《晓叹》一诗中所说：“幽并从古多烈士，悒悒可令长失职。王师入秦驻一月，传檄足定河南北。”久已渴望报国的陆游，身在前线，眼看着如此有利的形势，他所向往的只能是草檄军书，扬鞭疆场，建功立业。他怎么能相信会有这么一天——“竟为农父死，白首负功名”(《初冬感怀二首》)呢！所以说“‘那信’二字尤佳”，因为它更能够表现出诗人当时的意气，并反衬出今日的失望之情。可是事与愿违。“大散关上方横戈，岂料事变如翻波”(《题严州王秀才山水枕屏》)。腐败的南宋朝廷坐失良机，终使恢复无望，诗人自己也不能请缨杀敌，只得过着“一联轻甲流尘积，不为君王戍玉关”(《看镜》)的生活。当年“那信”之事，早已成了事实！然而，岁月蹉跎，壮心犹在，而今荒村雪夜，寒灯独坐，看着这委于尘埃的绿沉(即绿沉枪，枪杆漆作浓绿色)、金锁(即锁子甲)，回首往事，“许国虽坚，朝天无路，万里凄凉谁寄音”(《沁园春·三荣横溪阁小宴》)，怎不令人黯然神伤！

这首诗题为《雪夜感旧》，写法是先写“旧”，后写“今”，篇终点出“雪夜”。“雪洒寒灯泪数行”，既是点题，也与首句暗中呼应，原来是眼前的“雪洒寒灯”之夜，将诗人的思绪引到昔日的桦烛飘香之夜，往事历历，感慨不已，写得回环往复而又思致清晰。诗的前半忆旧，轻快流畅，后半写今，沉郁悲慨，但都十分真实地描绘了诗人不同时期的思想风貌，不同之中又有着共同的基础，那就是诗人永不衰竭的报国热忱。正因为如此，两种风调，两种笔势，浑然成篇，相互烘托。感情上的辩证统一，与写作技巧上的变化相反相成，达到了水乳交融、相得益彰的境界。这种艺术境界的取得，恐怕不能仅仅归之于诗人的技巧，更主要的还是源于诗人的经历与报国深情。正如诗人自己所说：“必有是实，乃有是文。”(《上辛给事书》)是乃经验之谈，精辟之见。

(赵其钧)

书愤二首

原文

白发萧萧卧泽中，只凭天地鉴孤忠。
厄穷苏武餐毡久，忧愤张巡嚼齿空。
细雨春芜上林苑，颓垣夜月洛阳宫。
壮心未与年俱老，死去犹能作鬼雄。

镜里流年两鬓残，寸心自许尚如丹。
衰迟罢试戎衣窄，悲愤犹争宝剑寒。
远戍十年临的博，壮图万里战皋兰。
关河自古无穷事，谁料如今袖手看。

鉴赏

陆游的“书愤”诗有多首，这两首是他七十三岁时在山阴所作。他说：“盖人之情，悲愤积于中而无言，始发为诗。不然，无诗矣。”（《渭南文集》卷十五《澹斋居士诗序》）正是在这种思想的支配下，陆游经常在作品中抒发出浓勃深沉的积愤。这两首诗所抒发的，就是“塞上长城空自许”“但悲不见九州同”的悲愤。

前一首抒发自己的满怀壮志和一片忠心不被人理解的愤懑。“泽中”，指诗人居住之地镜湖。其时，诗人年迈力衰，远离朝廷。

他想到，光阴既不待我，衷肠亦无处可诉，只好凭天地来鉴察自己的一片孤忠。紧接着，诗人抚今追昔，想起了古人。苏武厄于匈奴，餐毡吞雪而忠心不泯。安史乱中，张巡死守睢阳数月，督战时"嚼齿皆碎"，被俘后仍骂敌不止，不屈而死。我的耿耿孤忠，不减他们二人，有天地可鉴。此联补足上联之意。上林苑，汉时旧苑。它和"洛阳宫"，在这里都是用来代指皇宫所在之地。首二联情绪激昂，一气直下。这一联则描写细腻，对偶精工，起到了铺垫的作用。最后一联一吐胸臆，直点主题，语气激昂，情绪悲壮，表现了"亘古男儿一放翁"（梁启超《读陆放翁集》诗语）的英雄本色。"鬼雄"语本屈原《九歌·国殇》："魂魄毅兮为鬼雄。"李清照有"死亦为鬼雄"之句，陆游或取其意。

在第二首中，诗人的愤慨和前一首有所不同。虽然这一首似乎是承接着上一首最后两句的壮志而来，但毕竟现实不可回避，理想终究总是理想，所以，到这一首的最后两句，诗人不得不发出无可奈何的叹喟。这一篇的首联和上篇"壮心未与年俱老"句，意思一脉相承，是说对镜照容，已是两鬓苍苍，但是年华虽逝，而自己的壮心依然赤热，不减当年。第二联承上：自己迟暮衰弱，不胜戎衣，但是，悲愤存胸，宝剑在握，寒光闪烁，还是想拼一拼的。于是想起了当年之事。那时，他一腔热血，满怀激情，为了收回失地，远戍的博（又作"滴博""滴博岭"，在今四川理县北。这里泛指川、陕），鏖战皋兰（山名，在今甘肃兰州）。然而，时光流逝，那自古以来的关河无穷之事（指征战疆场，澄清山河），在我身上终于无法实现。当年是壮志凌云，岂料到今日成了一个袖手旁观之人。其心情之悲痛苍凉，溢于字里行间。这便是后二联的意境。

陆游的这两首《书愤》诗，笔力雄健，气壮山河，充分地显示了他诗歌风格特征的一个主要方面。特别是其中表现出来的对国家、民族的每饭不忘、终生难释的深厚情意，更是陆游整个创作中的精华所在。纪昀在《瀛奎律髓刊误》中说："此种诗（按：指《书愤》'白发萧萧'一首）是放翁不可磨灭处。集中有此，如屋有柱，如人有骨。"这个见解是非常正确的。

（刘禹昌　徐少舟）

忆　昔

原文

忆昔从戎出渭滨，壶浆马首泣遗民。

夜栖高冢占星象，昼上巢车望虏尘。

共道功名方迫逐，岂知老病只逡巡。

灯前抚卷空流涕，何限人间失意人。

鉴赏

乾道八年(1172)，陆游接受四川宣抚使王炎的邀请，赴南郑襄赞军务。这是陆游一生中唯一身临前线的机会，他自己也以为驱逐金兵、立功酬志的时候到了。因而诗人换上戎装，昼夜察看地形，打探敌军虚实，会同王炎积极策划收复长安。然而，南宋最高统治集团对内苟安偷生，对外坚持投降路线。所以，正在王炎和陆游认为长安唾手可得的时候，王炎被调离任，陆游也改任成都府安抚使司参议官。对此，陆游是不甘心的，尤其是随着年龄的增长，时局的变化，使他越来越感到希望渺茫。诗人的晚年，写了相当多的诗回忆他在南郑的军事生活，这首《忆昔》是其中的一首。

此诗写于宁宗庆元三年(1197)，当时诗人处于闲职，以中奉大夫衔提举冲祐观。

"忆昔"这个题目，一般地说都应该包括两方面内容：对昔日生活的回顾和由此而产生的感想。这首诗即分两部分来写。

前两句写初到南郑。从南郑跨越秦岭，出大散关，即临渭河，所以说“出渭滨”。“壶浆”指酒浆。《孟子·梁惠王下》：“箪食壶浆，以迎王师。”“马首”出于《左传·襄公十四年》：“鸡鸣而驾，塞井夷灶，唯余马首是瞻。”首句写作者当年曾随军强渡渭水。次句写关中百姓慰问宋军，并向他们泣诉在被占区所受到的屈辱，言外之意就是殷切期望宋军收复失地。三四句写在南郑的活动。高冢即高山。古人迷信，以为天上的星象可主人间的成败祸福。巢车是古时的一种战车，车上有用辘轳升降的瞭望台，人居其中，如在鸟巢，故名。这两句用“昼”“夜”概括全天活动，可以从中体会到作者以全部精力投入北伐准备工作的炽烈感情。

后四句是忆后的悲愤心情。迫逐，等于说很快可以求得。“共道功名方迫逐”，用“大家都认为”功名屈指可得来展示诗人当年的壮志。从诗中可以看出，有马首泣诉要求收复失地的“遗民”，有昼夜苦心经营的将领，有“星象”之兆，有对“虏尘”的深入了解，“方迫逐”当是言之不诬的。“逡巡”的本义是踌躇不前、欲行又止，这里指一无进展。“岂知老病只逡巡”，用“没有料到”作转折，使前面句意急转直下，至末二句则与前半篇形成鲜明对比。如今他一边抚摸书卷，一边流泪。此处的书卷当指史籍。古往今来，多少英雄烈士，壮怀不能伸，老死牖下。诗人灯下披览史书，联想自己，不由悲从中来。想自己空怀报国之志，如今一事无成，将和历史上无数志士一样，赍恨以没世，能不伤心落泪？

这首诗以“忆昔”二字作题，并以此二字开头，以“何限人间失意人”结尾，表明题意。这种“首句标其目，卒章显其志”的诗歌表现手法，显系从《诗经》学来，白居易的新乐府即采取这种形式，而在近体诗中是少见的。章法上,此诗每两句构成一个小的意群,再由这四个链条组成全篇,结构天成,思路精密。语言运用上,作者深于锤炼,比如“壶浆马首泣遗民”,一句三意,写尽了北方遗民的心情。第三句用“栖”字,第四句用“上”字,把两句联系起来,因而一个不辞劳苦的忧国忧民的志士的形象就活跃在纸上了。第六句用“逡巡”写目前,不仅表现了一个“老病”者的行动特征,而且刻画出一个有志之士无法施展抱负的彷徨心理。此外,如“共道”“迫逐”“抚”等等,也都下得极有分寸。

(李济阻)

夏夜不寐有赋

原文

急雨初过天宇湿，大星磊落才数十。
饥鹘掠檐飞磔磔，冷萤堕水光熠熠。
丈夫无成忽老大，箭羽凋零剑锋涩。
徘徊欲睡还复行，三更犹凭阑干立。

鉴赏

发抒请缨无路、报国无门、自伤老大的情怀，是陆游晚年诗篇中的重要内容。但在表现手法上，这首《夏夜不寐有赋》又别具机杼。

诗一上来写特殊的天气。"急雨初过天宇湿"七字统摄前四句，笼罩全篇。夏夜得雨，按说应该使人感到舒适凉爽，今乃不然。因是"急雨"，来势迅猛而时间短暂；又系"初过"，溽暑未消。这阵急雨将地面积热化为气浪蒸腾，初停时这种热浪特别逼人，因此这一番急雨过后，留下"天宇湿"的气象——天宇间弥漫着一股湿热的空气，使人气闷。且由于"急雨初过"，雨脚虽断，雨意仍浓，仰观天幕，依然黑云带雨，仅见少数大星闪着幽光。观此自不胜苍茫寥落之感：这就是"大星磊落才数十"提供的意象。在这种低气压中，万物自然烦躁不安，因而"饥鹘掠檐飞磔磔"。鹘是"隼"一类的猛禽，善于高飞搏击，此时也只能掠檐低飞而磔磔有声。“鹘”前加一“饥”字，益见其遑遑不安。此时萤虫也无力远飞，堕入水中，而发出闪烁之光。此光，与天宇间大星幽冷之光，两相映照，显出宇宙间一派凄迷幽暗景象。以上四种兴象，与放翁当时感受到的时代气息，是一致的。回首平生，他在青年时代即受压于奸相秦桧，后来又因反对招权植党的佞幸，激怒孝宗，贬居外官；三年后，复因“力说张浚用兵”，解职归里。后虽一度起用，又因“燕饮颓放”的罪名，被劾去官。当时宋朝河山半沦金人之手。陆游力主抗金，锐意恢复，却不断受到排挤。在这个不眠的夏夜，他漫步中庭，种种家国身世之情，乃因急雨、大星、饥鹘、冷萤诸多兴象而激起层层波澜，逼出“丈夫无成忽老大，箭羽凋零剑锋涩”的五六两句。这是无可奈何的浩叹。“丈夫”本当有所作为，今乃一事无成，而人已老大，“学剑四十年，虏血未染锷”（《醉歌》），这是他个人的悲剧，也是时代的悲剧。但转而自思：回天乏术，浩叹又复何益？于是，在这两句之后，转而勾画出一个徬徨不安的自我形象。先是徘徊不定；继乃强自矜持，准备安寝；终因苦恨难平，复至中庭茫然地来回行走。“徘徊欲睡还复行”七字千回百转，写尽志士愤懑难平的起伏心潮。最后，这种种家国之情，凝于“三更犹凭阑干立”一句之中。诗篇已尽，诗情未已。

这首诗最值得注意的是前四句兴象构成的气氛色彩。这四句如易水之歌未发，击筑之声已自具悲慨；山雨欲来，先有狂风满楼。一种愤懑之气笼罩全诗。有了这前四句的积蓄，后半才转入正面抒情。但又点到即止，感情的闸门稍开即阖，最后以形象挽住全诗，笔酣意足却又引而不发，遂使此诗具有凄咽顿挫、激荡回旋的力量。

（赖汉屏）

幽居初夏

原文

湖山胜处放翁家，槐柳阴中野径斜。
水满有时观下鹭，草深无处不鸣蛙。
箨龙已过头番笋，木笔犹开第一花。
叹息老来交旧尽，睡来谁共午瓯茶？

鉴赏

这诗是陆游晚年居山阴三山时所作。八句诗前六写景，后二结情；全诗紧紧围绕“幽居初夏”四字展开，四字中又着重写一个“幽”字。景是幽景，情亦幽情，但幽情中自有暗恨。

首句“湖山”二字总冒全篇，先从大处着笔，勾勒环境，笔力开张，一起便在山光水色中透着一个“幽”字。次句写到居室周围，笔意微阖。乡间小路横斜，四周绿阴环绕，有屋于此，确不失为幽居；槐树成荫，又确是“绕屋树扶疏”的初夏景象。这一句暗笔点题。颔联紧承首联展开铺写。水满、草深，鹭下、蛙鸣，自是典型的初夏景色。然上句着一“观”字，明写所见；下句却用“鸣蛙”暗写所闻。明、暗、见、闻，参差变化。且上句所言，湖水初平，入眼一片澄碧，视野开阔，是从横的方面写。白鹭不时自蓝天缓缓下翔，落到湖边觅食，人的视线随鹭飞而从上至下，视野深远，是从纵的方面写。而白鹭悠然，安详不惊，又衬出环境的清幽，使这幅纵横开阔的画面充满了宁静的气氛。下一“观”字，更显得诗人静观自得，心境闲适。景之清幽，物之安详，人之闲适，三者交融，构成了恬静深远的意境。从下句看，绿草丛中，蛙鸣处处，一片热闹喧腾，表面上似与上句清幽景色相对立，其实是以有声衬无声，还是渲染幽静的侧笔。而且，这蛙鸣声中，透出一派生机，又暗暗过渡到颈联“箨龙”“木笔”，着意表现自然界的蓬勃生意，细针密线，又不露痕迹。“箨龙”就是笋，“木笔”又叫辛夷花，两者都是初夏常见之物。“箨龙”既“已过头番笋”，则林中定然留下许多还没有完全张开枝叶的嫩竹；“木笔”才开放“第一花”，枝上定然留有不少待放的花苞。诗人展示给我们的是静止的竹和花，唤起我们想象的却是时时都在生长变化之中的动态的景和物。

从章法看，这前六句纯然写景，而承转开阖，井然有序。颔联“水满”“草深”是水滨景色，承前写“湖”；颈联“头番笋”“第一花”，则是山地风光，承前写“山”。首句概言“湖山胜处”，两联分承敷衍，章法十分严谨。但颔联写湖，是远处宽处的景色；颈联写庭院周围，是近处紧处的风光。刘熙载《艺概·诗概》说：“律诗中二联必分宽紧远近。”这就在严谨中又有变化。

诗的前六句极写幽静的景色之美，显出诗人怡然自得之乐，读诗至此，真以为此翁完全寄情物外，安于终老是乡了。但结联陡然一转，长叹声中，大书一个“老”字，顿兴“万物得时，吾生行休”之叹，古井中漾起微澜，结出诗情荡漾。原来，尽管万物欣然，此翁却心情衰减，老而易倦，倦而欲睡，睡醒则思茶。而一杯在手，忽然想到往日旧交竟零落殆尽，无人共品茗谈心，享湖山之乐，于是，一种索寞之感，袭上心头。四顾惘然，向谁诉说？志士空老，报国无成，言念及此，能无怅怅？所以说这首诗在幽情中自有暗恨。

陆游这组诗一共四首七律，这里选的是第一首。四首诗都着意写幽居初夏景色，充满了恬静的气氛，但心情都显得不平静。第二首有句云："闲思旧事惟求醉，老感流年只自悲"，可见旧事不堪回首，只求于一醉中暂时忘却。第三首颈联说："只言末俗人情恶，未废先生日晏眠"，说明先生之所以"日晏眠"，乃由于"末俗人情"之险恶不堪问。第四首结联说："移得太行终亦死，平生常笑北山愚"，则是嗟叹自己空有移山之志，而乏回天之力；笑愚公，其实是自慨平生。陆游晚年村居诗作，周必大评为"疏淡"（见《周益国公文忠集·与陆务观书》），刘熙载称为"浅中有深，平中有奇"。这类诗的渊源所自，历来论者无不指为"学陶""学白"。从他大量的写农村风光的诗来看，特别是从这首《幽居初夏》看，固然有陶渊明的恬静、白居易的明浅，但此外还另有陶、白所不曾具有的一境：他的心总是热的，诗情总是不平静的。即使所写景物十分幽静，总不免一语荡起微澜，在"一路坦易中，忽然触著"。梁清远《雕丘杂录》说："陆放翁诗，山居景况，一一写尽，可为山村史。但时有抑郁不平之气。"这是陆游一生忧国忧民、热爱生活、积极用世、坚韧执著的个性的闪现，也正是这首《幽居初夏》的特色。

（赖汉屏）

沈园二首

原文

城上斜阳画角哀，沈园非复旧池台。

伤心桥下春波绿，曾是惊鸿照影来。

梦断香消四十年，沈园柳老不吹绵。

此身行作稽山土，犹吊遗踪一泫然！

鉴赏

陆游被誉为“亘古男儿一放翁”（梁启超《读陆放翁集》），尝自称“老夫壮气横九州”（《冬暖》），渴望“上马击狂胡，下马草军书”（《观大散关图有感》），是一个豪气冲天的大丈夫，写有大量天风海雨般的作品。但这只是其人其诗之一面（当然是主导方面）。他还有另一面，即个人家庭的悲欢离合，儿女之情的缠绵悱恻。他抒发此类感情的作品，写得哀婉动人。他一生最大的个人不幸就是与结发妻唐琬的爱情悲剧。据《齐东野语》等书记载与近人考证，陆游于高宗绍兴十四年（1144）二十岁时与唐琬结琴瑟之好，婚后“伉俪相得”，但陆母并不喜欢儿媳，终至迫使于婚后三年左右离异。后唐氏改嫁赵士程，陆游亦另娶王氏。绍兴二十五年春，陆游三十一岁，偶然与唐琬夫妇“相遇于禹迹寺南之沈氏园。唐以语赵，遣致酒肴”。陆“怅然久之，为赋《钗头凤》一词题园壁间”。唐氏见后亦奉和一首，从此郁郁寡欢，不久便抱恨而死。陆游自此更加重了心灵的创伤，悲悼之情始终郁积于怀，五十余年间，陆续写了多首悼亡诗，《沈园》即是其中最脍炙人口的两首。

《齐东野语》曰：“翁居鉴湖之三山，晚岁每入城，必登寺眺望，不能胜情，又赋二绝云：(引诗略)。盖庆元己未岁也。”庆元己未为公元1199年，是年陆游七十五岁。《沈园》乃诗人触景生情之作，此时距沈园邂逅唐氏已四十四年，但缱绻之情丝毫未减，反而随岁月之增而加深。

《沈园》之一回忆沈园相逢之事，悲伤之情充溢楮墨之间。

“城上斜阳”，不仅点明傍晚的时间，而且渲染出一种悲凉氛围，作为全诗的背景。斜阳惨淡，给沈园也涂抹上一层悲凉的感情色彩。于此视觉形象之外，又配以“画角哀”的听觉形象，更增悲哀之感。“画角”是一种彩绘的管乐器，古时军中用以警昏晓，其声高亢凄厉。此“哀”字更是诗人悲哀之情外射所致，是当时心境的反映。这一句造成了有声有色的悲境，作为沈园的陪衬。

次句即引出处于悲哀氛围中的“沈园”。诗人于光宗绍熙三年(1192)六十八岁时所写的一首七律，诗题甚长，曰：“禹迹寺南，有沈氏小园，四十年前(按：实为三十八年)，尝题小词一阕壁间。偶复一到，而园已三易主，读之怅然。”诗中并有“坏壁醉题尘漠漠”之句。那时沈园已有很大变化；而现在又过七年，更是面目全非，不仅“三易主”，且池台景物也不复可认。诗人对沈园具有特殊的感情，这是他与唐氏离异后唯一相见之处，也是永诀之所。这里留下了他刹那间的喜与永久的悲，《钗头凤》这首摧人肝肺之词也题于此。他多么渴望旧事重现，尽管那是悲剧，但毕竟可一睹唐氏芳姿。这当然是幻想，不得已而求其次，他又希望沈园此时的一池一台仍保持当年与唐氏相遇时的情景，以便旧梦重温，借以自慰。但现实太残酷了，今日不仅心上人早已作古，连景物也非复旧观。诗人此刻心境之寥落，可以想见。

但是诗人并不就此作罢，他仍竭力寻找可以引起回忆的景物，于是看到了“桥下春波绿”一如往日，感到似见故人。只是此景引起的不是喜悦而是“伤心”的回忆：“曾是惊鸿照影来。”四十四年前，唐氏恰如曹植《洛神赋》中所描写的“翩若惊鸿”的仙子，飘然降临于春波之上。她是那么婉娈温柔，又是那么凄楚欲绝。离异之后的不期而遇所引起的只是无限“伤心”。诗人赋《钗头凤》，抒写出“东风恶，欢情薄”的愤懑，“泪痕红浥鲛绡透”的悲哀，“错，错，错”的悔恨。唐氏和词亦发出“世情薄，人情恶”的控诉，“今非昨，病魂常似千秋索”的哀怨。虽然已过了四十余春秋，而诗人“一怀愁绪”，绵绵不绝，但“玉骨久成泉下土”（《十二月二日夜梦游沈氏园亭》），一切早已无可挽回，那照影惊鸿已一去不复返了。然而只要此心不死，此“影”将永在心中。

《沈园》之二写诗人对爱情的坚贞不渝。

首句感叹唐氏溘然长逝已四十年了。古来往往以“香消玉殒”喻女子之亡，“梦断香消”即指唐氏之死。陆游于八十四岁即临终前一年所作悼念唐氏的《春游》亦云：“也信美人终作土，不堪幽梦太匆匆。”唐氏实际已死四十四年，此“四十年”取其整数。这一句充满了刻骨铭心之真情。

次句既是写沈园即目之景——柳树已老，不再飞绵，也是一种借以自喻的比兴：诗人六十八岁时来沈园已自称“河阳愁鬓怯新霜”（《禹迹寺南有沈氏小园……》），此时年逾古稀，正如园中老树,已无所作为,对个人生活更无追求。“此身行作稽山土”,则是对“柳老”内涵的进一步说明。“美人终作土”,自己亦将埋葬于会稽山下而化为黄土。此句目的是反衬出尾句“犹吊遗踪一泫然”,即对唐氏坚贞不渝之情。一个“犹”字,使诗意得到升华:尽管自己将不久于人世,但对唐氏眷念之情永不泯灭;尽管个人生活上已无所追求,但对唐氏之爱历久弥新。所以对沈园遗踪还要凭吊一番而泫然涕下。“泫然”二字,饱含多少复杂的感情!其中有爱,有恨,有悔,诗人不点破,足供读者体味。

这二首诗与陆游慷慨激昂的诗篇风格迥异。感情性质既别,艺术表现自然不同。写得深沉哀婉,含蓄蕴藉,但仍保持其语言朴素自然的一贯特色。

(王英志)

陈阜卿先生[1]为两浙转运司考试官，时秦丞相孙[2]以右文殿修撰来就试，直欲首送。阜卿得予文卷，擢置第一。秦氏大怒。予明年既显黜，先生亦几陷危机。偶秦公薨，遂已。予晚岁料理故书，得先生手帖，追念平昔，作长句以识其事，不知衰涕之集也

原文

冀北当年浩莫分，斯人一顾每空群。
国家科第与风汉，天下英雄惟使君。
后进何人知大老，横流无地寄斯文。
自怜衰钝辜真赏，犹窃虚名海内闻。

〔注〕

① 陈阜卿：陈之茂，字阜卿，无锡人。绍兴二年(1132)，张

九成榜下同进士出身。卒于建康府任内。

② 秦丞相孙：秦桧孙秦埙。《宋史·萧燧传》及《四朝闻见录》作秦熺。

鉴赏

放翁报国之志，至老未衰，但生不逢时，至老未遇，自早岁无端遭秦桧贬黜，至暮年因受谤罢归乡里，命与仇谋，可谓穷矣！此诗作于宋宁宗庆元五年(1199)，时放翁复遭谴逐，奉祠居家，见陈公手帖，追思往事，感激知遇之心，忧谗嫉邪之意，并集胸中，情不能已，形于篇章。

全诗一气贯注，将知遇之感、身世之悲，自起句直贯篇末。韩愈《送温处士赴河阳军序》："伯乐一过冀北之野，而马群遂空。夫冀北马多天下，伯乐虽善知马，安能空其群邪？解之者曰：吾所谓空，非无马也，无良马也。"首联即追念伯乐，能从群马之中，识别良骥，以喻陈氏别具慧眼，能从众多考生之中，拔擢自己为第一。

风汉，即疯汉。据《玉泉子》："刘蕡，杨嗣复之门生也，对策以直言忤时，中官尤所嫉怒。中尉仇士良谓嗣复曰：'奈何以国家科第放此风汉耶？'"放翁好议论时政，并以此得罪，与刘蕡相似，其就试遭秦桧之忌，也与刘蕡为中官所嫉相类，故颔联出句引以自喻。又《三国志·蜀书·先主传》："曹公从容谓先主曰：'今天下英雄，唯使君与操耳。本初之徒，不足数也。'"放翁应试，陈氏览其文，深加奖许，擢置第一，故对句又引曹操独推刘备之语为喻。

大老，对德高望重者的尊称。《孟子·离娄上》："二老(指伯夷、吕尚)者，天下之大老也。”放翁对陈氏知遇之恩，铭心难忘，故以大老敬称。横流，喻局势动荡，此指秦桧当权之时。《论语·子罕》：“天之将丧斯文也，后死者不得与于斯文也。”颈联出句慨叹陈公已死，其令德风流，竟不为后生小辈所知。对句自叹，以示奸佞当道，英才无所容身。愤激之意，溢于言表。

真赏，符合实际的赞赏，语出《梁书·王筠传》：“知音者希，真赏殆绝。”末联自道衰老迟钝，功业未就，有负陈公赏识。但当日少年，今已名闻海内，可见陈公并未错赏，自己也不负陈公。看似谦词，其实充满了自负和不平。

在表现手法上，这首诗有两个特点：宋人好以才学为诗，前人屡表不满，滥于用事，已成作诗大忌。此诗通篇用典，本易流于晦涩，但由于其用事切而不僻，故能不堕事障，读之浑然，如同己出。另外，诗贵曲，此诗却直。事实上，当情意激昂之时，但觉胸中有千言万语，唯欲一吐为快，此时作诗，其言必直；而也只有直写胸臆，方能畅吐郁结。非直无以写其怀，非直无以见其真。语愈直，情愈深，意愈真。放翁此诗，即是一篇情深词直之作。

（黄　珅）

西　村

原文

乱山深处小桃源，往岁求浆忆叩门。
高柳簇桥初转马，数家临水自成村。
茂林风送幽禽语，坏壁苔侵醉墨痕。
一首清诗记今夕，细云新月耿黄昏。

鉴赏

周密《武林旧事》记载："西陵桥……又名西泠桥，又名西村。"但西泠桥在孤山之后，与此诗首句"乱山深处"之说不合，疑是山阴的一个小村庄。陆游另有《东村》诗，作于宋宁宗庆元六年(1200)，《西村》诗当也是闲居山阴期间所写。

西村是诗人旧游之地。这次隔了多时旧地重游，自不免有一种既熟悉又陌生的感觉。他观赏着沿途风光，时而引起对往事的回忆。

首联由西村思往事。西村群山环绕，仿佛是桃源世界。他还清楚记得当年游赏时敲门求水解渴的情景。"浆"，泛指饮料。

颔联写进山时的情况：走过柳树簇拥的小桥，就要勒转马头拐个弯，前面临水数户人家便是西村。对于摆脱尘世喧嚣的山水深处，诗人是心向往之的。他另有《小舟游近村舍舟步归》绝句："数家茅屋自成村，地碓声中昼掩门。寒日欲沉苍雾合，人间随处有桃源。”也把数家的小村视为桃源。此诗这两句富于动感，景物组合巧妙。“高柳簇桥”，似乎尚处于“山重水复疑无路”（陆游《游山西村》）的境地，而在“初转马”以后，眼前便是“数家临水自成村”，就进入了“柳暗花明又一村”（陆游《游山西村》）的境界。这与陶渊明《桃花源记》中“初极狭，才通人，复行数十步，豁然开朗”的写法颇为接近。这不仅回应了首句“小桃源”三字，而且从山回路转中展示了这一桃源境界。

颈联写入西村后所见所闻：周围树木茂密，不见啼鸟，但闻鸣声。当年来游之处，已是坏壁颓垣，自己醉书于上的诗句，也已斑斑驳驳，布满青苔。诗人觉得，眼前这情景很动人，值得怀恋，应当写一首诗留作纪念。

于是转入尾联。正当诗人吟哦之际，抬起头来，只见空中有几缕纤云，一弯新月。在此风景清佳的黄昏时刻，清诗自会涌上心头。

作为一首纪游诗，此诗的特点在于能够不为物累，脱去形似，用渗透感情的笔墨去捕捉形象，将自己深切体验过的、敏锐感受到的物象写入诗中，几乎每一笔都带感情。前人所谓“兴中有象，有人在”（王若虚《滹南诗话》），所指的当是这一类作品。

（陈志明）

枕上作

原文

萧萧白发卧扁舟，死尽中朝旧辈流。
万里关河孤枕梦，五更风雨四山秋。
郑虔自笑穷耽酒，李广何妨老不侯。
犹有少年风味在，吴笺着句写清愁。

鉴赏

这首诗写于宋宁宗庆元六年(1200)，这时陆游已是七十六岁的高龄。孝宗淳熙十六年(1189)，他被罢官回山阴家居，也已十几年了。

陆游的山阴故居，乃水乡泽国，家中备有小船，所以他可以“萧萧白发卧扁舟”，酣然入梦。老诗人的身体躺在家乡的小船里，可心中仍在思虑着国家大事。当年和他意气相投，以恢复万里关河相期许的朋友，有不少人已经与世长辞。七年前，范成大卒；六年前，陈亮卒；四年前，赵汝愚自杀；本年初，朱熹卒——这便是“死尽中朝旧辈流”所指。“中朝”，即朝中，朝廷。韩愈《石鼓歌》有“中朝大官老于事”。朋辈凋零殆尽，诗人自己呢？也已是风烛残年，只落得“老病有孤舟”而已。

但是，他那颗时刻不忘恢复中原故土的赤子之心，仍在顽强地跳动。身临前线虽不可能，可“故国神游”却谁也挡不住。据赵翼《瓯北诗话》统计，陆游的记梦诗有九十九首之多。对统一大业的热切盼望，使他朝思夜想，形诸梦寐。“万里关河孤枕梦，五更风雨四山秋”，也许，诗人从军南郑时“铁衣上马蹴坚冰”“飞霜掠面寒压指”的生活，又复现在梦境？也许，诗人悬想过多次的“凉州女儿满高楼，梳头已学京都样”（《五月十一日夜且半梦从大驾亲征……》）的景象，又呈现在脑海？也许，诗人一向怀抱的夙愿“关河可使成南北，豪杰谁堪共死生”（《猎罢夜饮示独孤生三首》），因朋辈的殒折和年华的流逝而益渺茫，故于梦中一展宏图？“孤枕梦”之“孤”，自是实写，然又恰与上联之“死尽”相对，照应极严。秋风秋雨声惊醒了诗人的美梦，把他从梦寐以求的万里关河之境拉回到束手无为的咫尺小舟之中。他睁开昏花的睡眼，发现已是五更天了，四山的秋色和着雨丝风片一齐向他袭来。回思梦中的情景，再看看自己现在的处境，他不由得想起两位古人——郑虔和李广。

“郑虔自笑穷耽酒，李广何妨老不侯。”唐玄宗时郑虔文才很高，他的诗、书、画，曾被玄宗赞为“三绝”；但生活贫困而嗜酒。汉将李广长于骑射，一生与匈奴七十余战，屡建奇功，但命运坎坷，终未封侯，最后自杀。陆游自信文可以比郑虔，武可以比李广，而自己晚年的遭遇也与郑、李相仿佛。就在写此诗的前一年，他已被准予致仕，实差和祠官一并勾销，不再食俸。“生理虽贫甚”（《致仕后述怀》），但“绿樽浮蚁狂犹在”（《题庵壁》），酒还是不能少的，只好自己酿造（见《村舍杂书》）。这两句中的“自笑”和“何妨”，是句中的诗眼，透露出诗人的心曲。“自笑”，非自我解嘲，而是欣慰之情的表现。当他出于政治斗争的考虑，决定辞官时，曾写过一首《病雁》诗，其中说：病雁“不辞道路远，置身湖海宽”；而自己“虽云幸得饱，早夜不敢安”，于是“乃知学者心，羞愧甚饥寒”。忍饥寒而免羞愧，故有欣慰之“自笑”。“何妨”者，境界颇高，所谓“君子坦荡荡，小人常戚戚”，正可作为注脚。诗人所关心的，决非自己的名位权势。大而言之，是国家的统一；小而言之，是品德的高洁。既不能进而兼济天下救苍生，便退而独善其身持操守，纵未封侯拜相，又有何妨？况且，在内心的坦然、村酿的陶醉之外，还有少年时的风味积习，增添了无限的情趣——“犹有少年风味在，吴笺着句写清愁”。

这里的“清愁”既是前面所写“孤枕梦”的余波，也是秋风秋雨的阴影。梦里的万里关河，醒来变为一叶孤舟，梦中的驰骋沙场，醒来变为老病卧床，集中到一点，就是“白头不试平戎策，虚向江湖过此生”的终生遗憾，“这次第，怎一个愁字了得？”（李清照《声声慢》）“清愁”之情与“清秋”之景交融，情景相生。

全诗脉络分明：首联中之“卧扁舟”，对上而言，紧承诗题《枕上作》之“枕上”，对下而言，内启“孤枕梦”的出现，外启“四山秋”的环境描写；风雨惊觉后，梦境变为实境，但思绪未断，由想象中的“我”，回到了现实中的“我”；于是乃有“自笑”“何妨”之论；尾联“吴笺着句”云云，再回应题目《枕上作》，重点则在“作”；堪称针线细密，无懈可击。

（李正民）

梅花绝句

原文

闻道梅花坼[①]晓风，雪堆遍满四山中。
何方可化身千亿？一树梅前一放翁。

〔注〕

① 坼：裂开，此谓花朵绽开。

鉴赏

此诗作于宁宗嘉泰二年(1202)，时放翁七十八岁，闲居山阴。

上联写梅花不畏寒冽，笑迎晨风，纷繁似雪，遍开山中。这种描写，几乎是咏梅诗中的套语，常可看到，如杜甫诗“雪树元同色，江风亦自波”(《江梅》)，许浑诗“素艳雪凝树，清香风满枝”(《闻薛先辈陪大夫看早梅因寄》)。此诗引人注目的是下联。诗人用了一个奇特的设想，极表其爱梅之心：有什么方法能把自己化为千万个人，让每一枝梅花之前都有个放翁呢？吐语不凡。《红楼梦》写宝、黛诸人赋菊，其中史湘云《对菊》，有“萧疏篱畔科头坐，清冷香中抱膝吟”之句，写其依恋菊花之状，十分传神。李纨评道：“竟一时也舍不得离了菊花，菊花有知，倒还怕腻烦了呢！”前人爱梅，亦有沁香入骨、爱之欲餐之语。但与放翁此诗对梅之状、爱梅之心相比，高下深浅自见。不过，这种设想并非放翁首创，显然出自柳宗元的《与浩初上人同看山寄京华亲故》:“海畔尖山似剑铓,秋来处处割愁肠。若为化得身千亿,散上峰头望故乡。”但两首诗所表现的形象和意境,则全然不同。柳宗元谪居岭南,万里投荒,羁情凄凄,愁思郁郁,其状酸心,其语刻骨。而放翁逸兴遄飞,其对梅的狂态、赏梅的痴情,通过这一设想,得到了淋漓尽致的表现,格调极高。

自唐以来,世人盛赏牡丹,爱梅还是爱牡丹,几乎成了人品志趣雅俗高下的一个标准。隐居孤山的林逋,即以爱梅、咏梅著称。梅以韵胜,以格高,林逋所重,在其韵;放翁所重,在其格。放翁早年师事曾幾,曾幾尝问:“梅与牡丹孰胜?”放翁以诗作答:“曾与诗翁定花品,一丘一壑过姚黄。”(《梅花绝句》)梅花的清风亮节,于放翁实为同气,故借梅抒写怀抱。这是放翁性喜咏梅,而且多咏梅的高格,不同于林逋专写其清神逸韵的原因。

此诗在放翁众多的咏梅诗中,更是别具一格。题是梅花,其意在人。不但写人赏梅之状,还隐喻其立身之德。上联写梅,只是下联写人的陪衬。诗人为了能与梅花相亲,不辞冒着清晨的寒风欣赏,则其独抱孤衷之意,自在言外。化身千亿,长在梅前。能与雪洁冰清的梅花心相印、意相通、语相接,则其人之高标绝俗,又跃然纸上。反过来,在百花园中,又有哪种名花,能与时穷见节之士心迹相通?能无愧骨沁幽香、气傲寒雪之美?也许此誉非梅莫属了。咏梅为了咏人,咏人又离不开咏梅,梅乎人乎,两实难分,读这首诗,应于此着眼。

(黄　珅)

秋夜思南郑军中

原文

五丈原头刁斗声，秋风又到亚夫营。

昔如埋剑常思出，今作闲云不计程。

盛事何由观北伐，后人谁可继西平？

眼昏不奈陈编得，挑尽残灯不肯明。

鉴赏

此诗以《秋夜思南郑军中》为题，其中的“思”字不仅是联系“秋夜”同“南郑军中”的纽带，而且是贯穿全诗的灵魂。因而只要抓住这个“思”字，就不难探得作者的立意。

沉思，最容易引人进入幻觉状态。这首诗一二句用“秋风”点“秋夜”，用“五丈原”“亚夫营”点“南郑军中”。句中虽未出现“思”字，但南郑军中生活的真切再现，凭借的却正是作者“思”得入神时所产生的幻觉，诗篇一开始便强烈地显示了作者同南郑的特殊关系，作者“思南郑军中”的意义也更重大了。五丈原在今陕西岐山县南，诸葛亮与司马懿交战，曾屯兵于此。亚夫营即细柳营，在长安西不远处，汉将周亚夫曾驻兵细柳，军令整肃，汉文帝称之为“真将军”。作者曾到过大散关，并未到过五丈原和细柳，首联两句全是想象之笔，表现出作者的理想和愿望。

然而南郑的一切毕竟成了过去。颔联是作者的思想又回到现实以后的产物：昔时在南郑军中，虽然立功机会渺茫，但那时不失为“埋剑”，仍有破土而出的机会；今天呢？诗人以八十一岁的高龄致仕家居，无所事事，有如闲云一片。埋剑，用雷焕事。西晋时斗、牛二宿之间常有紫气。吴亡，雷焕任丰城（今属江西）令，在丰城狱地下挖得二剑，一曰龙泉，一曰太阿。闲云，用贯休事。贯休献诗给吴越王钱镠，钱镠要求将诗中“一剑霜寒十四州”的“十四州”改为“四十州”。贯休说：州也难添，诗也难改，我是“闲云孤鹤”，哪儿的天空不能飞？于是离开了钱镠。陆游在这里自称闲云，当然含有对朝廷的失望之意。“不计程”补足“闲”字：任其飘浮，无法计程。

昔如埋剑，今作闲云，此生已矣。这是可悲的，不过只要报国有人，又何伤乎？颈联中作者的诗“思”再一次腾跃，由“思”昔日南郑到“思”今日的朝中之人。西平，唐将军李晟曾平服朱泚叛乱，收复长安，被封为西平郡王。陆游此诗作于开禧元年（1205），当时韩侂胄正积极准备北伐。次年五月，宋帝下诏伐金。陆游对此事是积极支持的。因而颈联两句似以西平王期待韩侂胄，诗句流露了急切盼望的心情。

不过，即使韩侂胄能够收回失地，自己无力参预，也终是憾事。尾联以年老反衬南郑生活可思不可得，颇露悲凉之意。“眼昏”唯伴“陈编”，这是“匹马戍梁州”的陆游所不能忍耐的；嵌入“不奈”二字，则更见诗人壮心难酬之状。末句以“灯”点“夜”，以“残”“挑尽”“不肯明”多方渲染，点出“思”得久、“思”得切。

这首诗在艺术上，有以下几点值得提出：一、诗以五丈原、亚夫营起头，整肃雄壮，具有震撼人心的力量。接下去诗思一再腾跃，说尽了“秋夜思南郑军中”这一题目的各个侧面。方东树《昭昧詹言》评此诗说："起势峥嵘飞动，余亦往复顿挫"，即此意。二、这首诗不仅谋篇多施波澜，即使每一句中也极尽变化之能事，且以前半篇为例：首句用"五丈原"起，似欲以视觉写地，但接着来的却是有节奏的"刁斗声"。第二句以"秋风"起，我们才闻其声，不料诗人反以"亚夫营"写所见。第三句用"埋剑"的典故，一般是表述怀才不遇，然而这里所流露的却是诗人的自豪。第四句说"闲云"，在悠闲之中所寄托的反而是不尽的自伤。三、诗中多处使用典故，其中五丈原、亚夫营都是往长安的必经之地，西平王从朱泚手中夺回长安恰恰是作者当年所谋取的目标。这些典故，与诗中所写的内容，除在意义上熨帖吻合之外，还考虑到地理位置上的互相关联，思路是很细密的。

（李济阻）

溪上作二首

原文

落日溪边杖白头，破裘不补冷飕飕。
戆愚酷信纸上语，老病犹先天下忧。
末俗陵迟稀独立，斯文崩坏欲横流。
绍兴人物嗟谁在？空记当年接俊游。

伛偻溪头白发翁，暮年心事一枝筇。
山衔落日青横野，鸦起平沙黑蔽空。
天下可忧非一事，书生无地效孤忠。
《东山》《七月》犹关念，未忍沉浮酒盏中。

鉴赏

《溪上作二首》是陆游暮年在山阴时所作。其时，诗人感到自己将不久于人世。壮志未成，死有余憾，这是此诗的基调。这类感情在自古文人的诗中虽也时有所表现，但是，像陆游这样执著，这样念念不忘的，却并不多见。

在第一首中，诗人用感伤的笔调，描写自己老病交加，痛惜风俗陵迟崩坏，并嗟叹昔日的好友如今都已烟消云散，相继作古，无人可共功业。同时，诗人更表达了自己那种处乱世而独立，“先天下之忧而忧"的崇高品格。

时当落日,冷风飕飕,诗人身披破裘,拄杖溪边,临风独立,无穷感慨,都上心头。这是首联所描绘的境界。"杖白头"可见他的老病,"破裘不补"则表明他的贫穷落拓。颔联紧承上文,对自己真正心事作了表述。他之所以落到如此地步,是因为秉性戆直,坚信前贤先哲的训诫,百折不回。"戆愚",喻自己信道之笃,不为时俗所转移;"酷信",则见守道之坚、之死靡它。此时南宋朝廷不思振作,官僚士子歌舞湖山,举国都在沉醉之中,诗人虽是既老且病,却是举世皆醉我独醒,先天下之忧而忧。读着这两联,我们眼前仿佛看到了鹑衣麻鞋、白头拄杖、翘首北望的杜甫。陆游在这两联中所创造的形象以及表达的思想,和杜甫颇有相似之处。

颈联转入对世事的描写,同时也表达了自己的志事。"末俗",指衰世的风俗人情。"陵迟",即衰替败坏。"斯文",语本《论语》所载孔子之语:"天之将丧斯文也,后死者不得与于斯文也。"这里指列圣相传之道。"横流","沧海横流"的简称,喻天下大乱。这句意思是说,世衰道弊,天下行将大乱。诗人看到了"末俗陵迟",看到了"斯文崩坏",所以不禁生发往事的回忆,不禁想起昔日的故人。"绍兴人物",指当年与陆游志同道合、共图恢复的友朋故旧。"俊游",即指"绍兴人物"。然而,时光流逝,老成凋谢,如今有谁还在世呢?现在所看到的,只是些竖儒宵小,夏虫不可与语冰,即使朝廷想有所作为,又能与谁共图大事呢?"嗟谁在""空记当年"二语,透露出了无限的沉痛与感叹。

第二首,主要是讲自己虽值暮年,仍然忧心国事,不改初衷。伛偻,驼背貌。筇,竹杖。"暮年"句看似平淡,实则颇有含意。伛偻溪头的支筇老叟,理当颐养天年,没有什么心事。"暮年心事"与

"一枝筇"并列，语句的背后蕴含着多少牢骚与感慨。烈士暮年，忧思难泯，壮志未已。这正是此句的含意所在。第二联是移情于景。山衔落日，野旷天低。鸦起平沙，黑压压一片，蔽空而至。这一景物描写涂上了很浓的主观色彩，是烈士暮年眼中的萧索之境。到第三联，诗人笔锋一转，直抒胸臆，道出了自己暮年的心事。意谓：今日之天下，可忧之事知多少，而自己只是一介书生，虽有耿耿孤忠，却无地自效。不过，我人虽在野，军国大事、民生疾苦仍然萦绕于心，又怎能浮沉酒盏中，对此不闻不问呢？《东山》《七月》，是《诗经·豳风》中的两篇诗名。前者是讲周公东征后战士归途思乡的情绪以及胜利返回的喜悦，此用来代指宋朝为收复失土而对金国用兵的战事；后者是写西周时期农夫们一年的劳作活动，此用来代指当时的国计民生。

陆游虽然师事曾幾，受过江西派的沾溉，但给予他诗歌创作影响最大的，是杜甫、岑参、白居易诸人。特别是这两首《溪上作》，其高度执著的爱国热情，其沉郁顿挫的艺术风格，更可见杜甫的影响。

（刘禹昌　徐少舟）

赏小园牡丹有感

原文

洛阳牡丹面径尺，鄜畤牡丹高丈余。
世间尤物有如此，恨我总角东吴居。
俗人用意苦局促，目所未睹辄谓无。
周汉故都亦岂远，安得尺棰驱群胡！

鉴赏

这首诗从赏小园牡丹联想到洛阳、长安牡丹的盛况，感叹这两处失地不能收复。写于嘉定二年(1209)的晚春，时陆游八十五岁，距他逝世还不到一年。

这首诗并不为题目所拘去写"小园牡丹"，而是从"赏"花"有感"生发开去，写到远处。前四句，叙事。鄜畤，秦文公祭祀白帝处，在今陕西富平县，汉属左冯翊，为长安"三辅"所辖，诗中借指长安一带之地。唐宋时代，长安、洛阳牡丹极盛。《唐国史补》："京城贵游尚牡丹三十余年矣。每春暮车马若狂，以不耽玩为耻。执金吾铺官围外寺观种以求利，一本有直数万者。"有高到"丈余"的牡丹，并不奇怪。洛阳的千叶牡丹，花面"大可径尺"，超过"姚黄""魏紫"等名种，也见于花谱。诗中起二句是实写，并非夸张，但能抓住要领，突出特点，使人感到长安、洛阳的可羡。前人写牡丹，语多绚丽；这里写牡丹，却用粗线条勾勒，只两句已把牡丹写足。陆游诗的老笔劲气，于起处已扑面而来。“世间尤物”句，承前两句作总评；“恨我”句以少年（“总角”古代指称少年人）居住江东吴越之地，不能见到两地名花为恨作转接，以补足赞叹、向往之情，并落脚到诗人自身，把写花与写诗人的生活和感想联系起来，使诗篇不成为脱离自身的单纯咏物之作。这两句以转带结，也写得非常遒健，使劲气保持不懈。

后四句议论。开头两句说有些人因为见识的“局促”狭隘，往往对自己眼睛没有见到的就否认其存在的可能，有如《庄子·秋水》所说的“井蛙不可以语于海”“夏虫不可以语于冰”。这两句，从赏花的感想引起，从平时生活中得出一条经验，富有哲理意味。着一“苦”字，一“辄”字，可见出无限的感慨。来自生活实际，从作品形象生发，又渗透作者的深厚感情，这样的议论笔墨，既能益人之知，又能动人之情。结束两句，以“周汉故都”点明长安、洛阳两地的历史地位，以不能扬鞭执棰驱除敌人表明两地还在被占之中；“亦岂远”，愤恨当权派软弱无能、不能收复并不很远的失地。这两句点明“有感”的中心思想，是又一层的议论，这层议论，表现出诗人的一贯的理想愿望，带着他的更深的感慨，为全诗留下最沉痛、最激昂的尾声，又呼应赏花，呼应开头两句。陆游诗虽气势奔放直下，却都有回斡之力，所以雄迈而不嫌直致，倾泻而终趋沉厚。

（陈祥耀）

示　儿

原文

死去元知万事空，但悲不见九州同。

王师北定中原日，家祭无忘告乃翁。

鉴赏

陆游卒于宁宗嘉定二年十二月。这首《示儿》诗是他临终前写的，既是他的绝笔，也是他的遗嘱。

作为一首绝笔，它无愧于诗人创作的一生。陆游享年八十五岁，现存诗九千余首。其享年之高、作品之多，在古代诗人中是少有的；而以这样一首篇幅短小、分量却十分沉重的压卷之作来结束他的漫长的创作生涯，这在古代诗人中更不多见。

作为一篇遗嘱，它无愧于诗人爱国的一生。一个人在病榻弥留之际，回首平生，百感交集，环顾家人，儿女情深，要抒发的感慨、要留下的语言，是千头万绪的；就连一代英杰的曹操，在辞世前还不免以分香卖履为嘱。而诗人却以“北定中原”来表达其生命中的最后意愿，以“无忘告乃翁”作为对亲人的最后嘱咐，这是极其难能可贵的。在这一点上，古往今来又有几个人能与他相比？

陆游生于北宋覆亡前夕，身历神州陆沉之恨，深以南宋偏安一隅、屈膝乞和为耻，念念不忘收复中原；但他从未得到重用，而且多次罢职闲居，平生志业，百无一酬，最后回到故乡山阴的农村，清贫自守，赍志以殁。他的一生是失意的一生，而他的爱国热情始终没有减退，恢复信念始终没有动摇。其可贵之处正在于他的爱是如此强烈，如此执著。这从他的大量诗篇可以看得出来；从这首《示儿》诗中，更会受到他对国家民族一往情深、九死不悔的精神的强烈感染。

南宋初年屡挫金兵的宗泽，在临终时，也念念不忘恢复大业，曾连呼“渡河”者三。徐伯龄在《蟫精隽》中称赞陆游的《示儿》诗说：“较之宗泽三跃渡河之心，何以异哉！”这一评语看到了这首诗有其悲中见壮的色彩。诗人在他的有生之年内，时时刻刻都以收复中原为念，到他写这首诗时知道再也不能实现这一愿望了。这不能不使他心怀沉痛之情，发为悲怆之音。但在同时，他又满怀信心，坚信最后一定有“北定中原”之一日。因此，这首诗的一个值得重视的特色是寓壮怀于悲痛之中，其基调并不低沉。

从语言看，这首诗的另一特色是不假雕饰，直抒胸臆。这里，诗人表达的是他一生的心愿，倾注的是他满腔的悲慨。诗中所蕴含和蓄积的感情是极其深厚、强烈的，但却出之以极其朴素、平淡的语言，从而自然地达到真切动人的艺术效果。贺贻孙在《诗筏》中就说这首诗“率意直书，悲壮沉痛……可泣鬼神”。这说明，凡真情流露之作，本来是用不着借助于文字渲染的，越朴素、越平淡，反而更能示其感情的真挚。

（陈邦炎）

陆游诗文

鉴赏辞典

词

ci

水调歌头

原文

多景楼

江左占形胜，最数古徐州[①]。连山如画，佳处缥缈着危楼。鼓角临风悲壮，烽火连空明灭，往事忆孙刘。千里曜戈甲，万灶宿貔貅。

露沾草，风落木，岁方秋。使君宏放，谈笑洗尽古今愁。不见襄阳登览，磨灭游人无数，遗恨黯难收。叔子独千载，名与汉江流。

〔注〕

① 古徐州：指镇江。东晋侨置徐州于此，称南徐州。

鉴赏

孝宗隆兴元年（1163），陆游三十九岁，以枢密院编修官兼编类圣政所检讨官出为镇江府通判，次年二月到任所。时金兵方踞淮北，镇江为江防重地。多景楼在镇江北固山上甘露寺内。北固山俯临大江，三面环水，登楼遥望，淮南草木，历历可数。这年十月初，陆游陪同镇江知府方滋登楼游宴，感而赋此。

上片追忆历史人物，下片写今日登临所怀，全词感慨古今，表现了作者强烈的爱国感情。

发端从多景楼形势写起。自“江左”而“古徐州”，而“连山”，而“危楼”，镜头由大到小，由远到近，由鸟瞰到局部，最后推出大特写点题。这原是写景习用手法，陆游写来却另有佳胜。他选择滚滚长江、莽莽群山入画，衬出烟云缥缈、似有若无之间矗立着的一座高楼，摄山川之魂，为斯楼树骨，就使这“危楼”有了气象，有了精神。姜夔《扬州慢》以“淮左名都，竹西佳处”开篇，同样步步推近，但情韵气象完全不同。陆词起则苍莽横空，气象森严；姜则指点名胜，用笔从容平缓。当然，这是由两位词人各自不同的思想感情决定的。姜词一味低回，纯乎黍离之悲，故发端纡缓；陆则寄意恢复，于悲壮中蓄雄健之气。他勾勒眼前江山，意在引出历史风流人物，故起则昂扬，承则慷慨，带起“鼓角”一层五句，追忆三国时代孙、刘合兵共破强曹之往事。烽火明灭，戈甲耀眼，军幕星罗，而以“连空”“万灶”皴染，骤视之如在耳目之前，画面雄浑辽阔。加上鼓角随风，悲凉肃杀，更为这辽阔画面配音刷色，与上一层的滚滚长江、莽莽群山互相呼应衬托，江山人物，相得益彰。这样，给人的感受就绝不是低回于历史的风雨，而是激起图强自振的勇气、横戈跃马的豪情。要之，上片情景浑然一体，过拍处一派豪壮。

然而，孙刘已杳，天地悠悠，登台浩歌，难禁怆然泣下，故换头处以九字为三顿，节奏峻急，露草风枝，绘出秋容惨淡，情绪稍转低沉。接下去“使君”两句又重新振起，展开今日俊彦登楼、宾主谈笑挥斥的场面，情调再变为爽朗。“古今愁”启下结上。“古愁”

启"襄阳登览"下意,"今愁"慨言当前。当前可愁之事实在太多。前一年张浚北伐,兵溃符离,宋廷从此不敢言兵,是事之可愁者一。孝宗一面侈谈恢复,一面输币乞和,靦颜事金。"虽尝诏以缟素出师,而玉帛之使未尝不蹑其后"①,是事之可愁者二。眼下自己又被逐出临安,通判镇江,去君愈远,一片谋国之忠,无以自达于庙堂之上,是事之可愁者三。君国之忧,身世之愁,纷至沓来,故重言之曰"古今愁"。但志士之心,并未成灰。山东、淮北来归者道路相望;金兵犯淮,淮之民渡江归宋者无虑数十万,可见民心足恃,国事可为。因此,虽烽烟未息,知府方滋携群僚登楼而谈笑风生。他的这种乐观情绪,洗尽了词人心中万千忧愁。这一层包孕的感情非常复杂,色彩声情,错综而富有层次,于苍凉中见明快,在飞扬处寄深沉。最后一层,用西晋大将羊祜(字叔子)镇守襄阳,登临兴悲故事,以古况今。前三句抒自己壮志难酬、抑塞不平之情。所云"襄阳遗恨"②,即指羊祜志在灭吴而生前终不克亲手成此大业之恨。词意在这里略作一顿,然后以高唱转入歇拍,借羊祜劝勉方滋,结出一片希望,希望他能像羊祜那样,为渡江北伐作好部署,建万世之奇勋,垂令名于千载。羊祜是晋人,与"古徐州"之为晋代地望回环相接,收足全篇。

这首词记一时兴会,寓千古兴亡,容量特大,寄慨遥深。后来,张孝祥书而刻之崖石,题记中有"慨然太息"之语;毛幵次韵和歌,下片有"登临无尽,须信诗眼不供愁"之句。"诗眼不供愁"五字可谓独会放翁有所期待、并未绝望的深心。二十五年之后,另一位豪放词人陈亮也曾以《念奴娇》赋多景楼,有"危楼还望,叹此意、今古几人曾会"的感慨万千之语。陈亮此阕,较之陆词更为横肆痛快。词人只眼,凝注大江,意者此江不应视为南北天限,当长驱北伐，收复中原。其与放翁之感慨抑郁者，意境大别。陈亮平生经济之怀，一寄于词，惯以词写政治见解。所作纯然议论战守，自六朝王谢到今之庙堂，特别是对那些倡言“南北有定势，吴楚之脆弱不足以争衡于中原”的失败论者，明指直斥，略无顾忌，其精神自足千古。但作为文学作品讽诵玩味，终觉一泻无余，略输蕴藉风致，不如陆作之情景相生，万感横集，意境沉绵，三复不厌。借用近人陈匪石《声执》中两句话说，陈之词“气舒”，故“劲气直达，大开大阖”；陆之词“气敛”，故“潜气内转，百折千回”。陈词如满引劲放，陆词则引而不发。陆词较陈词多积蓄，多义蕴，因此更显得沉着凝重，悲慨苍凉。

〔注〕

① 张栻语，见《南轩学案》。转引自于北山《陆游年谱》四十岁条。

② 襄阳遗恨：西晋羊祜镇守襄阳十余年，广储军粮，为晋朝灭吴作准备。他死后二年而东吴果灭。祜生前常登襄阳岘山，感慨历来贤士登此山者皆湮没无闻。这里借来写自己受压抑、壮志莫酬的不平之情。

（赖汉屏）

南乡子

原文

归梦寄吴樯，水驿江程去路长。想见芳洲初系缆，斜阳，烟树参差认武昌。

愁鬓点新霜，曾是朝衣染御香。重到故乡交旧少，凄凉，却恐他乡胜故乡。

鉴赏

淳熙五年(1178)春二月，陆游自蜀东归，秋初抵武昌。这首词是靠近武昌时舟中所作。

上片写行程及景色。“归梦寄吴樯，水驿江程去路长。”写身乘归吴的船只，虽经过许多水陆途程，但前路尚远。陆游在蜀的《秋思》诗，已有“吴樯楚柁动归思，陇月巴云空复情”之句；动身离蜀的《叙州》诗，又有“楚柂吴樯又远游，浣花行乐梦西州”之句。屡言“吴樯”，无非指归吴船只。愁前程的遥远，寄归梦于吴樯，也无非是表归心之急，希望船行顺利、迅速而已。妙在“寄梦”一事，措语新奇，富有想象力，有如李白诗之写“我寄愁心与明月”。“想见芳洲初系缆，斜阳，烟树参差认武昌。”“想见”，是临近武昌时的设想。武昌有江山草树之胜，崔颢《黄鹤楼》诗，有“晴川历历汉阳树，芳草萋萋鹦鹉洲”之句。作者设想在傍晚夕阳中船抵武昌，系缆洲边，必然能看见山上山下，一片烟树参差起伏的胜景。着一“认”字，便见是归途重游，已有前游印象，可以对照辨认。这三句，写景既美，又切武昌情况；用笔贴实凝练，而又灵活有情韵。

下片抒情。“愁鬓点新霜，曾是朝衣染御香。”上句自叹年老，是年五十四岁；下句追思曾为朝官，去朝已久。这次东归，是奉孝宗的召命，念旧思今，一样是前程难卜，感想复杂，滋味未必好受。“朝衣”事，从贾至《早朝大明宫呈两省僚友》“剑珮声随玉墀步，衣冠身惹御炉香”、岑参《寄左省杜拾遗》“晓随天仗入，暮惹御香归”演化而出。下面三句，与上片结尾相同，也是设想之辞。作客思乡，本是诗人描写常情，晋王赞诗：“人情怀旧乡，客鸟思故林。”唐李商隐诗：“人生岂得长无谓，怀古思乡共白头。”陆游在蜀，也有思乡之句，如“久客天涯忆故园”“故山空有梦魂归”等。这时还乡途中，忽然想起：“重到故乡交旧少，凄凉，却恐他乡胜故乡。”意境新奇。这个意境，似源于杜甫《得舍弟消息》诗：“乱后谁归得？他乡胜故乡。”但杜甫说的是故乡遭乱，欲归不得，不如他乡暂得安身，是对已然之事的比较；陆游说的是久别回乡，交旧多死亡离散的变化，怕比客地还会引起更大的寂寞和伤感，是对未来之事的顾虑。语句相同，旨趣不同，着了“却恐”二字，更觉得不是简单的沿袭。这未必等于黄庭坚所说的“脱胎换骨”，而更可能是来自生活感受的不谋而合。这种想归怕归的感情，本是矛盾复杂的，所以陆游到家之后，有时真有“孤鹤归飞，再过辽天，换尽旧人”“又岂料如今余此身”（《沁园春》）之叹；有时又有“营营端为谁”“不归真个痴”之喜。

这首词，精炼贴实之中，情景交至，设想新奇，虽属短章，却富远韵。

（陈祥耀）

感皇恩

原文

小阁倚秋空，下临江渚，漠漠孤云未成雨。数声新雁，回首杜陵何处。壮心空万里，人谁许！

黄阁紫枢，筑坛开府，莫怕功名欠人做。如今熟计，只有故乡归路。石帆山脚下，菱三亩。

鉴赏

这首词，当是作者离蜀东归以前，感叹壮志无成、思念家乡之作。上片以写景起而以抒情终；下片以抒情起而以情景结合终。

在一个新秋的阴天，作者登上江边的一个小阁，上望秋空，迷蒙的云气还没有浓结到要化成雨点的样子，下面可以看到江水和沙渚，境界是开阔中带着静漠、冷清。他轻轻地把它写成“小阁倚秋空，下临江渚，漠漠孤云未成雨”，概括登高之事和周围环境，并写视觉中景物，运化晁冲之《感皇恩》“小阁倚晴空”的词句，王勃《滕王阁》“滕王高阁临江渚”的诗句。“数声新雁，回首杜陵何处。”接写听觉，引出联想。雁是“新雁”，如秋是“新秋”；云是“孤”云，雁只“数”声，数字中也反映主客观的孤独意象的两相契合。杜陵，在长安城东南，秦时为杜县地，汉时为宣帝陵所在，故称，这里用杜陵指代长安。长安这个汉唐故都，是华夏强盛的象征，也是西北的政治、军事中心之地。陆游热烈地盼望南宋统治者能从金人手里收复长安；他从军南郑，时时遥望长安，寄托其收复故国山河之思。他向宣抚使王炎建议："经略中原，必自长安始。"诗文中写到想念长安的也很多，如《闻虏乱有感》的"有时登高望鄠杜，悲歌仰天泪如雨"，《东楼集序》的"北游山南，凭高望鄠、万年诸山，思一醉曲江、渼陂之间，其势无由，往往悲歌流涕"，如此者不一，可见其感触之深且痛，故不觉屡屡言之。古人写闻雁和长安联系的，如杜牧《秋浦途中》的"为问寒沙新到雁，来时还下杜陵无"，于邺《秋夕闻雁》的"忽闻凉雁至，如报杜陵秋"，只是一般的去国怀都之感。作者写的，如《秋晚登城北门》的"一点烽传散关信，两行雁带杜陵秋"，则和关心收复长安的信息有关；词中写闻新雁而回头看不到长安，也是感叹这种收复长安的好消息的不能到来。"壮心空万里，人谁许！"空有从军万里的壮怀，而无人相许（即无人赏识、信任），申明"回首"句的含意，从含蓄的寄慨到激昂的抒情。从作者的诗词风格看，他是比较习惯于采用后一种写法的；在这一首词中，他极力抑制激情，却较多地采用前一种写法。

换头，"黄阁紫枢，筑坛开府，莫怕功名欠人做。"黄阁、紫枢，指代宰相和枢密使，是宋代最高文武官吏。黄阁，宰相官署，卫宏《汉官旧仪》："丞相听事阁曰黄阁。"宋代戎服用紫色，故以紫枢指枢密院。筑坛，用汉高祖设坛场拜韩信为大将的典故；开府是开幕府，置僚属，在宋代，高级行政区的军政长官有此权限。第一、二句指为将相，第三句说不怕这种职位无人可当，意即用不着自己怀抱壮志与准备担当大任。陆游并不热心当高官，但却始终抱着为效忠国家而建立功名的壮志。他曾向往于这种功名，他的

《金错刀行》诗说："千年史策耻无名，一片丹心报天子。"《书怀》诗说："老死已无日，功名犹自期。清笳太行路，何日出王师?"他这三句词，说得平淡，说得坦然，他真的能够这样轻易放弃自己的壮志，真的相信一般将相能够担负恢复重任吗？不！他的热情性格和当时冷酷的现实使他不可能做到这些。他的自慰之辞，实际上是愤激的反语，是一种更为曲折、更为深沉的感慨。是从"封侯事在，功名不信由天"(《汉宫春》)的乐观，到"元知造物心肠别，老却英雄似等闲"(《鹧鸪天》)的绝望过程中的感慨。"如今熟计，只有故乡归路。石帆山脚下，菱二亩。"说现在再二计算，只有辞官东归，回到故乡山阴的石帆山下，去种三亩菱为生。这是积极的理想找不到出路，被迫要作消极的归隐之计，经过一番思考，连归隐后的生活都作具体设想，所以最后出现一个江南水乡的图景。痛苦的心情融化于优美的自然景物，表面上是景美而情淡，实际上是闲淡中抑制着愤激，深藏着痛苦。

这是陆游的一首要用归隐解决理想与现实的矛盾的词作，情景结合，看似矛盾解决得比较圆满，作者的心情表现得比较闲淡。深入体会，仍然透露理想对现实的尖锐冲突和强烈抗议，所以意境是曲折的，感慨是深沉的。

（陈祥耀）

好事近

原文

秋晓上莲峰，高蹑倚天青壁。谁与放翁为伴？有天坛轻策。

铿然忽变赤龙飞，雷雨四山黑。谈笑做成丰岁，笑禅龛榔栗。

鉴赏

想象或梦游华山的诗，陆游写了不少，大多是借来表达收复河山的思想。这首词，也是写神游华山，但主题在于抒写为人民造福的人生态度。

上片，作者奇想破空地持着天台藤杖（词中的天坛，即天台山，以产藤杖闻名。见叶梦得《避暑录话》，该书也写作天坛。策即是杖），乘着清爽的秋晨，登上莲花峰顶，踏在倚天峭立的悬崖上。只"谁与放翁为伴"一句，不仅给华山，而且给自己写下了一个俯视人间的形象。又从可以为伴的"天坛轻策"，很自然地过渡到下片。

在下片里，可以看到作者的化身——龙杖在雷雨纵横的太空里飞翔（杖化为龙，用《后汉书·费长房传》事。韩愈《赤藤杖歌》有"赤龙拔须血淋漓"语），铿地一声，天坛杖化成赤龙腾起，雷声大作，四边山峰黑成一片。可是他一点也没有忘怀人间，他要降及时之雨为人们造福，田禾得到好收成，让人们过丰衣足食的日子。而这种出力为人的事业，在自己看来，是完全可以办得到的，不经意的谈笑之间，人们得到的好处已经不小了。对照一下那些禅房里拖着禅杖，只顾自己不关心别人生活的僧徒——隐指一般逃避现实的人，同持一杖，作用大有不同。(词中的禅龛，原指供设佛像的小阁子，泛指禅房。榔栗，梵语"刺竭节"的异译，僧徒用的杖。)作者鄙夷一笑，体现了他的"所慕在经世"(《喜谭德称归》诗)的积极思想。

这首词的艺术风格，是雄奇豪迈的，它强烈地放射了积极浪漫主义的光芒。陆游词派的继承者刘克庄，在《清平乐》里，幻想骑在银蟾背上畅游月宫，"醉里偶摇桂树，人间唤作凉风"，分明是陆游这首词精神的再现。

（钱仲联）

鹧鸪天

原文

家住苍烟落照间，丝毫尘事不相关。斟残玉瀣行穿竹，卷罢黄庭卧看山。

贪啸傲，任衰残，不妨随处一开颜。元知造物心肠别，老却英雄似等闲。

鉴赏

刘克庄《后村诗话续集》把陆游的词分为三类："其激昂感慨者，稼轩不能过；飘逸高妙者，与陈简斋、朱希真相颉颃；流丽绵密者，欲出晏叔原、贺方回之上。"这首《鹧鸪天》就是其飘逸高妙一类作品中的代表作。

上阕首二句："家住苍烟落照间，丝毫尘事不相关。"把自己居住的环境写得何等优美而又纯净。"苍烟落照"四字，让人联想起陶渊明《归园田居》其一"暧暧远人村，依依墟里烟"的意境，一经讽诵便难忘怀。"苍烟"犹青烟，字面已包含着色彩。"落照"这个词里虽然没有表示颜色的字，但也有色彩暗含其中，引起人多种的联想。词人以"苍烟落照"四字点缀自己居处的环境，意在对比仕途之龌龊。所以第二句就直接点明住在这里与尘事毫不相关，可以一尘不染，安心过隐居的生活。这也正是《归园田居》里"户庭无尘杂，虚室有余闲”的意思。

三、四句对仗工稳：“斟残玉瀣行穿竹，卷罢黄庭卧看山。”“玉瀣”是一种美酒名，明冯时化《酒史》：“隋炀帝造玉瀣酒，十年不败。”陆游在诗中也不止一次写到过这种酒。“黄庭”是道经名，《云笈七签》有《黄庭内景经》《黄庭外景经》《黄庭遁甲缘身经》，盖道家言养生之书。这两句大意是说：喝完了玉瀣就散步穿过竹林；看完了《黄庭》就躺下来观赏山景。一、二句写居处环境之优美，三、四句写自己生活的闲适，动静行止无不惬意。陆游读的《黄庭经》是卷轴装，边读边卷，“卷罢黄庭”就是看完了一卷的意思。

下阕：“贪啸傲，任衰残，不妨随处一开颜。”“啸傲”，歌咏自得，形容旷放而不受拘束。郭璞《游仙诗》：“啸傲遗世罗，纵情在独往。”陶渊明《饮酒》其七：“啸傲东轩下，聊复得此生。”词人说自己贪恋这种旷达的生活情趣，任凭终老田园；随处都有使自己高兴的事物，何妨随遇而安呢？这几句可以说是旷达到极点也消沉到极点了，可是末尾陡然一转：“元知造物心肠别，老却英雄似等闲。”这两句似乎是对以上所写的自己的处境作出了解释。词人说原先就已知道造物者之无情（他的心肠与常人不同），白白地让英雄衰老死去却等闲视之。这是在怨天吗？是怨天。但也是在抱怨南宋统治者无心恢复中原，以致英雄无用武之地。

据夏承焘、吴熊和《放翁词编年笺注》，乾道二年（1166）陆游四十二岁，以言官弹劾谓其“交结台谏，鼓唱是非，力说张浚用兵”，免隆兴通判，始卜居镜湖之三山。这首词和其他两首《鹧鸪天》（插脚红尘已是颠、懒向青门学种瓜），都是此时所作。词中虽极写隐居之闲适，但那股抑郁不平之气仍然按捺不住，在篇末流露出来。也正因为有那番超脱尘世的表白，所以篇末的两句就尤其显得冷隽。

（袁行霈）

鹧鸪天

原文

懒向青门学种瓜，只将渔钓送年华。双双新燕飞春岸，片片轻鸥落晚沙。

歌缥缈，橹呕哑，酒如清露鲊如花。逢人问道归何处，笑指船儿此是家。

鉴赏

宋孝宗隆兴元年(1163)，张浚以枢密使都督江淮东西路军马，主持抗金军事，陆游作有贺启。二年，陆游任镇江通判，张浚以右丞相、江淮东西路宣抚使，仍都督江淮军马，视师驻节，颇受知遇；张浚旋卒，年底宋金和议告成。乾道元年(1165)夏，陆游调任隆兴(治所在今江西南昌)通判；二年春，以"交结台谏，鼓唱是非，力说张浚用兵"的罪名，被免职归家。这首词就是这一年归家初期写的。另有两首词意相近，当亦是同时所作。

陆游自枢密院编修官通判镇江，又调隆兴并被免职，已一再受到主和派的打击，心情抑郁，故乾道二年免职前的《烧香》诗，有"千里一身凫泛泛，十年万事海茫茫"之慨。罢官后如《寄别李德远》诗的"中原乱后儒风替，党禁兴来士气孱"，另一首《鹧鸪天》词的"元知造物心肠别，老却英雄似等闲"，既愤慨抗金志士的遭受迫害;而又一首《鹧鸪天》词的"插脚红尘已是颠","三山老子真堪笑,见事迟来四十年",又自嘲对仕途进退认识的浅薄。在这种心境支配下,词的上片"懒向青门学种瓜,只将渔钓送年华"二句,表示不愿靠近都城学汉初的邵平在长安青门外种瓜,只愿回家过渔钓生活。但隐身渔钓,并非作者的生活理想,这样做只是无可奈何之中的一种自我排遣,读"送年华"三字,感喟之情,依稀可见。这时候,作者迁居山阴县南的镜湖之北、三山之下,湖光山色,兼擅其美。在作者的诗人气质中,本来富有热爱自然的感情,当他面对这种自然美景,人事上的种种失望和伤痛,也自会暂时得到冲淡以至忘却,所以接着二句"双双新燕飞春岸,片片轻鸥落晚沙",即就镜湖旁飞鸟出没的情况,写出那里的风景之美。句法上既紧承"渔钓",又针对镜湖特点;情调上既表景色的可爱,又表心境的愉悦:脉络不变,意境潜移。它用笔清新,对偶自然,轻描淡写,情景具足,以景移情,不留痕迹,是全词形象最妍美、用笔最微妙的地方,此中韵味,耐人寻思。

下片从湖边写到泛舟湖中的情况。起二句,"歌"声与"橹"声并作,"缥缈"与"呕哑"相映成趣;第三句"酒如清露鲊如花",细写酒菜的清美。这三句,进一步描写"渔钓"生活的自在和快乐;"鲊如花"三字着色最美,染情尤浓。结二句:"逢人问道归何处,笑指船儿此是家。"表示不但安于"渔钓",而且愿意以船为家;不但自在、快乐,且有傲世自豪之感。但我们联系作者的志趣,可以知道这些自在、快乐和自豪,是迫于环境而自我排遣的结果,是热爱自然的一个侧面和强作旷达的一种表面姿态,并非他的深层心境。"笑指"二字和上片的"送年华"三字,一样透露此中消息。表面上是"笑"得那样自然,那样自豪;实际上是"笑"得多么勉强,多么伤心。上片结尾的妙处是以景移情;下片结尾的妙处是情景复杂,并不单一。这时候作者景慕张志和的“浮家泛宅,往来苕霅间”的行径,自号“渔隐”。词中的以船为家,以及这一年所写的词,如《鹧鸪天》的“沽酒市,采菱船,醉听风雨拥蓑眠”,《采桑子》的“小醉闲眠,风引飞花落钓船”,都是“渔隐”生活的具体描写,但我们一样得从深层心境中去体会作者的“渔隐”实质。上片的“送”字告诉我们这种实质比较明显,本片的“笑”字告诉我们这种实质却很隐微。

陆游作词,本来如大手笔写小品,有厚积薄发、举重若轻的长处。这首词,随手描写眼前生活和情景,毫不费力,而清妍自然之中,又自觉正反兼包,涵蕴深厚,举重若轻之妙,表现得很明显。

（陈祥耀）

木兰花

原文

立春日作

三年流落巴山道，破尽青衫尘满帽。身如西瀼渡头云，愁抵瞿塘关上草。

春盘春酒年年好，试戴银旛判醉倒。今朝一岁大家添，不是人间偏我老。

鉴赏

这词是陆游四十七岁通判夔州时所作。此时他到夔州不过一年多，却连上岁尾年头，开口便虚称“三年”，且云“流落”，观其入笔已有波澜。次句以形象申足“流落”二字。“青衫”言官位之低，“破尽”见穷乏之厄，“尘满帽”状道途仆仆的栖惶之态：七字活画出一个沦落天涯的诗人形象，与“细雨骑驴入剑门”异曲同工。三、四句仍承一、二句生发。身似浮云，漂流不定；愁如春草，划去还生。以“西瀼渡头”“瞿塘关上”①为言者，不过取眼前地理景色，切“巴山道”三字。这上片四句，把抑郁潦倒的情怀写得如此深沉痛切，不了解陆游这两年的遭际，是很难掂出这些词句中所涵蕴的感情分量的。

陆游自三十九岁被贬出临安，通判镇江，旋移隆兴（府治今江西南昌）；四十二岁复因“力说张浚用兵”，削官归山阴故里；到四十五岁才又得到起用为通判夔州的新命。他的朋友韩元吉的《送陆务观序》把他心中要说的话说了一个痛快：“朝与一官，夕畀一职，曾未足伤朝廷之大；旦而引之东隅，暮而置诸西陲，亦无害幅员之广也……务观之于丹阳（镇江），则既为贰矣，迩而迁之远，辅郡而易之藩方，其官称小大无改于旧，则又使之冒六月之暑，抗风涛之险（途中舟坏，陆游几乎溺死），病妻弱子，左饘右药……”（《南涧甲乙稿》卷十四）这段话是送陆游从镇江移官隆兴时写的，说得激昂愤慨。从近处愈调愈远，既不是明明白白地贬职，也不是由于升迁，为什么要这样折腾他呢？韩元吉故作不解，其实他是最了解个中消息的。孝宗赵昚即位后，表面上志存恢复，实则首鼠两端。陆游坚主抗金，孝宗对之貌似奖掖而实则畏恶。陆游在内政上主张加强中央集权，以培养国力，也开罪了权力集团。前此出京通判镇江，对他来说是一个挫折；进而罢黜归里，更是一个挫折；此刻虽起用而远趋巴蜀，又是一个挫折。安得不言之如此深沉痛切？

上片正面写抑郁潦倒之情，抒报国无门之愤，这是陆游诗词的主旋律，在写法上未见特殊佳胜。下片忽然换意，紧扣“立春”二字，以醉狂之态写沉痛之怀，笔法陡变，奇峰突起。立春这一天戴旛胜于头上，本宋时习俗，取吉庆之意②。但戴银旛而曰“试”，节日痛饮而曰“拼”（“判”即“拼”之意），就显然有“浊酒一杯家万里”的不平常的意味了。所谓借酒浇愁，逢场作戏，伤心人别有怀抱。结处更宕开一笔，明言非我一人偏老，其实正是深感流光虚掷，美人迟暮。这就在上片抑郁潦倒的情怀上，又添一段新愁。词人强自宽解，故作旷达，正是推开一层、透过一层的写法。哭泣本人间痛事，欢笑乃人间快事。今有人焉，不得不抹干老泪，强颜随俗，把哭脸装成笑脸，让酒红遮住泪痕，这种笑，岂不比哭还要凄惨吗？东坡《赤壁赋》物我变与不变之论，辛弃疾《丑奴儿》“如今识尽愁滋味，欲说还休。欲说还休，却道‘天凉好个秋’”之句，都是用强为解脱的违心之言，写出更深一层的悲哀，那手法近乎反衬，那境界是人所至为难堪的。

纵观全词，上下片都是写抑郁之情，但乍看竟似两幅图画，两种情怀。沈谦论作词云：“立意贵新，设色贵雅，构局贵变，言情贵含蓄。”（《填词杂说》）但作词之道，条贯、错综，两不可失，此意刘永济《词论·结构篇》曾深言之。读陆游此词，抑郁之情固条贯始终，而上下片表现手法却截然相异，构局极错综变化之致。读上片，看到的是一个忧国伤时、穷愁潦倒的悲剧人物的形象；读下片，看到的是一个头戴银旛、醉态可掬的喜剧人物的形象。粗看似迥然不同，但仔细看看他脸上的笑全是装出来的苦笑，我们终于了悟到这喜剧其实是更深沉的悲剧。

〔注〕

① 东西瀼水，流经夔州；瞿塘关也在夔州东南。

② 见孟元老《东京梦华录》卷六“立春”条：“春日，宰执亲王百官皆赐金银旛胜，入贺讫，戴归私第。”

（赖汉屏）

临江仙

原文

离果州作

鸠雨催成新绿，燕泥收尽残红。春光还与美人同：论心空眷眷，分袂却匆匆。

只道真情易写，那知怨句难工。水流云散各西东。半廊花院月，一帽柳桥风。

鉴赏

乾道八年(1172)陆游四十八岁时，离夔州通判任，赴四川宣抚使王炎幕下任干办公事兼检法官。那年正月，他从夔州赴宣抚使司所在地兴元(今陕西汉中)，二月途经果州(今四川南充)而作此词。

陆游到果州，已是"池馆莺花春渐老"(《果州驿》)的时刻。中间有《留樊亭三日王觉民检详日携酒来饮海棠花下比去花亦衰矣》二诗，结句云："醉到花残呼马去，聊将侠气压春风。"樊亭为园馆名，亦在果州。故这首词的开头二句亦云："鸠雨催成新绿，燕泥收尽残红。"虽是二月，已有晚春景色。陆游《秋阴》诗："雨来鸠有语。"又三国吴时陆玑《毛诗草木鸟兽虫鱼疏》卷下载鸠鸟："阴则屏逐其匹，晴则呼之。语曰'天将雨，鸠逐妇'是也。"陆游祖父陆佃所作《埤雅》亦引之。鸠雨一词，即指此。鸠鸟呼唤声中的雨水，把芳草、树林，催成一片新绿；燕子在雨后，把满地落英的残红花瓣都和泥衔尽。绿肥红褪，正是作者离果州时所见实景；组成对偶句子，意象结集丰富，颜色对照鲜明，机调自然，对仗工整，是上片词形象浓缩的焦点，与王维《田园乐》诗的"桃红复含宿雨，柳绿更带朝烟"，着色用对，有异曲同工之妙。下面三句，都从这二句生发。"春光还与美人同：论心空眷眷，分袂却匆匆"，谓春光与美人一样，在相聚的时候，彼此间无限眷恋，但说分手就匆匆分手了。这个比喻极为精当，深挚地体现出作者恋春又惜春的感情。"空眷眷"的"空"，是惜别时追叹之语，正是在"分袂却匆匆"的时刻感觉前些时的"眷眷"已如梦幻成空。这里说春光，说美人，言外之意，还可能包括果州时相与宴游的朋友，以美人喻君子亦属常见。这三句由写景转为抒情，化浓密为清疏；疏而不薄，因有开头二句为基础，能够取得浓淡相济的效果。有浓丽句，但很少一味浓丽到底；是抒情，但情中又往往带着议论：这正是陆游词的特点。上片即可窥见这种特点。

上片歇拍，犹是情中带议；下片换头，即已情为议掩。"只道真情易写"，从惜别的常情着想，是原来的预计。"那知怨句难工"，从表情的甘苦言，是实践后的体验。韩愈《荆潭唱和诗序》说："欢愉之辞难工，而穷苦之言易好也。"作者相信此理，而结果不然，意翻空一层，即是递进一层，极言惜别之情的难以表达。"水流云散各西东。"申明春光不易挽留，兼写客中与果州告别，与果州的朋友告别，天时人事，融合一起，有李煜《浪淘沙》词的"流水落花春去也，天上人间"句的笔意；当然，写词时两人处境不同，一轻松，一哀痛，内在感情又迥然有别。陆游写词时，正要走上他渴望已久的从戎前线的军幕生活，惜春惜别，虽未免带有“怨”意；而对于仕宦前程，则是满意的，故“怨”中实带轻快之情。结尾两句：“半廊花院月，一帽柳桥风。”前句写离开果州前的夜色之美，后句写离开后旅途的昼景之美。花院明月，半廊可爱；柳桥轻风，一帽无嫌。作者陶醉在这样的美景中，虽不言情，而轻快之情毕见。这两句也是形象美而对仗工的对偶句，浓密不如上片的起联，而清丽中又似含蓄有加。用这两句收束全词，更觉美景扑人，余味不尽。

这首词上片以写景起而以抒情结，下片以抒情起而以写景结。全词只插两句单句，其余全用对偶。单句转接灵活，又都意含两面；对偶句有疏有密，起处浓密，中间清疏，结尾优美含蓄。情景相配，疏密相间，明快而不淡薄，轻松而见精美，可以看出陆游词的特色和工巧。

（陈祥耀）

蝶恋花

原文

桐叶晨飘蛩夜语。旅思秋光，黯黯长安路。忽记横戈盘马处，散关清渭应如故。

江海轻舟今已具。一卷兵书，叹息无人付。早信此生终不遇，当年悔草《长杨赋》。

鉴赏

这首词是陆游离开南郑入蜀以后所作。上片写对南郑戎马生活的怀念，下片抒发壮志难酬的感慨。

开头一句“桐叶晨飘蛩夜语”，词人托物起兴，桐叶飘零，寒蛩夜鸣，都是引发悲秋之景。“晨飘”与“夜语”对举，表明了由朝至夕，终日触目盈耳的，无往而非凄清萧瑟的景象，这就充分渲染了时代气氛和词人的心境。第二句“旅思秋光”，承前启后，“秋光”点明了时序，叶落、虫语，勾起了旅思：“黯黯长安路。”这一句有两重含意，一为写实，一为暗喻。从写实来说，当日西北军事重镇长安已为金人占领，词人在南郑王炎宣抚使幕中时，他们的主要进取目标就是收复长安，而一当朝廷下诏调走王炎，这一希望便成泡影，长安收复，渺茫无期，道路黯黯，不禁凄然神伤！从暗喻方面说，“长安”是周、秦、汉、唐的古都，这里是借指南宋京城临安。通向京城的道路黯淡无光，隐寓着词人对南宋小朝廷改变抗金决策的失望。“忽记横戈盘马处，散关清渭应如故。”词人北望长安，东望临安，都使他深为不安，而最使他关切的还是抗金前线的情况，那大散关头和清澈的渭水之旁，曾是他“横戈盘马”之处，也曾是他图谋恢复实现理想的所在，而今的情况怎样呢?“忽记”，乃油然想起，猛上心头，“应”字是悬想，但愿“如故”，更担心能否“如故”，也就是说，随着王炎内调以后形势的变化，金人是不是会乘虚南下，表明词人对国事忧虑的深重。这两句不是旁斜横逸的转折，而是所感情事的变化，词人联想起自己那一段不平凡的战斗经历，说明他的旅思的内涵，不是个人得失，不是旅途的风霜之苦，而是爱国忧时的情怀。

下边转到个人的前途方面，“江海轻舟今已具”。承上片“旅思”而来，其意本于苏轼《临江仙》“小舟从此逝，江海寄余生”，含有想隐归江湖的意思。词人对个人的进退是无所萦怀的，难以忘情的是“一卷兵书，叹息无人付”。“一卷兵书”，既可实指为他曾向王炎提出过的“经略中原，必自长安始”的一整套进军策略，也可虚指为抗敌兴国的重任，“无人”不是一般所说的没有人，而是春秋时期秦国大夫对晋国大夫所说的“子无谓秦无人”的“无人”，也就是慨叹朝廷抗金志士零落无存，国家前途实堪忧虑。歇拍两句从慨叹转为激愤：“早信此生终不遇，当年悔草《长杨赋》。”《长杨赋》是西汉辞赋家扬雄的名作。他是为了讽谏汉成帝游幸长杨宫，纵胡客大校猎才献这篇赋的。词里是活用这个典故，表明自己如果早知不被知遇，就不会陈述什么恢复方略了。这“悔”的后面是“恨”，透露出词人的愤懑不平之气，不过只用“悔”字表现得婉转一些。

全词四个层次，第一层抚今，第二层思昔，第三层再回到现实，第四层又回顾以往，今昔交织，回环往复，写得神完气足。

（李廷先　刘立人）

钗头凤

原文

红酥手，黄縢酒。满城春色宫墙柳。东风恶，欢情薄。一怀愁绪，几年离索。错，错，错。

春如旧，人空瘦。泪痕红浥鲛绡透。桃花落，闲池阁。山盟虽在，锦书难托。莫，莫，莫！

鉴赏

这首词写的是陆游自己的爱情悲剧。

陆游的原配夫人是同郡唐氏士族的一个大家闺秀，结缡以后，他们“伉俪相得”“琴瑟甚和”，是一对情意相投的恩爱夫妻。不料，作为婚姻包办人之一的陆母却对儿媳产生了恶感，逼令陆游休弃唐氏。在陆游百般劝谏、哀求而无效的情势下，二人终于被迫仳离，唐氏改适“同郡宗子”赵士程，彼此音信也就隔绝无闻了。几年以后的一个春日，陆游在家乡山阴（今绍兴市）城南禹迹寺附近的沈园，与偕夫同游的唐氏邂逅相遇。唐氏“语赵，遣致酒肴”，聊表对陆游的抚慰之情。陆游见人感事，百虑翻腾，遂乘醉吟赋是词，信笔题于园壁之上。词中记述了词人与唐氏的这次相遇，表达了他们眷恋之深和相思之切，也抒发了词人怨恨愁苦而又难以言状的凄楚心情。

词的上片通过追忆往昔美满的爱情生活，感叹被迫离异的痛苦，分两层。

起首三句为上片第一层，回忆往昔与唐氏偕游沈园的美好情景："红酥手，黄縢酒。满城春色宫墙柳。"虽说是回忆，但因为是填词，而不是写散文或回忆录之类，不可能全写，所以只选取了一个场面来写，而这个场面，又只选取了一两个最富代表性和特征性的情事细节。"红酥手"，不仅写出了唐氏为词人殷勤把盏时的美丽姿致，同时还有概括唐氏全人之美（包括她的内心美）的作用。然而，更重要的是，它具体而形象地表现出这对恩爱夫妻之间的柔情蜜意以及他们婚后生活的美满和幸福。第三句又为这幅春园夫妻把酒图勾勒出一个广阔而深远的背景，点明了他们是在共赏春色。而唐氏手臂的红润、酒的黄封以及柳色的碧绿，又使这幅图画有了明丽而和谐的色彩感。

"东风恶"数句为第二层，写词人被迫与唐氏离异后的痛苦。上一层写春景春情，无限美好，至此突然一转，激愤的感情潮水突地冲破词人心灵的闸门，无可遏止地宣泄下来。"东风恶"三字，一语双关，含蕴很丰富，是全词的关键所在，也是造成词人爱情悲剧的症结所在。本来，东风可以使大地复苏，给万物带来勃勃的生机，但是，如果它狂吹乱扫，也会破坏春容春态，下片所云"桃花落，闲池阁"，就正是它狂吹乱扫所带来的一种严重后果，故说它"恶"。然而，它主要是一种象喻，象喻造成词人爱情悲剧的"恶"势力。至于陆母是否也在其列，答案应该是肯定的，只是由于不便明言，而又不能不言，才不得不以这种含蓄的表达方式出之。下面一连三句，又进一步把词人怨恨"东风"的心理抒写出来，并补足一个"恶"字："欢情薄。一怀愁绪，几年离索。"美满姻缘被拆散，恩爱夫妻被迫分离，使他们感情上蒙受巨大的折磨，几年来生活带给他们的只是满怀愁怨。这不正如烂漫的春花被无情的东风所摧残，而凋谢飘零吗？接下来，“错，错，错”，一连三个“错”字，奔进而出，感情极为沉痛。但是，到底谁错了？是对自己当初“不敢逆尊者意”而终“与妇诀”的否定吗？是对“尊者”的压迫行为的否定吗？是对不合理的婚姻制度的否定吗？词人没有明说，也不便于明说，这枚“千斤重的橄榄”（《红楼梦》语）留给了我们读者来噙，来品味。这一层虽直抒胸臆，激愤的感情如江河奔泻，一气贯注；但又不是一泻无余，其中“东风恶”和“错，错，错”云云，就很有味外之味。

词的下片，由感慨往事回到现实，进一步抒写夫妻被迫离异的深哀巨痛，也分两层。

换头三句为第一层，写沈园重逢时唐氏的表现。“春如旧”承上片“满城春色”句而来，这又是此番相逢的背景。依然是从前那样的春日，但是，人却今非昔比了。以前的唐氏，肌肤是那样的红润，焕发着青春的活力；如今，经过“东风”的无情摧残，她憔悴了，消瘦了。“人空瘦”句，虽说写的只是唐氏容颜方面的变化，但分明表现出“几年离索”给她带来的巨大痛苦。像词人一样，她也为“一怀愁绪”折磨着；像词人一样，她也是旧情不断，相思不舍啊！不然，何至于瘦呢？写容颜形貌的变化以表现内心世界的变化，原是文学作品中的一种常用手法，但瘦则瘦矣，句间何以着一“空”字？“使君自有妇，罗敷自有夫。”（《陌上桑》）从婚姻关系说，两人早已各不相干了，事已至此，不是白白为相思而折磨自己吗？着此一字，就把词人那种怜惜之情、抚慰之意、痛伤之感等等，全都表现出来。“泪痕”句通过刻画唐氏的表情动作，进一步表现出此次相逢时她的心情状态。旧园重逢，念及往事，她能不哭、能不泪流满面吗？但词人没直接写泪流满面，而是用白描的手法，写她“泪痕红浥鲛绡透”，显得更委婉，更沉着，也更形象可感。而一个“透”字，不仅见其流泪之多，亦且见她伤心之甚。上片第二层写词人自己，用了直抒胸臆的手法；这里写唐氏却改变了手法，只写了她容颜体态的变化和她的痛苦情状。由于这一层所写都从词人眼里看出，所以又具有了“一时双情俱至”的艺术效果。可见词人，不仅深于情，亦且深于言情。

词的最后几句，是下片第二层，写词人与唐氏相遇以后的痛苦心情。“桃花落”两句与上片的“东风恶”句遥相照应，又突入景语。虽系景语，但也是一笔管二的词句。不是么？桃花凋谢，园林冷落，这只是物事的变化，而人事的变化却更甚于斯。像桃花一样美丽姣好的唐氏，不是也被无情的“东风”摧残折磨得憔悴消瘦了么？从词人自己的心境来说，不也像“闲池阁”一样凄寂冷落么？一笔而兼有二意，却又不着痕迹，很巧妙，也很自然。下面又转入直接赋情：“山盟虽在，锦书难托。”这两句虽只寥寥八字，却实从千回万转中来。虽说自己情如山石，永永如斯，但是，这样一片赤诚的心意，又如何表达呢？明明在爱，却又不能去爱；明明不能去爱，却又割不断这爱缕情丝。刹那间，有爱，有恨，有痛，有怨，再加上看到唐氏的憔悴容颜和悲戚情状所产生的怜惜之情、抚慰之意，真是百感交集，万箭攒心，一种难以名状的悲哀，再一次冲胸破喉而出：“莫，莫，莫！”事已至此，再也无可补救、难以挽回了，这万千感慨还想它做什么，说它做什么？于是快刀斩乱麻：罢了，罢了，罢了！明明言犹未尽，意犹未了，情犹未终，却偏偏这么不了了之，而全词也就在这极其沉痛的喟叹声中结束了。

这首词始终围绕着沈园这个特定的空间来安排自己的笔墨，上片由追昔到抚今，而以“东风恶”转捩；过片回到现实，以“春如旧”与上片“满城春色”句相呼应，以“桃花落，闲池阁”与上片“东风恶”句相照应，把同一空间不同时间的情事和场景历历如绘地“叠映”出来。全词多用对比手法，如上片，越是把往昔夫妻共同生活时的美好情景写得真切如见，就越使得他们被迫离异后的凄楚心境深切可感，也就越显出“东风”的无情和可憎，从而形成强烈的感情对比。再如上片写“红酥手”，下片写“人空瘦”，在鲜明的形象对比中，充分地展示出“几年离索”给唐氏带来的巨大的精神折磨和痛苦。全词节奏急促，声情凄紧，再加上“错，错，错”和“莫，莫，莫”先后两次感叹，荡气回肠，大有恸不忍言、恸不能言的情致。总之，这首词达到了内容和形式的完美统一，是一首别开生面、催人泪下的作品。

（杨钟贤　张燕瑾）

〔附记〕 千百年来，前哲时贤多以为陆游和他的原配夫人唐氏是姑表关系，事实并非如此。最早记述《钗头凤》词本事的是南宋陈鹄的《耆旧续闻》，之后，有刘克庄的《后村诗话》，但陈、刘二氏在其著录中均未言及陆、唐是姑表关系。直到宋元之际的周密才在其《齐东野语》中说：“陆务观初娶唐氏，闳之女也，于其母夫人为姑侄。”此后，“姑表说”遂被视为“恒言”。其实综考有关历史文献和资料，陆游的外家乃江陵唐氏，其曾外祖父是历仕仁宗、英宗、神宗三朝的北宋名臣唐介，唐介诸孙男皆以下半从“心”之字命名，即懋、愿、恕、意、愚、憑，而无以从“门”之字命名的唐闳其人，也就是说，在陆游的舅父行中并无唐闳其人（据陆游《渭南文集·跋唐修撰手简》、《宋史·唐介传》、王珪《华阳集·唐质肃公介墓志铭》考定）；而陆游原配夫人的母家乃山阴唐氏，其父唐闳是宣和年间有政绩政声的鸿胪少卿唐翊之子，唐闳之昆仲亦皆以“门”字框字命名，即闶、阅（据《嘉泰会稽志》《宝庆续会稽志》及阮元《两浙金石录·宋绍兴府进士题名碑》考定）。由此可知，陆游和他的原配夫人唐氏根本不存在什么姑表关系。那么，周密的“姑表说”就毫无来由，完全出于他的杜撰吗？不。刘克庄在其《后村诗话》中虽然未曾言及陆、唐是姑表关系，但却说过这样的话：“某氏改适某官，与陆氏有中外。”某氏，即指唐氏；某官，即指“同郡宗子”赵士程。刘克庄这两句话的意思是说：唐氏改嫁给赵士程，赵士程与陆氏有姻娅关系。事实正是如此，陆游的姨母瀛国夫人唐氏乃吴越王钱俶的后人钱忱的嫡妻、宋仁宗第十女秦鲁国大长公主的儿媳，而陆游原配夫人唐氏的后夫赵士程乃秦鲁国大长公主的侄孙，亦即陆游的姨父钱忱的表侄子，恰与陆游为同一辈人（据陆游《渭南文集·跋唐昭宗赐钱武肃王铁券文》，王明清《挥麈后录》及《宋史》宗室世系、宗室列传、公主列传等考定）。作为刘克庄的晚辈词人的周密很可能看到过刘克庄的记述或听到过这样的传闻，但他错会了刘克庄的意思，以致造成了千古讹传。本文不可能将所据考证材料详列备举，只把近年来有关学者、专家和我们考证的结果附识于此，聊供参考。

清商怨

原文

葭萌驿作

江头日暮痛饮，乍雪晴犹凛。山驿凄凉，灯昏人独寝。

鸳机新寄断锦，叹往事、不堪重省。梦破南楼，绿云堆一枕。

鉴赏

葭萌驿，位于四川剑阁附近，西傍嘉陵江（流经葭萌附近又名桔柏江），是蜀道上著名的古驿之一，作者有诗云："乱山落日葭萌驿，古渡悲风桔柏江。"（《有怀梁益旧游》）乾道八年（1172）陆游在四川宣抚使司（治所南郑，今陕西汉中）任职时，曾数次经过此地。按陆游是本年三月到任、十一月离任赴成都的，据词中所写情景当为十一月间赴成都过此而作。

上片写过此留宿情况。"江头日暮痛饮"，直赋其事，亦见出心中的不快。"痛饮"，排遣愁绪也。"乍雪晴犹凛"，衬写其景。斜光照积雪，愈见其寒，由此雪后清寒正映出心境之寒。"山驿凄凉，灯昏人独寝。"由日暮写到夜宿，"凄凉"二字挑出了独宿况味，"灯昏"益见其凄凉、寂寞。古驿孤灯，是旅中孤栖的典型氛围，不少诗人词客都曾描写过。白居易写过："邯郸驿里逢冬至，抱膝灯前影伴身。"（《邯郸冬至夜思家》）秦观写过："……风紧驿亭深闭。梦破鼠窥灯……"（《如梦令》）此词亦复如此，而且此处"灯昏"与前面日暮霁色映照，更带有一层悲哀的色调。上片四句似信手写来，其实在层次、情景的组织上，颇有功夫。

过片由"独寝"作相反联想。"鸳机新寄断锦，叹往事、不堪重省。""鸳机"，织具，此句用前秦苏蕙织锦为回文诗寄赠其夫窦滔事，意谓自己心爱的人新近又寄来了书信。"往事"，当初绸缪欢洽之事也。"不堪重省"者，一是山长水阔难以重聚，二是此时凄清想起往日的温暖，更是难耐。后一种意味更切此时的"不堪"。虽则不堪，心偏向往，回避不了："梦破南楼，绿云堆一枕。"这就是"往事"中的一事，当年同卧南楼，梦醒时见身边的她"绿云堆一枕"。"绿云"，女子秀美的鬓发，"堆"，见其蓬松、茂密之状。这使人想起"鬓云欲度香腮雪""绿窗残梦迷"（温庭筠《菩萨蛮》）的句子，这是多么动人的情态。独宿的凄凉，使他想起往事；想起这件往事，可能加重了他的凄凉感，也可能使他的凄凉感在往事的玩味中消减，这就是人情的微妙处。"梦破"自是当年情事，我们也不妨将之与今日连缀起来，当年情事之于今，亦是温馨一梦也。今梦、昔梦连成一片，词家恍惚之笔，最是难得。赵翼云，放翁诗"结处必有兴会，有意味"（《瓯北诗话》），此词也是这样。

此词当写羁旅愁思，将艳情打并进去，正显出愁思的深切温厚，宋词中如此表现不在少数。下片所思人事，当有所本。同年春末由夔州调往南郑时经此地，他写有《蝶恋花·离小益作》：

陌上箫声寒食近。雨过园林，花气浮芳润。千里斜阳钟欲暝，凭高望断南楼信。　海角天涯行略尽。三十年间，无处无遗恨。天若有情终欲问，忍教霜点相思鬓？

"南楼信"云云亦是思念"南楼"女子，此女子是谁，已难确考了。

有人认为此词是比兴之作，"梦破"是说的幻梦（指由陇右进军长安，收复失地）的破灭，"从表面看来，这里全写的男女之情，当日的欢爱……可是现在恩情断了，'鸳机新寄断锦'，更没有挽回的余地。陆游在这个境界里，感到无限的凄凉"（《中国历代著名文学家评传》第三卷《陆游》，参见《词学研究论文集·陆游的词》）。这样的解说恐未合词的本意。如果说，陆游由于从军南郑的失意，加深了心头的悒郁，使得他"在这个境界里"，更"感到无限的凄凉"，羁愁中渗进了政治失意的意绪，那是可以的，也是自然的；若字牵句合以求比兴，那就显得简单生硬了。至于以陆游此次是携眷同行为据，证实此词是"假托闺情写他自己政治心情"，那恐怕与文学创作规律及古人感情生活方式都相距甚远了。

（汤华泉）

秋波媚

原文

七月十六晚登高兴亭望长安南山

秋到边城角声哀，烽火照高台。悲歌击筑，凭高酹酒，此兴悠哉！

多情谁似南山月，特地暮云开。灞桥烟柳，曲江池馆，应待人来。

鉴赏

陆游一生，怀着抗金救国的壮志。四十五岁以前，长期被执行投降路线的当权派所排挤压抑。孝宗乾道八年(1172)，陆游四十八岁。这年春天，他接受四川宣抚使王炎邀请，来到南郑，担任四川宣抚使公署干办公事兼检法官，参加了九个月的从军生活。南郑是当时抗金的前线，王炎是抗金的重要人物，主宾意气十分相投。高兴亭，在南郑内城的西北，正对南山。长安当时在金占领区内，南山即秦岭，横亘在陕西省南部，长安城南的南山是它的主峰。陆游在凭高远望长安诸山的时候，收复关中的热情更加奔腾激荡，不可遏止。集中有不少表现这样主题的诗，但多属于离开南郑以后的追忆之作。而这首《秋波媚》词，却是在南郑即目抒感的一篇，情调特别昂扬，充分显示了词人的乐观主义精神。

上片从角声烽火写起，烽火指平安火，高台指高兴亭。《唐六典》说，镇戍"每日初夜，放烟一炬，谓之平安火"。陆游《辛丑正月三日雪》诗自注："予从戎日，尝大雪中登兴元城上高兴亭，待平安火至。"又《感旧》自注："平安火并南山来，至山南城下。"又《频夜梦至南郑小益之间慨然感怀》："客枕梦游何处所，梁州西北上危台。雪云不隔平安火，一点遥从骆谷来。"都可以和这首词句互证。高歌击筑，凭高洒酒，引起收复关中成功在望的无限高兴，从而让读者体会到上面所写的角声之哀歌声之悲，不是什么忧郁哀愁的低调，而是慷慨悲壮的旋律。"此兴"的"兴"，兼切亭名。

下片从上片的"凭高"和"此兴悠哉"过渡，全面表达了"高兴"的"兴"。作者把无情的自然物色的南山之月，赋予人的感情，并加倍地写成为谁也不及它的多情。多情就在于它和作者热爱祖国河山之情一脉相通，它为了让作者清楚地看到长安南山的面目，把层层云幕都推开了。这里，也点明了七月十六日夜晚，在南郑以东的长安南山头，皎洁的月轮正在升起光华。然后进一步联想到灞桥烟柳、曲江池台那些美丽的长安风景区，肯定会多情地等待收复关中的宋朝军队的到来。应，应该。这里用"应"字，特别强调肯定语气。人，指宋军，也包括作者。词中没有直接说到收复失地的战争，而是以大胆的想象，拟人化的手法，描绘上至"明月""暮云"，下至"烟柳""池馆"，都在期待宋军收复失地、胜利归来的情景，来暗示作者所主张的抗金战争的前景。这种想象是在上片豪情壮志抒发的基础上，自然引发而出，具有明显的浪漫主义情调。全词充满着乐观气氛和胜利在望的情绪，这在南宋爱国词作中是很少见的。

（钱仲联）

卜算子

原文

咏　梅

驿外断桥边，寂寞开无主。已是黄昏独自愁，更着风和雨。

无意苦争春，一任群芳妒。零落成泥碾作尘，只有香如故。

鉴赏

这首《卜算子》，作者自注“咏梅”，可是，它意在言外，像“独爱莲之出淤泥而不染，濯清涟而不妖”的濂溪先生（周敦颐）以莲花自喻一样，作者正是以梅花自喻的。

陆游曾经称赞梅花“雪虐风饕愈凛然，花中气节最高坚”（《落梅》）。梅花如此清幽绝俗，出于众花之上，可是如今竟开在郊野的驿站外面，紧临着破败不堪的“断桥”，自然是人迹绝少、寂寥荒寒、备受冷落了。从这一句可知它既不是官府中的梅，也不是名园中的梅，而是一株生长在荒僻郊外的“野梅”。它既得不到应有的护理，也无人来欣赏。随着四季代谢，它默默地开了，又默默地凋落了。它孑然一身，四望茫然——有谁肯一顾呢，它是无主的梅呵。“寂寞开无主”这一句，词人将自己的感情倾注在客观景物之中，首句是景语，这句已是情语了。

日落黄昏，暮色朦胧，这孑然一身、无人过问的梅花，何以承受这凄凉呢？它只有“愁”——而且是“独自愁”，这几个字与上句的“寂寞”相呼应。而且，偏偏在这个时候，又刮起了风，下起了雨。“更着”这两个字力重千钧，写出了梅花的艰困处境，然而尽管环境是如此冷峻，它还是“开”了！它，“万树寒无色，南枝独有花”（道源）；它，“万花敢向雪中出，一树独先天下春”（杨维桢）。总之，从上面四句看，对这梅花的压力，天上地下，四面八方，无所不至，但是这一切终究被它冲破了，因为它还是“开”了！谁是胜利者？应该说，是梅花！

上阕集中写了梅花的困难处境，它也的确还有“愁”。从艺术手法说，写愁时作者没有用诗人、词人们那套惯用的比喻手法，把愁写得像这像那，而是用环境、时光和自然现象来烘托。况周颐说：“词有淡远取神，只描取景物，而神致自在言外，此为高手。”（《蕙风词话》）就是说，词人描写这么多“景物”，是为了获得梅花的“神致”；“深于言情者，正在善于写景”（田同之《西圃词说》）。上片四句可说是“情景双绘”。

下阕，托梅寄志。

梅花，它开得最早。“万木冻欲折，孤根暖独回”（齐己）；“不知近水花先发，疑是经冬雪未销”（张谓）。是它迎来了春天。但它却“无意苦争春”。春天，百花怒放，争丽斗妍，而梅花却不去“苦争春”，凌寒先发，只是一点迎春报春的赤诚。“苦”者，抵死、拼命、尽力也。从侧面讽刺了群芳。梅花并非有意相争，“群芳”如果有“妒心”，那是它们自己的事情，就“一任”它们去嫉妒吧。这里把写物与写人，完全交织在一起了。草木无情，花开花落，是自然现象，说“争春”，是暗喻人事。“妒”，则非草木所能有。这两句表现出陆游标格孤高，决不与争宠邀媚、阿谀逢迎之徒为伍的品格和不畏谗毁、坚贞自守的崚嶒傲骨。

最后几句，把梅花的“独标高格”，再推进一层：“零落成泥碾作尘，只有香如故。”前句承上阕的寂寞无主、黄昏日落、风雨交侵等凄惨境遇。这句七个字四次顿挫：“零落”，不堪雨骤风狂的摧残，梅花纷纷凋落了，这是一层。落花委地，与泥水混杂，不辨何者是花，何者是泥了，这是第二层。从“碾”字，显示出摧残者的无情，被摧残者承受的压力之大，这是第三层。结果呢，梅花被摧残、被践踏而化作灰尘了。这是第四层。看，梅花的命运有多么悲惨，简直令人不忍卒读。但作者的目的决不是单为写梅花的悲惨遭遇，引起人们的同情；从写作手法说，仍是铺垫，是蓄势，是为了把下句的词意推上最高峰。虽说梅花凋落了，被践踏成泥土了，被碾成尘灰了，请看，“只有香如故”，它那“别有韵”的香味，却永远“如故”，一丝一毫也改变不了呵。

末句具有扛鼎之力，它振起全篇，把前面梅花的不幸处境，风雨侵凌，凋残零落，成泥作尘的凄凉、衰飒、悲戚，一股脑儿抛到九霄云外去了。正是末句“想见劲节”（卓人月《词统》）。而这“劲节”的得以“想见”，正是由于此词运用比兴手法，十分成功，托物言志，给我们留下了十分深刻的印象，成为一首咏梅的杰作。

（艾治平）

汉宫春

原文

初自南郑来成都作

羽箭雕弓，忆呼鹰古垒，截虎平川。吹笳暮归野帐，雪压青毡。淋漓醉墨，看龙蛇飞落蛮笺。人误许、诗情将略，一时才气超然。

何事又作南来，看重阳药市，元夕灯山？花时万人乐处，敧帽垂鞭。闻歌感旧，尚时时流涕尊前。君记取、封侯事在，功名不信由天。

鉴赏

这首词是作者于孝宗乾道九年(1173)春在成都所作，时年四十九岁。八年冬，四川宣抚使王炎从南郑被召回临安，陆游被改命为成都府安抚使司参议官，从南郑行抵成都，已经是年底。题目说是初来，词中写到元夕观灯、花时游乐等等，应该已是九年春。词中又说到看重阳药市，那是预先设想的话，因为九年秋直到年底，陆游代理知嘉州，不在成都。陆游活动在南郑前线时，对抗金的前途怀着胜利的希望。调到后方，拿云心事，不得舒展，极为苦闷，而要收复河山的信念，仍然是坚定不移。在不少诗篇和词作里，往往激发着慷慨昂扬的声音。这首《汉宫春》，是有代表性的。

词的上片，表明作者对在南郑时期的一段从军生活，是这样的珍视而回味着。他想到在那辽阔的河滩上，峥嵘的古垒边，手缚猛虎，臂挥健鹰，是多么惊人的场景！这不是大言空话，而是活生生的事实。在陆游的诗作里，时常提到，《书事》诗说："云埋废苑呼鹰处。"《忽忽》诗："呼鹰汉庙秋。"《怀昔》诗："昔者戍梁益，寝饭鞍马间……挺剑刺乳虎，血溅貂裘殷。"《三山杜门作歌》诗："南沮水边秋射虎。"写的都是南郑从军时的生活。他又想到晚归野帐，悲笳声里，雪花乱舞，兴酣落笔，草写下了龙蛇飞动的字幅和气壮河山的诗篇，又多么值得自豪！当然，这更是书生本色而不是虚话了。可是卷地狂飙，突然吹破了词人壮美的梦境。成都之行，意味着抗金愿望暂时不能实现。自己的文才武略，何补时艰？"人误许"三字，不是谦词，而是对当时朝廷压抑主战派、埋没人才的愤怒控诉。

下片跟上片作鲜明的对照。在繁华的成都，药市灯山，百花如锦，是有人在那里沉醉的。可是，在民族灾难深重的年代里，在词人的心眼里，锦城歌管，只能换来尊前的流涕了。"何事又作南来"一问，蕴藏着多少悲愤在内！词人最后的回答是：破敌功名的取得，要靠人的力量，不是由天决定。陆游大量诗篇里反复强调的人定胜天思想，在词作里再一次得到了表现。这里，说明了词人的意志，并没有因为环境的变化而消沉，而是更坚定了。

这首词的艺术特色，总的是用对比的手法，以南郑的过去对比成都的现在，以才气超然对比流涕尊前，表面是现在为主过去是宾，精神上却是过去是主现在是宾。中间又善于用反笔钩锁等写法，“人误许”“功名不信由天”两个反笔分别作上下片的收束，显得有千钧之力。“诗情将略”分别钩住前七句的两个内容，“闻歌”钩住药市、灯山四句，“感旧”钩住上片。在渲染气氛、运用语言方面，上片选择最惊人的场面，出之以淋漓沉雄的大笔，下片选择成都地方典型的事物，出之以婉约的风调，最后又一笔振起，仍然是高调而不是低调。词笔刚柔相济，结构波澜起伏，情调高下抑扬，从而使通篇迸发出爱国主义精神的火花，并给读者以美的享受。

（钱仲联）

乌夜啼

原文

金鸭余香尚暖，绿窗斜日偏明。兰膏香染云鬟腻，钗坠滑无声。

冷落秋千伴侣，阑珊打马心情。绣屏惊断潇湘梦，花外一声莺。

鉴赏

陆游中年以后，是反对写艳词的。他的《跋〈花间集〉》说："《花间集》皆唐末五代时人作。方斯时天下岌岌，生民救死不暇，士大夫乃流宕如此，可叹也哉！"《长短句序》说："风雅颂之后，为骚，为赋……千余年后，乃有倚声制辞，起于唐之季世，则其变愈薄，可胜叹哉！予少时汩于世俗，颇有所为，晚而悔之。"这首词绮艳颇近《花间集》，当是少年时的作品。

词是摹写一个上层妇女在春天中的孤独、寂寞的生活的。写她午后无聊，只好捱在床上消磨时光。上片起二句："金鸭余香尚暖，绿窗斜日偏明。"后句用晚唐方棫诗"午醉醒来晚，无人梦自惊。夕阳如有意，长傍小窗明"句意，以窗外斜日点明时间，一"绿"字渲染环境，"偏"字即方诗的"如有意"；前句写金鸭形的香炉中余香袅袅，点明身份，近于戴叔伦《春怨》诗"金鸭香消欲断魂，梨花春雨掩重门”，李清照《醉花阴》词“薄雾浓云愁永昼，瑞脑消金兽”所写的情景。这情景，看似幽雅，实则透露孤独无聊。“兰膏香染云鬟腻，钗坠滑无声。”由闺房写到房中人，即女主人公，装束华贵，但孤独无聊的情绪也透露得更分明。这两句写美丽的头发染了香气很浓的“兰膏”，午后睡在床上，玉钗下坠，也滑润无声。这使人想起温庭筠《菩萨蛮》词“鬓云欲度香腮雪”，李贺《美人梳头歌》“一编香丝云撒地，玉钗落处无声腻”；更令人想起欧阳修《临江仙》词：“凉波不动簟纹平。水精双枕，傍有堕钗横。”事物相似，情景的绮美相似；所不同的，这里人物的活动，不是团圆的“双枕”，而是冷清的“单枕”。“双枕”可以引人艳羡，“单枕”则只能使人同情。

下片开头两句：“冷落秋千伴侣，阑珊打马心情。”正面写主人公的寂寞。她不但离别了心上人，深闺独处，而且连同耍秋千的女伴也很少过从。女伴“冷落”，自然自己的心情也更为“冷落”，说前者正好反衬了后者。“打马”之戏，是宋代妇女闺房中的一种游戏，女词人李清照即精于此道，作了《打马图经》，讲究这种玩艺。词中主人公的心上人不在，女伴“冷落”，“打马”心情的“阑珊”，自可想见。这句写出了在孤独中连玩耍的兴趣都消退了。无聊之极，只好仍在“绣屏”旁边的床上捱着，朦胧之中，做起了白日梦。梦说“潇湘”，暗用岑参《春梦》诗“洞房昨夜春风起，遥忆美人（这是指所爱的男性）湘江水。枕上片时春梦中，行尽江南数千里”作为典故，即写在梦中远涉异地，去寻找心上人。这种梦本来不容易做，做了，好景不长，偏被春莺的啼声“惊断”。金昌绪《春怨》诗：“打起黄莺儿，莫教枝上啼。啼时惊妾梦，不得到辽西。”冯延巳《鹊踏枝》词：“浓睡觉来莺乱语，惊残好梦无寻处。”

同样写莺声虽美，但啼醒人的好梦，那就颇杀风景，颇为恼人了。陆词把惊梦放在莺啼之前写，使两者的关系，似即似离，又不写出怨意，显得比较婉转含蓄，情调避免了悲凉。

这是陆游少数的艳词之一，写得旖旎细腻。然只写“艳”，不写“怨”，“怨”在“艳”中。虽透露了一些“怨”意，又能怨而不悲；虽写得较“艳”，又能艳而不亵。读起来，不带色情气味，也不会引人过分伤感。这说明陆游后来虽反对《花间集》，而早年词却也能得《花间集》胜处而去其猥下与低沉。

（陈祥耀）

乌夜啼

原文

纨扇婵娟素月，纱巾缥渺轻烟。高槐叶长阴初合，清润雨余天。

弄笔斜行小草，钩帘浅醉闲眠。更无一点尘埃到，枕上听新蝉。

鉴赏

陆游在孝宗乾道元年(1165)四十一岁时，买宅于山阴(今绍兴)镜湖之滨、三山之下的西村，次年罢隆兴通判时，入居于此。西村居宅，依山临水，风景优美。他受了山光水色的陶冶，心情比较宽舒，自号渔隐。在家住了四年，到乾道六年离家入蜀。四年中写了几首描写村居生活的《鹧鸪天》词。这首《乌夜啼》词，也写村居生活，但与上述《鹧鸪天》词不同期；是他从蜀中归来，罢提举淮南东路常平茶盐公事再归山阴时写的。他这次归山阴，从淳熙八年(1181)五十七岁起到十二年六十一岁止，又住了五年。他在淳熙十六年写的《长短句序》，说他“绝笔”停止写词已有数年，则词作于这几年中当可确定。词境之美，与山阴居宅的环境有关。

陆游是个爱国志士，不甘过闲散生活，他的诗词写闲适意境的，往往带有悲慨。这首词有些不同，整首都写闲适意境，看不到任何悲愤之情。只有结合陆游的身世和思想，从词外去理解他并不是真正耽于词中的生活，但那已是读者知人论世之事了，词中内容并不如此。词写于初夏季节。上片起二句："纨扇婵娟素月，纱巾缥渺轻烟。"从两种生活用品，表现季节。第一句写美如圆月的团扇，第二句写薄如轻烟的头巾，这都是夏天所适用的。以圆月形容团扇，来自古乐府《怨歌行》："新裂齐纨素，鲜洁如霜雪。裁为合欢扇，团团似明月。"以轻烟形容头巾，则是作者的写实。扇美巾轻，可以驱暑减热，事情显得轻快。"高槐叶长阴初合，清润雨余天。"这二句写景，也贴切季节。夏天树阴浓合，最为可喜；梅雨季节，放晴时余凉余润尚在，这也使人感到宽舒。这二句使人想到王安石《初夏即事》"绿阴幽草胜花时"的诗句，想到周邦彦《满庭芳》"午阴嘉树清圆。地卑山近，衣润费炉烟"的词句。景物相近，意境同样很美；但王诗、周词，笔调幽细，陆词则出以清疏。

下片起二句："弄笔斜行小草，钩帘浅醉闲眠。"由上片的物、景写到人，由静写到动。陆游善书，以草书自负，但他有关写字的诗，如《草书歌》《题醉中所作草书卷后》《醉中作行草数纸》等，都是表现报国壮志被压抑，兴酣落笔，借以发泄愤激感情的，正如第二题的诗中所说的："胸中磊落藏五兵，欲试无路空峥嵘。酒为旗鼓笔刀槊，势从天落银河倾。"以写字表现闲适之情的，淳熙十三年作于都城的《临安春雨初霁》中的"矮纸斜行闲作草"一句，正和这里的词句、语意都接近。醒时弄笔写细草，表示闲适；醉眠时挂起帘钩，为了迎凉，享受陶渊明《与子俨等疏》所说的"五六月中北窗下卧，遇凉风暂至，自谓是羲皇上人"那样的乐趣。"更无一点尘埃到，枕上听新蝉"，正是濒湖住宅的清凉、洁净的境界。

这首词只写事和景，不写情，情寓于事与景中。上下片复叠，句式完全相同，故两片起句都用对偶。情景轻快优美，笔调清疏自然，是陆游少见的闲适词。作者淳熙八年初归山阴的夏天，写了一首《北窗》诗："九陌黄尘早暮忙，幽人自爱北窗凉。清吟微变旧诗律，细字闲抄新酒方。草木扶疏春已去，琴书萧散日初长。《破羌》临罢搘颐久，又破铜匜半篆香。"意境和这词颇相近，可以同参作者这时期的心态。《破羌》是王羲之传世的字帖之一，临《破羌》也即近于"弄笔斜行小草"。"清吟微变旧诗律"，更可探求这词风格形成的一些信息。

（陈祥耀）

夜游宫

原文

记梦寄师伯浑

雪晓清笳乱起，梦游处、不知何地。铁骑无声望似水。想关河：雁门西，青海际。

睡觉寒灯里，漏声断、月斜窗纸。自许封侯在万里。有谁知，鬓虽残，心未死！

鉴赏

陆游有大量抒发爱国主义激情的记梦诗，在词作里也有。这首《夜游宫》，主题就是这样。师伯浑是陆游认为很有本事的人，是在四川交上的新朋友，够得上说是同心同调，所以把这首记梦词寄给他看。

上片写的是梦境。一开头就渲染了一幅有声有色的关塞风光画面，雪、笳、铁骑等特定的北方事物，放在秋声乱起和如水奔泻的动态中写，有力地把读者吸引到作者的词境里来。中间突出一句点明这是梦游所在。先说是迷离惝恍的梦，不知是什么地方；然后进一步引出联想——是在梦中的联想，这样的关河，必然是雁门、青海一带了。这里，是单举两个地方以代表广阔的西北领土。这样莽苍雄伟的关河如今落在谁的手里呢？那就不忍说了。作者深厚的爱国感情,凝聚在短短的九个字中,给人以非恢复河山不可的激励,从而过渡到下片。

下片写梦醒后的感想。一灯荧荧,斜月在窗,漏声滴断,周围一片死寂。冷落的环境,反衬出作者报国雄心的火焰却在熊熊燃烧。自许封侯万里之外的信心,是何等执著。人老而心不死,自己虽然离开南郑前线回到后方,可是始终不忘要继续参加抗金工作。"有谁知"三字,表现了作者对朝廷排斥爱国者的行径的愤怒谴责。梦境和实感,上下片呵成一气,有机地联系着,使五十七字的中调,具有壮阔的境界和教育人们为国献身的思想内涵。

（钱仲联）

渔家傲

原文

寄仲高

东望山阴何处是？往来一万三千里。写得家书空满纸。流清泪，书回已是明年事。

寄语红桥桥下水，扁舟何日寻兄弟？行遍天涯真老矣。愁无寐，鬓丝几缕茶烟里。

鉴赏

陆升之，字仲高，山阴人，与陆游同曾祖，长于游十二岁，有“词翰俱妙”的才名，和陆游感情本好。陆游十六岁时赴临安应试，他也同行。绍兴二十年(1150)任诸王宫大小学教授时，阿附秦桧，告发秦桧政敌李光作私史事(升之为李光侄婿)，后擢大宗正丞。韦居安《梅磵诗话》记载，陆游有《送仲高兄宫学秩满赴行在》诗以讽之，诗云：“兄去游东阁，才堪直北扉。莫忧持橐晚，姑记乞身归。道义无今古，功名有是非。临分出苦语，不敢计从违。”指责他行为有悖于道义，为取得功名富贵不择手段，致为舆论所非议，劝他及早抽身。仲高见诗不悦。其后陆游入朝，仲高亦照抄此诗送行，只改“兄”字为“弟”字。两人的思想分歧，是因对秦桧态度不同而起。绍兴二十五年秦桧死后，其党羽遭受贬逐，仲高也远徙雷州达七年。孝宗隆兴元年(1163)，陆游罢枢密院编修官，还家待缺，仲高已自雷州贬所归山阴，两人相遇，对床夜话。由于时间的推移和情势的改变，彼此之间的隔阂也已消除。陆游应仲高之请作《复斋记》，历述其生平出处本末，提到擢升大宗正丞那一段，说在他人可以称得上是个美差，仲高得此则是不幸，对大节所关仍不苟且，口气却委婉多了；还称道仲高经此波折，能"落其浮华，以反本根"，要向仲高学习。陆游入蜀后，乾道八年在阆中曾得仲高信，有诗记其事。据《山阴陆氏族谱》，仲高死于淳熙元年(1174)六月，次年春陆游在成都始得讯，有《闻仲高从兄讣》诗。这一首《寄仲高》的词，当是淳熙二年以前在蜀所作，只述兄弟久别之情，不再提及往事，已感无须再说了。

上片起二句："东望山阴何处是？往来一万三千里。"写蜀中与故乡山阴距离之远，为后文写思家和思念仲高之情发端。"写得家书空满纸"和"流清泪"二句，接着申写思家之情的深切。"空满纸"，情难尽；"流清泪"，情难抑，这已够伤感的了。"书回已是明年事"句，紧接写信的事，自叹徒劳；又呼应起二句，更加伤感。地既远，情难尽，一封家信的回复，要等待到来年，这种情境极为难堪，而表达却极新颖。前人诗词，少见这样写。这一句是全词意境最佳的创新之句。这种句，不可多得，也不能强求，须从实境实感中自然得来。陆游高手，兴会所及，得来全不费力。

下片起二句，从思家转到思念仲高。"寄语红桥桥下水，扁舟何日寻兄弟？"巧妙地借"寄语"流水表达怀人之情。红桥，在山阴县西七里迎恩门外，当是两人时共出入之地，陆游在夔州所作《初夏怀故山》诗"镜湖四月正清和，白塔红桥小艇过"，即指此。词由桥写到水，又由水引出扁舟；事实上是倒过来想乘扁舟沿流水而到红桥。词题是寄仲高，不是怀仲高，故不专写怀念仲高的事；专写怀念仲高，只这二句，而“兄弟”一呼，情见乎辞。况寄言只凭设想，相寻了无定期，用笔不多，取象亦丽，而酸楚之情却深。陆游离开南郑宣抚使司幕府后，经三泉、益昌、剑门、武连、绵州、罗江、广汉等地至成都；又以成都为中心，辗转往来于蜀州、嘉州、荣州等地，年届五十，故接下去有“行遍天涯真老矣”之句。这一句从归乡未得，转到万里飘泊、年华老大之慨。再接下去二句：“愁无寐，鬓丝几缕茶烟里。”典故用自杜牧《题禅院》诗：“觥船一棹百分空，十岁青春不负公。今日鬓丝禅榻畔，茶烟轻飏落花风。”陆游早岁即以经济自负，又以纵饮自豪，都同于杜牧；如今老大无成，几丝白发，坐对茶烟，也同于杜牧。身世之感相同，自然容易引起共鸣，信手拈用其诗，如同己出，不见用典痕迹。这三句，是告诉仲高自己的生活现状，看似消沉，实际又是不然。因为对消沉而有感慨，便是不安于消沉、不甘于消沉的一种表现。

这首词从寄语亲人表达思乡、怀人及自身作客飘零的情状，语有新意，情亦缠绵，在陆词中是笔调较为凄婉之作。它的结尾看似有些消沉，而实际并不消沉，化愤激不平与热烈为闲适与凄婉，又是陆诗与陆词的常见意境。

（陈祥耀）

双头莲

原文

呈范至能待制

华鬓星星，惊壮志成虚，此身如寄。萧条病骥，向暗里、消尽当年豪气。梦断故国山川，隔重重烟水。身万里，旧社凋零，青门俊游谁记？

尽道锦里繁华，叹官闲昼永，柴荆添睡。清愁自醉，念此际、付与何人心事。纵有楚柁吴樯，知何时东逝？空怅望，鲙美菰香，秋风又起。

鉴赏

范至能，即南宋著名诗人范成大，小陆游一岁。绍兴三十二年（1162）孝宗即位后，两人曾同在临安编类圣政所任检讨官，同事相知。淳熙二年（1175）六月，范成大入蜀知成都府、权四川制置使，辟陆游为成都府路安抚使司参议官兼四川制置使司参议官，居成都。范成大有一首诗，题目上说："余与陆务观自圣政所分袂，每别辄五年，离合又常以六月，似有数者。"《宋史·陆游传》说："范成大帅蜀，游为参议官，以文字交，不拘礼法，人讥其颓放，因自号放翁。"自号放翁，是淳熙三年的事。这年春，陆游因病休居城西笮桥一带。后范成大也以病乞罢使职，四年六月，离蜀还朝。范、陆在蜀，颇多酬答唱和之作，这首词即其一，当作于淳熙三年秋陆游病后休官时。

淳熙三年，陆游五十二岁，既已离开南郑军幕，在四川制置使司任官，又因病和被"讥劾"而休官，有年老志不酬之感，故上片开头三句"华鬓星星，惊壮志成虚，此身如寄"，即写此感。这种感情，即是他《病中戏书》说的"五十忽过二，流年消壮心"，《感事》说的"年光迟暮壮心违"。"壮心"的"消"与"违"，主要出于环境所迫和抱病，故接下去即针对"病"字，说："萧条病骥，向暗里、消尽当年豪气。"这一年的诗，也屡以"病骥"自喻，如《书怀》"摧颓已作骥伏枥"，《松骥行》"骥行千里亦何得，垂首伏枥终自伤"，《百岁》"壮心空似骥伏枥"，《和范待制秋兴》"身如病骥惟思卧"。病后休官，还以千里老骥自许，"豪气"即是"壮志"，可见两者都并未真正"消尽"。这一年的《书叹》诗"浮沉不是忘经世，后有仁人知此心"，《夏夜大醉醒后有感》诗"欲倾天上河汉水，净洗关中胡虏尘。那知一旦事大谬，骑驴剑阁霜毛新。却将覆毡草檄手，小诗点缀西州春……鸡鸣酒解不成寐，起坐肝胆空轮囷"，浮沉不忘经世，忧国即肝胆轮囷，可见所谓消沉，只是一时的兴叹而已。"梦断故国山川，隔重重烟水。"由在蜀转入对故都的怀念，为下文"身万里，旧社凋零，青门俊游谁记"作一过脉。"旧社"义同故里，这里紧属下句，似泛指旧友，不一定有结社之事，苏轼《次韵刘景文送钱蒙仲》"寄语竹林社友，同书桂籍天伦"，亦属泛指。"青门"，汉长安城门，借指南宋都城临安。这三句表示此身远客，旧友星散，但以前同游交往的情兴难忘。陆游在圣政所时，与范成大、周必大等人同官，皆一时清流俊侣，旧游之念，即包括范成大在内，此词之呈，自不徒然。况作者他词，念及临安初年的旧友，亦每引以自豪。《诉衷情》说："青衫初入九重城，结友尽豪英。"《南乡子》说："早岁入皇州，樽酒相逢尽胜流。"

换头"尽道锦里繁华，叹官闲昼永，柴荆添睡"，又自回忆临安转到在蜀处境。锦城虽好，柴荆独处；投闲无侣，以睡了时，哪得不"叹"？"清愁自醉，念此际、付与何人心事。"这两句是倒文，即此时心事，无人可以交谈，只得以自醉对付清愁之意。心事无人可付，依然是壮志未消、苦衷难言的婉转倾诉。陆游诗词中，本来常有借酒浇愁的描写，这一年有一首《春愁》诗，却说得很特别："醉自醉倒愁自愁，愁与酒如风马牛。"愁不能为酒所消，那就是愁得更大更深；也许词中的"清愁自醉"，表的就是酒不能消愁、愁反能成醉的曲折意思，不尽如上面所解的"以自醉对付清愁"。"纵有楚柂吴樯，知何时东逝？"无计消愁，无人可托心事，转而动了归乡之念，也属自然。因"东归"而想望"楚柂吴樯"，正如他前二年《秋思》诗说的"吴樯楚柂动归思"，指乘船沿江而下。"东逝"无时，秋风又动，宦况萧条，又不禁想起晋人张翰的故事"见秋风起，乃思吴中菰菜、莼羹、鲈鱼脍……遂命驾而归"，而写下结尾三句："空怅望，鲙美菰香，秋风又起。"更难堪的，是要学张翰还不能，暂时只得"空怅望"而已。值得提出的，作者的心情，如果仅仅限于想慕张翰，还是平淡无奇；他的"思鲈"，还有其不得已的苦衷，诗集中《和范待制秋日书怀二首》，作于同时，不是说过"欲与众生共安稳，秋来梦不到鲈乡"吗？陆游是志士而非隐士，他的说"隐"，常宜从反面看。

这首词在困难环境中，反复陈述壮志消沉、怀旧思乡之情，看似消极，仍含悲愤，陆游其人与其诗词的积极本色，细按未尝不存。

（陈祥耀）

鹊桥仙

原文

华灯纵博，雕鞍驰射，谁记当年豪举？酒徒一半取封侯，独去作江边渔父。

轻舟八尺，低篷三扇，占断蘋洲烟雨。镜湖元自属闲人，又何必官家赐与！

鉴赏

这是陆游闲居故乡山阴时所作。其居处地近镜湖，因此他此期词作类多“渔歌菱唱”。山容水态之咏，棹舞舟横之什，貌似清旷淡远，翛然物外，其实，此翁身寄湖山，心存河岳。他写“身老沧洲”生涯，正是其“心在天山”的痛苦曲折的反映。这首《鹊桥仙》即其一例。

词从南郑幕府生活写起。发端两句，对他一生中最难忘的这段戎马生涯作了一往情深的追忆。在华丽的明灯下与同僚纵情博戏，骑上骏马射猎驰驱，这是多么豪迈的生活！他四十八岁那一年入四川宣抚使王炎南郑幕。当时南郑地处西北边防，为恢复中原的战略据点。王炎入川时，宋孝宗曾面谕布置北伐工作；陆游也曾为王炎规划进取之策，说“经略中原必自长安始，取长安必自陇右始”（见《宋史・陆游传》）。他初抵南郑时满怀信心地唱道："国家四纪失中原，师出江淮未易吞。会看金鼓从天下，却用关中作本根。"(《山南行》)因此，他在军中心情极为舒畅，公务之暇，"华灯纵博""雕鞍驰射"，词以对句发端，激昂整炼，写尽"当年豪举"。骑射无论，赌博也是豪举，陆游诗词中颇多言及，如《鹧鸪天·送叶梦锡》所称"平生豪举少年场"者，就有"十千沽酒青楼上，百万呼卢锦瑟傍"之事；绍熙五年(1194)所作《自咏》诗且云："常记当年人洛初，华灯百万掷樗蒱。"但第三句陡然折入现实，紧承"谁记"二字，引出一片寂寞凄凉。朝廷的国策起了变化，大有可为的时机白白丧失了。不到一年，王炎被召还朝，陆游转官成都，风流云散，伟略成空。那份豪情壮志，当年曾有几人珍视？如今更有谁还记得？词人运千钧之力于毫端，用"谁记"一笔兜转。后两句描绘出两类人物，两条道路：终日酣饮耽乐的酒徒，反倒受赏封侯；志存恢复的儒生如己者，却被迫投闲置散，作了江边渔父。事之不平，孰逾于此？这四、五两句，以"独"字为转折，从转折中再进一层。经过两次转折递进，昔日马上草檄、短衣射虎的英雄，已经变成孤舟蓑笠翁了。那个"独"字以入声直促之音，高亢特起，凝铸了深沉的孤愤和掉头不顾的傲岸之情，声情悉称，妙合无垠。

下片承"江边渔父"生发，以"轻舟""低篷"之渺小与"蘋洲烟雨"之浩荡对举，复缀"占断"一语于其间，再作转进。"占断"即占尽之意。纵一苇之所如，凌万顷之茫然，无拘无束，独往独来，是谓"占断烟雨"。三句写湖上生涯，词境浩渺苍凉，极烟水迷离之致，含疏旷要眇之情。词至此声情转为纾徐萧散，节奏轻缓。但由于"占断"一词撑拄其间，又显得骨力开张，于纾徐中蓄拗怒之气，萧散而不失遒劲昂扬。前此既蓄深沉的孤愤和掉头不顾的傲岸之情，复于此处得“占断”二字一挑，于是，“镜湖元自属闲人，又何必官家赐与”这更为昂扬兀傲的一结乃肆口而成，语随调出，唱出了全阕的最高音。唐代诗人贺知章老去还乡，玄宗曾诏赐镜湖一曲以示矜恤。陆游借用这一故实而翻出一层新意——官家(皇帝)既置我于闲散，这镜湖风月本来就只属闲人，还用得着你官家赐与吗？再说，天地之大，江湖之迥，何处不可置我昂藏八尺之躯，谁又稀罕你“官家”的赐与？这个结句，表现出夷然不屑之态，愤慨不平之情，笔锋直指最高统治者。它把通首激昂不平之意，以大力盘旋之势，千回百转而后出，故一出即振动全词，声情激越，逸响悠然不绝。

这首抒情小唱很能代表陆游放归后词作的特色。他在描写湖山胜景、闲情逸趣的同时，总含着壮志未酬、壮心不已的幽愤。雕鞍驰射，蘋洲烟雨，景色何等广漠浩荡！而“谁记”“独去”“占断”这类词语层层转折，步步蓄势，隐曲幽微，情意又何等怨慕深远！这种景与情，广与深的纵横交织，构成了独特深沉的意境。明代杨慎《词品》说：“放翁词，纤丽处似淮海，雄慨处似东坡。其感旧《鹊桥仙》一首(按，即此词)……英气可掬，流落亦可惜矣。”他看到了这首词中的“英气”，却没有看到其中的不平之气，是其一失。清代陈廷焯编《词则》，将此词选入《别调集》，在“酒徒”两句上加密点以示激赏，眉批云：“悲壮语，亦是安分语。”谓为“悲壮”近是，谓为“安分”则远失之。这首词看似超脱、“安分”，实则于啸傲烟水中深寓忠愤抑郁之气，内心是极不平静、极不安分的。不窥其隐曲幽微的深衷，说他随缘、安分，未免昧于骚人之旨，误会了志士之心。

(赖汉屏)

鹊桥仙

原文

一竿风月，一蓑烟雨，家在钓台西住。卖鱼生怕近城门，况肯到红尘深处？

潮生理棹，潮平系缆，潮落浩歌归去。时人错把比严光，我自是无名渔父。

鉴赏

陆游这首词虽然是写渔父，其实是作者自己咏怀之作。他写渔父的生活与心情，正是写自己的生活与心情。

首两句，“一竿风月，一蓑烟雨”，是渔父的生活环境。“家在钓台西住”，是说渔父的心情近似严光。严光不应汉光武的征召，独自披羊裘钓于浙江的富春江上。上片结句说，渔父虽以卖鱼为生，但是他远远地避开争利的市场。卖鱼还生怕走近城门，更不肯向红尘深处追逐名利了。

下片三句写渔父潮生时出去打鱼，潮平时系缆，潮落时归家。生活规律和自然规律相适应，无分外之求，不像世俗中人那样沽名钓誉，利令智昏。最后两句承上片“钓台”两句来，说严光还不免有求名之心，这从他披羊裘垂钓上表现出来。宋人有一首咏严光的诗说：“一着羊裘便有心，虚名留得到如今。当时若着蓑衣去，烟水茫茫何处寻。”也是说严光虽辞光武征召，但还有名心。陆游因此觉得：“无名”的“渔父”比严光还要清高。

这词上下片的章法相同，每片头三句都是写生活，后两句都是写心情，但深浅不同。上片结尾说自己心情近似严光，下片结尾却把严光也否定了。

文人词中写渔父最早、最著名的是张志和的《渔父》，后人仿作的很多，李煜诸家都有这类作品。但是文人的渔父词，有些用自己的思想感情代替劳动人民的思想感情，很不真实。陆游这首词，论思想内容，可以说是在张志和诸首之上。很明显，这词是讽刺当时那些被名牵利绊的俗人的。我们不可错会他的作意，简单地认为它是消极的、逃避现实的作品。

陆游另有一首《鹊桥仙》词：“华灯纵博，雕鞍驰射，谁记当年豪举？酒徒一半取封侯，独去作江边渔父。　轻舟八尺，低篷三扇，占断蘋洲烟雨。镜湖元自属闲人，又何必官家赐与！”也是写渔父的。它上片所写的大概是他四十八岁那一年在汉中的军旅生活。而这首词可能是作者在王炎幕府经略中原事业失望以后，回到山阴故乡时之作。两首词同调、同韵，若是同时之作，那是写他自己晚年英雄失路的感慨，决不是张志和《渔父》那种恬淡、闲适的隐士心情。读这首词时，应该注意他这个创作背景和创作心情。

（夏承焘）

鹊桥仙

原文

夜闻杜鹃

茅檐人静，蓬窗灯暗，春晚连江风雨。林莺巢燕总无声，但月夜、常啼杜宇。

催成清泪，惊残孤梦，又拣深枝飞去。故山犹自不堪听，况半世、飘然羁旅！

鉴赏

乾道八年(1172)冬陆游离南郑，赴成都任职，之后在西川淹留了六年。据夏承焘《放翁词编年笺注》，此词就写于这段时间。杜鹃，蜀地很多，暮春而鸣。它又名杜宇、子规、鹈鴂，古人曾赋予它很多意义，蜀人更把它编成了一个哀凄动人的故事。(《成都记》："望帝死，其魂化为鸟，名曰杜鹃。")因此，这种鸟的啼鸣常引起人们的许多联想，寓蜀文士关于杜鹃的吟咏似乎更多，杜甫入蜀后就有不少这样的作品。陆游寓蜀心境本来就不大好，当他"夜闻杜鹃"，自然会惊动敏感的心弦而思绪万千了。

"茅檐人静，蓬窗灯暗，春晚连江风雨。""茅檐""蓬窗"对文，指其简陋的寓所。当然，陆游住所未必如此，这样写无非是形容客居的萧条，不必拘执。在这样的寓所里，“晻晻黄昏后，寂寂人定初”，当他坐在昏黄的灯下，该是多么寂寥；而且又是“连江风雨”，“萧萧暗雨打窗声”，会逗引他多少愁绪。“连江”，形容风雨其来之远，这当然不是所见，而是想象，他想象风雨连江，也表明他愁绪的浩茫无边。“林莺巢燕总无声，但月夜、常啼杜宇。”这时他听到了鹃啼，但又不直接写，先反衬一笔：莺燕无声。莺燕无声使得鹃啼显得分外清晰、刺耳；莺燕在早春显得特别活跃，一到晚春便“燕懒莺慵”、悄然无声了，对这“无声”的怨悱，就是对“有声”的厌烦。“总”字传达出了那种怨责、无奈的情味。再泛写一笔：“但月夜、常啼杜宇。”“月夜”自然不是这个风雨之夜，月夜的鹃啼是很凄楚的——“又闻子规啼夜月，愁空山”（李白《蜀道难》）——何况这个风雨之夜呢！“常啼”显出这刺激不是一日几日，这样写是为了加强此夜闻鹃的感受。

上片是写闻鹃的环境，着重于气氛的渲染。杜鹃本来就是一种“悲鸟”，在这种环境气氛里啼鸣，更加使人感到愁苦不堪。下片就写愁苦情状及内心痛楚。

“催成清泪，惊残孤梦，又拣深枝飞去。”“孤梦”点明客中。客中无聊，寄之于梦，偏被“惊残”。“催成清泪”，见出啼声一声紧似一声，故曰“催”。就这样还不停息，“又拣深枝飞去”，继续它的哀鸣。“又”，又是一个无可奈何。杜甫《子规》写道：“客愁那听此，故作傍人低！”——客中愁闷时哪能听这啼声，可是那杜鹃却似故意追着人飞！这里写的也是这种情况。鹃啼除了在总体上给人一种悲凄之感、一种心理重负之外，还由于它的象征意义引人种种联想。比如它在暮春啼鸣，使人觉得春天似乎是被它送走的，它的啼鸣常引起人们时序倏忽之感，《离骚》就有“恐鹈鴂之先鸣兮，使夫百草为之不芳”。又，这种鸟的鸣声好似说“不如归去”，因此又常引起人们的羁愁。所以作者在下面写道：“故山犹自不堪听，况半世、飘然羁旅！”“故山”，故乡。“半世”，陆游至成都已将四十九岁，故云。这结尾的两句就把他此时闻鹃内心深层的意念揭示出来了。故山听鹃当然引不起羁愁，之所以“不堪听”，就是因为打动了岁月如流、志业未遂的心绪，而今在蜀，更增加了一重羁愁，这里的“犹自……况”就是表示这种递进。《词林纪事》卷十一引《词统》云：“去国离乡之感，触绪纷来，读之令人於邑。”（於邑，通呜咽。）解说还算切当，但是这里忽略了更重要的岁月蹉跎的感慨，这是需要加以注意的。如果联系一下作者此时一段经历，我们可以把这些意念揭示得更明白些。

陆游是四十六岁来夔州任通判的，途中曾作诗道，“四方男子事，不敢恨飘零”（《夜思》），情绪还是不错的。两年后到南郑的王炎幕府里赞襄军事，使他得以亲临前线，心情十分振奋。他曾身着戎装，参加过大散关的卫戍。这时他觉得王师北定中原有日，自己乘时立功的机会到了。可是只半年多，王炎幕府解散，自己被调往成都，离开了如火如荼的前线生活，其挫折的巨大可以想见。以后他播迁于西川各地，无路请缨，沉沦下僚，直到离蜀东归。由此看来，他的岁月蹉跎之感是融合了对功名的失意、对时局的忧念；“况半世、飘然羁旅！”从这痛切的语气里，可以体会出他对朝廷如此对待自己的严重不满。

陈廷焯比较推重这首词。《白雨斋词话》云：“放翁词，惟《鹊桥仙·夜闻杜鹃》一章，借物寓言，较他作为合乎古。”陈廷焯论词重视比兴、委曲、沉郁，这首词由闻鹃感兴，由表及里、由浅入深，曲曲传达了作者内心的苦闷，在构思上、表达上是比陆游其他一些作品讲究些。但这仅是论词的一个方面的标准。放翁词大抵步武苏辛，虽有些作品如陈氏所言“粗而不精”，但还是有不少激昂感慨、敷腴俊逸者，扬此抑彼就失之偏颇了。

（汤华泉）

诉衷情

原文

当年万里觅封侯，匹马戍梁州①。关河梦断何处，尘暗旧貂裘。

胡未灭，鬓先秋，泪空流。此生谁料，心在天山，身老沧洲。

〔注〕

① 梁州：《宋史·地理志》："兴元府……梁州汉中郡，山南西道节度。"治所在南郑。陆游著作中，称其参加王炎幕府所在地，常杂用以上地名。

鉴赏

积贫积弱、日见窘迫的南宋是一个需要英雄的时代，但这又是一个英雄"过剩"的时代。陆游的一生以抗金复国为己任，但请缨无路，屡遭贬黜，晚年退居山阴，有志难申。"志士凄凉闲处老，名花零落雨中看。"历史的秋意，时代的风雨，英雄的本色，艰难的现实，共同酿成了这一首悲壮、沉郁的《诉衷情》。作这首词时，词人已年近七十，身处江湖，未忘国忧，烈士暮年，雄心不已。这种高亢的政治热情，永不衰竭的爱国精神形成了词作风骨凛然的崇高美。但壮志不得实现，雄心无人理解，虽然“男儿到死心如铁”，无奈“报国欲死无战场”，这种深沉的压抑感又形成了词作中百折千回的悲剧情调。

开头两句，再现了词人往日壮志凌云，奔赴抗敌前线的勃勃英姿。“当年”，指乾道八年（1172），时陆游来到南郑（今陕西汉中），投身四川宣抚使王炎幕下襄理军务。“觅封侯”用班超投笔从戎、立功异域“以取封侯”的典故，写自己报效祖国、收拾旧河山的壮志。“自许封侯在万里”（《夜游宫》），一个“觅”字显出词人当年自负、自信的神情和坚定执著的追求。“万里”与“匹马”形成空间形象上的强烈对比，匹马征万里，一派卓荦不凡之气。“壮岁从戎，曾是气吞残虏。”（《谢池春》）当时词人四十八岁，从军戍边，“悲歌击筑，凭高酹酒”（《秋波媚》），“呼鹰古垒，截虎平川”（《汉宫春》），那豪雄飞纵、激动人心的军旅生活至今历历在目，时时入梦。梦是愿望的达成，陆游诗词中记梦之作很多，这是因为强烈的愿望受到太多的压抑，积郁的情感只有在梦里才能得到宣泄。“关河梦断何处，尘暗旧貂裘”，在南郑前线仅半年，陆游就被调离，从此关塞河防，只有时时在梦中出现，而梦醒不知身何处，只有旧时貂裘戎装，已是尘封色暗。一个“暗”字将岁月的流逝、人事的消磨，化作灰尘堆积之暗淡画面，可见心情之饱含惆怅。

上片开头以“当年”二字楔入对往日豪放军旅生活的回忆，声调高亢。“梦断”一转，形成一个强烈的情感落差，慷慨化为悲凉。至下片则进一步抒写理想与现实的矛盾，跌入更深沉的浩叹，悲凉化为沉郁。“胡未灭，鬓先秋，泪空流”三句步步紧逼，声调短促，说尽平生不得志。放眼西北，神州陆沉，妖氛未扫；回首人生，流年暗度，两鬓已苍；沉思往事，雄心虽在，壮志难酬。“未”“先”

"空"三字在承接比照中，流露出沉痛的感情，越转越深：人生自古谁不老？但逆胡尚未灭，功业尚未成，岁月已无多，这才迫切感到人"先"老之惊心。"一事无成霜鬓侵"，对镜理发，一股悲凉的意绪渗透心头，人生老大矣！然而，即使天假数年，双鬓再青，又岂能实现"攘除奸凶，兴复汉室"的事业？"朱门沉沉按歌舞，厩马肥死弓断弦"，"云外华山千仞，依旧无人问"。所以说，这忧国之泪只是"空"流。一个"空"字既写了内心的失望和痛苦，也写了对君臣尽醉的小朝廷的不满和愤慨。"此生谁料，心在天山，身老沧洲。"最后三句总结一生，反省现实。"天山"代指抗敌前线，"沧洲"代指闲居之地，"此生谁料"即"谁料此生"。词人没料到，自己的一生会不断地处在"心"与"身"的冲突中。他的心神驰于疆场，他的身却僵卧孤村，他看到了"铁马冰河"，但这只是在梦中；他的心灵高高扬起，飞到了"天山"，他的身体却沉重地坠落在"沧洲"。"谁料"二字写出了往日的天真与今日的失望，"早岁那知世事艰"，"而今识尽愁滋味"，理想与现实是如此格格不入，无怪乎词人要声声浩叹。"心在天山，身老沧洲"两句作结，先扬后抑，形成一个大转折，词人犹如一心要搏击长空的苍鹰，却被折断羽翮，落到地上，在痛苦中呻吟。

陆游这首词，确实饱含着人生的秋意，但由于词人"身老沧洲"的感叹中包含了更多的历史内容，纵横老泪中融汇了对祖国炽热的感情，所以，词的情调体现出幽咽而不失开阔深沉的特色，比一般仅仅抒写个人苦闷的作品显得更有力量，更为动人。

（史双元）

诉衷情

原文

青衫初入九重城，结友尽豪英。蜡封夜半传檄，驰骑谕幽并。

时易失，志难成，鬓丝生。平章风月，弹压江山，别是功名。

鉴赏

陆游有《诉衷情》词二首，其一的首句是“当年万里觅封侯”，其二即此词。宋光宗绍熙元年(1190)，陆游六十六岁，闲居山阴(浙江绍兴)，有一首诗，题目是：《予十年间两坐斥，罪虽擢发莫数，而诗为首，谓之“嘲咏风月”。既还山，遂以“风月”名小轩，且作绝句》，这首词中有“平章风月，别是功名”之句，或是同一时期的作品。

词的上片是忆旧。起首两句写早年的政治生活。在淳熙十六年(1189)写的题为《马上作》的诗里，也有“三十年前客帝城，城南结骑尽豪英”之句。高宗绍兴三十年(1160)，陆游由福州决曹掾被荐到临安，以右从事郎为枢密院敕令所删定官，由九品升为八品，这是他入朝为官的开始。唐宋时九品官服色青，陆游以九品官入京改职，言“青衫”十分贴切。绍兴三十二年九月，任枢密院编修兼编类圣政所检讨官。这两任都是史官职事。这期间交识的同辈人士，有周必大、范成大、郑樵、李浩、王十朋、杜起莘、林栗、曾逢、王质等，都是一时俊彦。下两句词反映出当时的政治形势是很鼓舞人的。“蜡封夜半传檄，驰骑谕幽并。”写任圣政所检讨官时的活动。这时宋孝宗刚即位，锐意恢复，起用主战派的著名人物张浚，筹划进取方略。陆游曾奉中书省、枢密院（当时称为“二府”）之命作《与夏国主书》，提出申固欢好，永为善邻，以便全力抗金。又作《蜡弹省札》，晓谕中原人士：“应有据以北州郡归命者，即其所得州郡，裂土封建。”实际上是作敌后的分化瓦解工作。“蜡封”是用蜡封固，便于保密的文书。“幽并”，幽州和并州，主要是河北北部及山西北部地方，这里统指北方入于金国的地区。“夜半传檄”和“驰谕幽并”表明主战派在朝廷占上风，图谋恢复的种种措施得以进行，陆游不分昼夜地投入抗金工作，透露出他的无比振奋的心情。

词的下片是抒愤。换头三句既是词意的转折，也反映了他的政治经历的转折。接连三个三字句如走丸而下，表现出他激动的心情。“时易失”，先就大局而言，就是说，好景不长，本来满有希望收复中原的大好机会竟被轻易地断送了！宋孝宗操之过急，张浚志大才疏，北进结果遭到符离之败，又结成了屈服于金人的隆兴和议。这些史实概括在这一短语之中，没有、也不必要明显地表现出来。“志难成，鬓丝生”就个人方面说，正因为整个政治形势起了变化，自己的壮志未酬，而白发早生，才造成了终身大恨。六字之中，感慨百端。歇拍三句写晚年家居的闲散生活和愤懑情绪。“平章风月，弹压江山”相对上片结交豪英、夜半草檄而言。那时候终日所对的是英雄豪杰，所作的是羽书檄文；今天终日所对的则是江山风月，所作的则是品评风月的文字，成了管领山川的散人。苏轼曾说过："江山风月，本无常主，闲者便是主人。"(《东坡志林·临皋闲题》)风月的品评，山川的管领，原是"闲者"的事，与"功名"二字沾不上边，而结句却说"别是功名"，这是幽默语，是自我解嘲；也是激愤语，是对那些加给他"嘲咏风月"的罪名的人们，予以有力的反击，套用孟子的一句话就是："予岂好嘲咏风月哉？予不得已也！"

全篇率意而写，不假雕琢，语明而情真，通过上下片的强烈对比，反映出陆游晚年的不平静心情。

（李廷先　刘立人）

点绛唇

原文

采药归来，独寻茅店沽新酿。暮烟千嶂，处处闻渔唱。

醉弄扁舟，不怕黏天浪。江湖上，遮回疏放，作个闲人样。

鉴赏

这首词作于宋孝宗淳熙年间，陆游闲居山阴时。淳熙七年(1180)，江西水灾，陆游于常平提举任上，“奏拨义仓赈济，檄诸郡发粟以予民”(《宋史·陆游传》)。事后，却以“擅权”获罪，遭给事中赵汝愚借故弹劾，罢职还乡。

词取材于村居日常生活中的一个片断，以采药、饮酒、荡舟为线索，展示出作者多侧面的生活风貌。上片写采药归来独沽酒，下片写醉后弄舟江湖间。词人罢职归乡后，闲居山阴，“志士凄凉闲处老”，“幽谷云萝朝采药”，词人治国之志难以实现，就采药治民，买醉茅店。“独寻”二字写出了罢官后的寂寞、幽闲。村店对新酿，独酌无相亲，但见暮山千叠，长烟落日，听得渔舟唱晚，声声在耳。这几句，写千嶂笼烟，可见江南青山之秀润，处处渔唱，可想象江上渔舟之悠闲，加上新酒初熟，香溢茅店，声香嗅味，皆助酒兴，词人不由得颓然醉乎其间，由此引出下片醉弄扁舟的豪兴。耳听渔歌而心羡江上，清风白云，取之不竭，词人不禁生起散发扁舟之志，况醉后疏阔纵放，更不怕连天波浪。这一回，定要放浪山水，无拘无束，友渔樵、钓明月，真正享受一回清闲的滋味。

陆游一生以抗金救国为己任，放浪山水，做一个潇洒送日月的“闲人”，并非他的意愿。即便被迫闲居乡间，他也是闲不住的，采药、治病、救人，于书剑报国的政治理想落空之后，力求在日常生活中实践其平生关怀民瘼的素志。但是，词人毕竟是一位以“塞上长城”自许、对驰骋疆场无限向往的热血男儿，他执著追求的是充满战斗快意的人生。村居生活终究难以消释他心中郁郁不平的英雄豪气。因此，放浪山水的闲情逸致，借酒后豪兴以挥斥，正是他深感英雄无用武之地，壮志难酬的悲愤心情的表现。词人对“闲人”生活的似正实反的肯定与咏唱，婉曲地表达了郁积在他心头的隐痛，是对自己报国欲死无战场的悲剧命运的自我解嘲。这种似正实反的笔法，给这首词的风格带来了洒脱中寓抑郁的特色。明人杨慎评陆游词曰：“纤丽处似淮海，雄慨处似东坡。”毛晋又云：“超爽处更似稼轩耳。”（毛刊《放翁词》跋）从《点绛唇》看，则是超爽中蕴沉郁。

（林家英）

谢池春

原文

壮岁从戎，曾是气吞残虏。阵云高、狼烟夜举。朱颜青鬓，拥雕戈西戍。笑儒冠自来多误。

功名梦断，却泛扁舟吴楚。漫悲歌、伤怀吊古。烟波无际，望秦关何处？叹流年又成虚度。

鉴赏

乾道八年(1172)，陆游四十八岁，由夔州(治今重庆奉节东)通判转任四川宣抚使王炎幕下的干办公事兼检法官。同年九月，王炎召还，幕府解散，陆游于十一月赴成都新任。宣抚司治所在南郑(今陕西汉中)，是当时西北前线的军事要地。陆游在这里任职，有机会到前线参加一些军事活动，符合他的想效力于恢复事业的心愿。所以短短不到一年的南郑生活，成为他一生最适意、最爱回忆的经历。

这首词是陆游老年家居，回忆南郑幕府生活而作。陆游在南郑，虽然主管的是文书、参议一类工作，但他也曾戎装骑马，随军外出宿营，并曾亲自在野外雪地上射虎，所以他认为过的是从军生活。这时候，他意气风发，抱着“莫作世间儿女态，明年万里驻安西”(《和高子长参议道中二绝》)的一举收复西北失地的愿望。

词的上片开头“壮岁从戎，曾是气吞残虏。阵云高、狼烟夜举。朱颜青鬓，拥雕戈西戍”几句，都可以从他的诗中得到印证：如《书事》的“云埋废苑呼鹰处，雪暗荒郊射虎天”，《蒸暑思梁州述怀》的“柳阴夜卧千驷马，沙上露宿连营兵。胡笳吹堕漾水月，烽燧传到山南城”，《独酌有怀南郑》的“忆从嶓冢涉南沮，笳鼓声酣醉胆粗。投笔书生古来有，从军乐事世间无”，《秋怀》的“朝看十万阅武罢，暮驰三百巡边行。马蹄度陇雹声急，士甲照日波光明”，等等。上面几句词写得极为豪壮，使人奋发。但全词盛概，也仅止于此。接下去一句“笑儒冠自来多误”，突然转为对这种生活消失的感慨，其一反前文的情况，有如辛弃疾《破阵子》词结尾的“可怜白发生”一句。杜甫《奉赠韦左丞丈二十二韵》的“纨袴不饿死，儒冠多误身”，为本句词语的出处；作者《观大散关图有感》的“上马击狂胡，下马草军书。二十抱此志，五十犹癯儒……丈夫毕此愿，死与蝼蚁殊。志大浩无期，醉胆空满躯”，则可为本句内容的注脚。

承上片的歇拍，下片写老年家居江南水乡的生活和感慨。“功名梦断，却泛扁舟吴楚。”愿望落空，被迫隐居家乡，泛舟镜湖等地，以自我排遣。与他的《鹊桥仙》词写的“华灯纵博，雕鞍驰射，谁记当年豪举？酒徒一半取封侯，独去作江边渔父”，《渔父》词写的“石帆山下雨空蒙，三扇香新翠箬篷。蘋叶绿，蓼花红，回首功名一梦中”，意境相同，只是说得更为简淡而已。“漫悲歌、伤怀吊古”，以自我宽解作转笔。“烟波无际，望秦关何处？叹流年又成虚度。”宽解无效，又回到感慨作结。为什么无际的江南烟波的美景，还不能消除对秦关的想望？老年的隐居，还要怕什么流年虚度？这就是因为爱国感情强烈、壮志不甘断送的缘故。这种矛盾，是作者心灵上终生无法弥补的创痛。他对秦关、汉苑的关心，其原因，其情绪，正如他的《洞庭春色》词写的“洛水秦关千古后，尚棘暗铜驼空怆神”，《闻雁》诗写的“秦关汉苑无消息，又在江南送雁归”。一句话，就因为这些河山长久无法收复。

这首词上片念旧，以慷慨之情起；下片写当今，以沉痛之情结。思想上贯穿的是报效国家的红线，笔调上则尽力化慷慨与沉痛为闲淡，在作者的词作中，是情调比较宁静、含蓄的。

（陈祥耀）

陆游诗文

鉴赏辞典

文

wen

跋渊明集[1]

原文

吾年十三四时，侍先少傅居城南小隐[2]，偶见藤床上有渊明诗，因取读之，欣然会心。日且暮，家人呼食，读诗方乐，至夜卒不就食。今思之如数日前事也。

庆元二年，岁在乙卯，九月二十九日，山阴陆某务观书于三山龟堂[3]，时年七十有一。

——《渭南文集》

〔注〕

① 渊明集：晋诗人陶渊明的诗集。

② 少傅：官名，作者的父亲陆宰，曾赠官少傅。小隐：隐居于山林。此处指作为闲居的住宅。

③ 庆元：南宋宁宗年号。乙卯为庆元元年。三山：在陆游家乡绍兴城南之镜湖。陆游于宋孝宗乾道二年迁居于此。龟堂：陆游的堂名。

鉴赏

陶渊明的诗是不容易读的，黄庭坚就有过这方面的经验，他在《书陶渊明诗后寄王吉老》中说："血气方刚时读此诗，如嚼枯木。及绵历世事，知决定无所用智，每观此篇，如渴饮水，如欲寐得啜茗，如饥啖汤饼，今人亦有能同味者乎？但恐嚼不破耳。”无他，没有丰富的生活阅历，便难以领略陶诗的真趣罢了。十三四岁的童子陆游，却这么容易被陶诗所吸引，是很出人意料的。此外，还有一个有趣的现象，陶渊明读书曾有过“每有会意，便欣然忘食”的着迷境界，如今陆游诵读陶诗，竟也是“欣然会心”到至夜忘食，真是太巧合了。

自少喜爱陶渊明的诗，此后陆游对陶诗产生了深厚的感情，并从中学习，他曾自称：“我诗慕渊明，恨不造其微。”直到八十高龄时写的《自勉》诗，还主张“学诗当学陶”，可见他对陶诗的爱好和学习，至老依然。

（黄国声）

跋岑嘉州诗集[①]

原文

予自少时，绝好岑嘉州诗。往在山中，每醉归，倚胡床睡[②]，辄令儿曹诵之，至酒醒或睡熟乃已。尝以为太白、子美之后[③]，一人而已。

今年自唐安别驾来摄犍为[④]，既画公像斋壁，又杂取世所传公遗诗八十余篇刻之，以传知诗律者。不独备此邦故事[⑤]，亦平生素意也。

乾道癸巳八月三日山阴陆某务观题[⑥]。

——《渭南文集》

〔注〕

① 岑嘉州：唐代诗人岑参，曾任嘉州（治今四川乐山）刺史，世称岑嘉州。其诗由后人杜确编集，称《岑嘉州诗集》。

② 胡床：一种可以折叠的轻便坐具，也叫交椅、交床，由少数民族（胡人）传入，故名。

③ 太白：唐代诗人李白字。子美：唐代诗人杜甫字。

④ 唐安：今四川崇州。别驾：官名，原为州刺史的佐吏。宋置诸州通判，其职务近似古之别驾，世遂别称通判为别驾。摄：摄官，临时代理某官。犍为：嘉州古代为犍为郡。

⑤ 故事：典故。

⑥　乾道：南宋孝宗年号，癸巳为乾道九年。山阴：今浙江绍兴，陆游原籍。

鉴赏

少时“绝好岑嘉州诗”，中年以后，仍好之不衰，甚至在醉后“令儿曹诵之”。可以设想，此际的陆游在领略岑诗的声情之美的同时，难免不涌起对岑参的边塞豪情和功业的深深景慕。他真可说是岑参的异代知己。

陆游既自少喜欢岑诗，任官嘉州之后，不免因地及人，勾起从前对岑参的景仰之情，于是绘岑像于斋壁并且刻诗其上。他这样做当然还有另外一层原因。因为在这之前一年，他从戎南郑，身居抗金前线，经常身穿戎衣，过着军旅生活。耳目所触，豪情激荡，诗境亦因而为之一变，多咏征伐恢复之事，寄策勋报国之志。因而对于岑参的从军绝域、立业建功的豪情伟绩，自然异代相应，引为同调了。他在是年所作的《夜读岑嘉州诗集》诗，很能说明当时的景慕心情，诗云：“公诗信豪伟，笔力追李杜。常想从军时，气无玉关路……我后四百年，清梦奉巾屦……诵公天山篇，流涕思一遇。”毫无疑问，为岑参绘像刻诗正是他此时此地心情的充分流露。

有几位前辈大诗人的作品是陆游自少喜爱、终生诵读不衰的。除岑参之外，还有陶渊明和王维。在陆游所写的有关题跋里，常常可见他对这些前辈学习和赞叹之情。而我们则通过这些短小的篇章，清楚地看到了陆游诗歌创作中继承传统的脉络，认识到他的诗歌风格的变化过程。

（黄国声）

跋王右丞集[①]

原文

余年十七八时，读摩诘诗最熟，后遂置之者几六十年。今年七十七，永昼无事[②]，再取读之，如见旧师友，恨间阔之久也。

嘉泰辛酉五月六日龟堂南窗书。

——《渭南文集》

〔注〕

① 王右丞：唐代诗人王维，字摩诘，官至尚书右丞，著有《王右丞集》。
② 永昼：长长的白天。

鉴赏

陆游十三四岁时便爱读陶渊明的诗，十七八岁时又深深地被王维、岑参的诗集所吸引，竟至垂老不忘。偶然再翻阅他们的诗集时，便欣然如逢旧师友。由此可见他早年已博涉各家之长，打下了良好的基础。及后又向江西派诗人曾幾学习，被认为是曾幾的传人，因而有"剑南已见一灯传"之誉。但我们读陆游的诗时，却很少发现它有江西诗派的痕迹，反而觉得它的律对精整和风格温润，与曾幾的槎枒清快截然不同。现在,我们从陆游自道早年学诗途径的几篇题跋看来,可以憬悟他的诗歌艺术风格的形成,是有赖于“转益多师”,深受前辈伟大诗人的影响的。

(黄国声)

跋《花间集》

原文

一

《花间集》皆唐末五代时人作。方斯时天下岌岌，生民救死不暇，士大夫乃流宕如此，可叹也哉！或者亦出于无聊故耶？笠泽翁书。

二

唐自大中后，诗家日趋浅薄，其间杰出者，亦不复有前辈闳妙浑厚之作，久而自厌，然梏于俗尚，不能拔出。会有倚声作词者，本欲酒间易晓，颇摆落故态，适与六朝跌宕意气差近，此集所载是也。故历唐季五代，诗愈卑而倚声者辄简古可爱。盖天宝以后，诗人常恨文不迨，大中以后，诗衰而倚声作。使诸人以其所长格力施于所短，则后世孰得而议？笔墨驰骋则一，能此不能彼，未易以理推也。开禧元年十二月乙卯，务观东篱书。

——《渭南文集》

鉴赏

陆游这两则题为《跋〈花间集〉》的短文，对唐末五代词忽贬忽褒，“似乎并无定见”，但细察其实际，前者是就思想内容说其短，后者是就艺术风格论其长，这在文艺评论来说，一分为二的方法原是正常的。绍兴年间，晁谦之重刊《花间集》，其跋语就说：“右《花间集》十卷，皆唐末才士长短句，情真而调逸，思深而言婉。嗟乎！虽文之靡无补于世，亦可谓工矣。”也是不满其思想内容而称道其艺术成就的。与晁同时的王灼也说：“唐末五代，文章之陋极矣，独乐章可喜；虽乏高韵，而一种奇巧，各自立格，不相沿袭。”(《碧鸡漫志》卷二)大意亦相近。“诗衰而倚声作。”词作为一种新兴文体，本出于民间，具有极强的生命力，一经文人染指，称为“诗客曲子词”，在音律、格律、构思、表现手法等方面加强了艺术性，就风行起来。彼时中原干戈扰攘，而西蜀(还有南唐)尚得偏安，豪家贵族，耽于逸乐，纵情声色，“诗客”们在绮筵绣幌之间，以清绝之词，助娇娆之态，到《花间》结集，以此类作品为多。南宋内外情况与之有相似处，在心系中原、志图恢复的陆放翁看来，对唐末五代词人的表现，生“流宕如此，可叹也哉”的感慨，作“或者亦出于无聊故耶”的发问，就是很自然的了。其心目中，应还浮现有并世某些文人清客的影子。

唐五代文人词，既然常是应乐工、歌妓演唱的需要而作，为适应歌女的水平和情趣(即所谓“欲酒间易晓”)，故多属“艳曲”。王国维《人间词话》说：“读《花间》《尊前集》，令人回想徐陵《玉台新咏》。”而徐陵《玉台新咏序》说他的书，正是“撰录艳歌，凡为十卷”的。《花间集》词中之写妇女容饰、爱怨感情诸作，气息清新，一变唐末诗家浅薄面貌，又在相当程度上突破了传统诗教的拘限，即所谓“颇摆落故态”，因此而与齐梁宫体、南朝乐府民歌的

“跌宕意气差近”(跌宕通倜傥,放荡不羁),表现男女慕悦的正常的爱情意识,其不涉庸俗者为历代传诵称扬。陆放翁说它“简古可爱”,不是没有道理的,在他的词集中,也还留有少数近似《花间》的作品,当然是他早年之作了。

放翁平生致力于诗,词作相对来说只占极少数,这同他对词的整体看法有关。他在淳熙十六年(1189)作的《长短句序》中自言:“予少时汩于世俗,颇有所为,晚而悔之。然渔歌菱唱,犹不能止。今绝笔已数年,念旧作终不可掩,因书其首,以识吾过。”这年他 65 岁,正是将要结束宦海生涯、开始长期家居生活的时候,同年冬他就免官回家了。自此至逝世的 20 年中,写诗甚多,在 85 卷《剑南诗稿》中约占七分之六,而词则罕见,夏承焘《放翁词编年笺注》勉强只编列了三数首。在表现他这时期的生活和思想感情来说,诗的体裁自然比词适宜得多。他不再做词作者,但作为读者,还是很有兴趣的,对唐末五代词,还时有甚高评价。绍熙二年(1191)《跋后山居士长短句》云:“唐末诗益卑,而乐府词高古工妙,庶几汉魏。”此跋《花间集》的第二则,作于开禧元年(1205),仍维持这个看法。可见《花间》词自有其不容忽视的地位与价值,重“豪放”轻“婉约”的论调,是没有多少道理的。

(陈振鹏)

巫山神女峰

原文

二十三日，过巫山凝真观[①]，谒妙用真人祠。真人，即世所谓巫山神女也。祠正对巫山，峰峦上入霄汉，山脚直插江中。议者谓太华、衡、庐，皆无此奇。然十二峰者，不可悉见。所见八九峰，惟神女峰最为纤丽奇峭，宜为仙真所托[②]。祝史云[③]："每八月十五夜月明时，有丝竹之音，往来峰顶，山猿皆鸣，达旦方渐止。"庙后山半，有石坛平旷。《传》云[④]："夏禹见神女，授符书于此。"坛上观十二峰，宛如屏障。是日，天宇晴霁，四顾无纤翳，惟神女峰上有白云数片，如鸾鹤翔舞，裴徊久之不散，亦可异也。

祠旧有乌数百，送迎客舟。自唐夔州刺史李贻[⑤]诗已云"群乌幸胙余"[⑥]矣。近乾道元年，忽不至。今绝无一乌，不知其故。泊清水洞，洞极深。后门自山后出，但黮暗，水流其中，鲜能入者。岁旱祈雨颇应。

——《入蜀记》

〔注〕

① 凝真观：道教观名，内有巫山神女祠。
② 仙真：指巫山神女。
③ 祝史：古司祝之官。这里指祠中主持人。
④ 传：指《神仙传》。
⑤ 李贻：应是李贻孙，唐人，曾任夔州刺史。
⑥ 群乌幸胙余：意思是许多乌鸦以能食得祭祀后的祭肉为幸。

鉴赏

作者入蜀途中，一路观赏了祖国壮丽的山河，游览了大江两岸的名胜，体察了风土人情，写下了优美的游记散文。他的游记把记事、描写、抒情、考证熔为一炉，成为别具一格的山水小品，这里选录的巫山神女峰一篇，在写景手法上颇有独到之处。

巫山，由于它的神姿仙态，受到了历代人民的喜爱，引起过人们无限的向往与憧憬，关于它的许多美丽的神话传说，是同它的秀美姿容分不开的。陆游描写巫山景色的时候，有机地穿插了这些美丽的传说，使巫山景色蒙上了一层神秘的色彩，由此形成了这篇文章的突出特点：即巫山景色的神秘气氛。

关于巫山的神话传说，除《山海经》外，流传最广、影响最大的莫过于宋玉的《高唐赋》。《高唐赋》描绘了一个迷离恍惚的梦游故事，经过后人的加工润色，流传千古，直至今日。故事大意是说，楚先王游于高唐，怠而昼寝，梦见神女瑶姬，相与欢洽，神女临去乃言："妾在巫山之阳，高丘之岨。旦为朝云，暮为行雨；朝朝暮暮，阳台之下。"旦而视之，果如其言。这个荒唐幽梦，绝不是宋玉一人编造，而是有一个在当时已经流传很久的民间传说作为依据的。巫山的纤颖秀丽，可谓集天地造化之大成，而那如缠似绕的朝云暮雨，又常常引起人们无限遐想。古代人民把巫山主峰想象为神女的化身，反映了人民的审美理想。作为赤帝钟爱的小女儿，未嫁而亡，确实具有动人的悲剧意义，她内心的孤独、惆怅与执著追求，同那朝朝暮暮的巫山云雨，在意境上是多么相像！经过代代相传，这个美丽的神话传说，就同巫山连在一起。没有它，巫山的仙姿妙态就无法得到传神的表现，而离开巫山，赤帝少女的美丽就没有具体形象作依托。

陆游在描绘巫山时，着力渲染了它那艳丽的神话色彩。"所见八九峰，惟神女峰最为纤丽奇峭，宜为仙真所托。"写出了巫山神女峰的奇姿丽态。接着用庙中祝史的话来烘染它那神秘气氛："每八月十五夜月明时，有丝竹之音，往来峰顶，山猿皆鸣，达旦方渐止。"继而引用《神仙传》中的故事作为佐证，进一步加强了神奇感，最精彩的笔墨还是作者对巫山白云的描绘："是日，天宇晴霁，四顾无纤翳，惟神女峰上有白云数片，如鸾鹤翔舞，裴徊久之不散，亦可异也。"这既是客观之景，又是神奇之境，是神奇的现实，又是现实中的神奇。

（崔承运）

过下牢关

原文

八日，五鼓尽，解船过下牢关。夹江千峰万嶂：有竞起者，有独拔者；有崩欲压者，有危欲坠者；有横裂者，有直坼者；有凸者，有洼者，有罅者，奇怪不可尽状。初冬草木皆青苍不凋。西望重山如阙，江出其间，则所谓下牢溪也。欧阳文忠公有《下牢津》诗云："入峡江渐曲，转滩山更多。"即此也。系船与诸子及证师登三游洞，蹑石磴二里，其险处不可着脚。洞大如三间屋，有一穴通人过，然阴黑峻险尤可畏。缭山腹，伛偻自岩下至洞前，差可行。然下临溪潭，石壁十余丈，水声恐人。又一穴，后有壁，可居。钟乳岁久垂地若柱，正当穴门。上有刻云："黄大临、弟庭坚，同辛纮、子大方，绍圣二年三月辛亥来游。"旁石壁上刻云："景祐四年七月十日，夷陵欧阳永叔。"下缺一字。又云"判官丁"，下又缺数字。丁者，宝臣也，字元珍。今"丁"字下二字，亦仿佛可见，殊不类"元珍"字。又永叔但曰“夷陵”，不称“令”。洞外溪上又有一崩石偃仆，刻云：“黄庭坚、弟叔向、子相、侄檠，同道人唐履来游，观辛亥旧题，如梦中事也。建中靖国元年三月庚寅。”按鲁直初谪黔南，以绍圣二年过此，岁在乙亥，今云辛亥者误也。泊石牌峡，石穴中有石如老翁持鱼竿状，略无少异。

——《入蜀记》

鉴赏

下牢关，又称下牢戍，今名南津关，在峡州夷陵县（今湖北宜昌）西28里，为隋夷陵郡古城。陆游于孝宗乾道六年（1170）沿江西上赴夔州（治今重庆奉节东）通判任时经此，时为十月八日。地当长江三峡东口，夹江多奇峰，如文中所述。连用九个“有……者”以写其不同姿态，使人有目不暇接之感，作者同时有《系舟下牢溪游三游洞二十八韵》诗，记所见山水奇景，可以合看：

……及兹下牢戍，峰嶂毕自呈。下入裂坤轴，高骞插青冥，角胜多列峙，擅美有孤撑。或如釜上甑，或如坐后屏，或如倨而立，或如喜而迎。或深如螺房，或疏如窗棂，峨巍冠冕古，婀娜髻鬟倾。其间绝出者，虎搏蛟龙狞。崩崖凛欲堕，修梁架空横，悬瀑泻无底，终古何时盈？幽泉莫知处，但闻珩珮鸣。怪怪与奇奇，万状不可名……

诗中"或如"诸句，状拟群峰体态，较游记所述，更为形象化。散文叙写简洁，古体诗则多事铺陈，这种手法，直接源于韩愈的《南山诗》。韩诗写终南山全貌，层层面面，曲尽形容。如"或连若相从，或蹙若相斗；或妥若弭伏，或竦若惊雊"等，连用五十一个"或"字，前人对之褒贬互见。贬者以为曼冗、辞费。近代程学恂《韩诗臆说》所论最为体贴精到，他说："读《南山诗》，当如观《清明上河图》，须以静心闲眼，逐一审谛之，方识其尽物类之妙；又如食五侯鲭，须逐一咀嚼之，方知其极百味之变。"读陆游此文及诗，对所写下牢关周围山景，亦当持此心眼，方不致囫囵读过。

下半篇写入三游洞的历程与感受。洞在下牢溪北。从前白居易自江州司马迁授忠州刺史，与弟行简同行，于唐宪宗元和十四年(819)春会元稹于夷陵，三人始游此洞，故名之为"三游洞"。居易有《三游洞序》述发现此洞的经过：

翌日，微之反棹送予至下牢戍。又翌日，将别未忍，引舟上下者久之。酒酣，闻石间泉声，因舍棹进，策步入缺岸。初见石，如叠，如削，其怪者如引臂，如垂幢。次见泉，如泻，如洒，其奇者如悬练，如不绝线。遂相与维舟岩下，率仆夫芟芜刈翳，梯危縋滑，休而复上者凡四五焉。仰睇俯察，绝无人迹，但水石相薄，磷磷凿凿，跳珠溅玉，惊动耳目，自未讫戌，爱不能去。

陆游至三游洞时，距前人初游又已三百五十年，当地景物，无论自然与人为的均有变化(如已有“石磴二里”,又“钟乳岁久垂地若柱”了),就是经行路线也有不同,故所写及,有同有异:白所着重者水石,而陆仅一笔带过;陆所详叙者洞穴,而白未及之。盖寻幽探险,所经所感,未必尽同,各自写得真实生动,便都是好文字了。

名胜、古迹,往往连称,故揽胜与访古,是游历内容中的两大项。本篇最后记述的北宋欧阳修、黄庭坚两家石刻题名,也很有资料价值,不可忽视。欧阳修被贬为夷陵令,于仁宗景祐四年(1037)继游,有《三游洞》诗。黄庭坚谪涪州别驾黔州安置,哲宗绍圣二年(1095)三月道经下牢关,游此洞;五年后徽宗即位,得放还,复至三游洞,慕白氏之言行文章,自写《三游洞序》刻石立之,有《跋自书乐天三游洞序》。另外,苏轼父子兄弟三人,仁宗嘉祐四年(1059)自家乡眉山赴京师,入嘉陵江,经长江出峡,同游三游洞,各有一绝句题于洞壁,时人谓之“后三游”。三游洞景物本奇,再经两代众多著名文学家留下纪游诗文,题名石刻,更增声价。陆游前题诗续云:“题名欧与黄,云蒸苍藓平。”盖又经过百年上下,有自然剥泐痕迹了。若无陆游此记,数百年后,将泯灭无存,岂不可惜!

(陈振鹏)

肃王与沈元用

原文

肃王[①]与沈元用[②]同使虏[③]，馆于燕山愍忠寺。暇日无聊，同行寺中，偶有一唐人碑，辞皆偶俪，凡三千余言。元用素强记，即朗诵一再；肃王不视，且听且行，若不经意。元用归，欲矜其敏，取纸追书之，不能记者阙之，凡阙十四字。书毕，肃王视之，即取笔尽补其所阙，无遗者，又改元用谬误四五处，置笔他语，略无矜色。元用骇服。

——《老学庵笔记》

〔注〕

① 肃王：名赵枢，宋徽宗的第五个儿子，封肃王。
② 沈元用：沈晦，字元用，徽宗宣和年间状元，历任建康、镇江等地知府。
③ 虏：这里指长期与宋对峙的金国。

鉴赏

这是一场记忆力比赛的有趣实录。参加比赛的一方是沈元用，他很想夸耀自己的才思敏捷，三千多字的唐代碑文，他只朗读了几遍，就能全部默写在纸上，虽有缺漏讹误，但为数极少，这样的记忆力已经是很高超的了。然而更使人惊叹不已的，是参加比赛的另一方肃王赵枢，他没有看碑文一眼，你在朗诵，他且听且行，像是漫不经心的样子，等你把碑文默写完，他不假思索地立即把你缺漏的字补上，讹误的字一一改正过来，然后放下笔来谈论别的事情，一点没有表现出骄傲的颜色。故事全文着墨不多，但把肃王和沈元用两人的神态写得栩栩如生，特别是把沈元用的“欲矜其敏”和肃王的“略无矜色”对照起来写，更加使读者觉得肃王这人的记忆力实在是神乎其神。

（陈榕甫）

秦会之在山东[①]

原文

秦会之在山东，欲逃归，舟楫已具，独惧虏[②]有告者，未敢决。适遇有相识稍厚者，以情告之。虏曰："何不告监军？"会之对以不敢。虏曰："不然！吾国人若一诺公，则身任其责，虽死不憾；若逃而获，虽欲贷，不敢矣。"遂用其言告监军。监军曰："中丞[③]果欲归耶？吾契丹[④]亦有逃归者，多更被疑，安知公归而南人以为忠也。公若果去，固不必顾我。"会之谢曰："公若见诺，亦不必问某归后祸福也。"监军遂许之。

——《老学庵笔记》

〔注〕

① 秦会之：即秦桧，南宋投降派代表人物。山东：宋代置京东路，辖境相当于今山东省大部分、河南省东北角和江苏省西北角；金军占领后改为山东路。

② 虏：这里指金人。

③ 中丞：秦桧曾任北宋政府御史中丞。

④ 契丹：这里指契丹人建立的辽国，后被金军灭亡，这个监军应是辽亡后降金的契丹人。

鉴赏

秦桧是我国历史上臭名昭著的奸相。公元1127年北宋灭亡时，秦桧正在朝中任御史中丞，因他曾经发表过激烈的抗金言论，被金军俘解到了北方，但他一到金朝就卖身投靠女真贵族，成了金太宗之弟挞懒的亲信。公元1130年秦桧带着老婆王氏随金军南下山东，从涟水航海到越州，自称乘隙杀死金军监视人员，夺船逃回南宋，实在是女真贵族特意放他回来从事投降活动的。本文所记叙的就是当时的实情。全文着墨不多，只用几段简短的对话，就把人物的内心活动表现得十分鲜明。秦桧早有逃回南宋之意，却要事先告诉金人，取得金人的许可；金人本想放走秦桧，却要在临行前对他作出种种暗示，甚至说出"安知公归而南人以为忠也"这样露骨的话来，这样看来，秦桧在回到南宋以后所从事的种种投降活动，就都是在与女真贵族默契之下进行的了。所有这些，在本文中都写得十分生动逼真，读来令人惊心动魄。

（陈榕甫）

烟艇记

原文

陆子寓居得屋二楹[①]，甚隘而深，若小舟然，名之曰烟艇。客曰："异哉！屋之非舟，犹舟之非屋也。以为似欤，舟固有高明奥丽逾于宫室者矣，遂谓之屋，可不可耶？"

陆子曰："不然，新丰非楚[②]也，虎贲非中郎[③]也，谁则不知。意所诚好而不得焉，粗得其似，则名之矣。因名以课实，子则过矣，而予何罪？予少而多病，自计不能效尺寸之用于斯世，盖尝慨然有江湖之思，而饥寒妻子之累劫而留之，则寄其趣于烟波洲岛苍茫杳霭之间，未尝一日忘也。使加数年，男胜钼犁，女任纺绩，衣食粗足，然后得一叶之舟，伐荻钓鱼而卖芰芡，入松陵[④]，上严濑[⑤]，历石门、沃洲[⑥]，而还泊于玉笥[⑦]之下，醉则散发扣舷为吴歌，顾不乐哉！虽然，万钟之禄[⑧]，与一叶之舟，穷达异矣，而皆外物。吾知彼之不可求，而不能不眷眷于此也。其果可求欤？意者使吾胸中浩然廓然，纳烟云日月之伟观，揽雷霆风雨之奇变，虽坐容膝之室[9]，而常若顺流放棹，瞬息千里者，则安知此室果非烟艇也哉！”绍兴三十一年八月一日记。

——《渭南文集》

〔注〕

① 楹：计屋标准，一般都以屋一间为一楹。
② 新丰非楚：汉高祖刘邦，楚丰县(今属江苏)人。高祖称帝，建都长安，因太上皇思归故里，乃于故秦骊邑仿丰地街巷筑城并将丰县的故人一齐搬来，以取悦太上皇。新丰故城在今陕西西安临潼区。
③ 虎贲中郎：蔡邕，后汉名士，为王允所杀。其友孔融见到虎贲士(武士)的面貌和蔡相似，引与同座饮酒，并曰："虽无老成人，尚有典型。"
④ 松陵：地名，在浙江绍兴、桐庐间。
⑤ 严濑：水流沙上曰濑。严濑在浙江桐庐县，因严光(子陵)隐居此地而得名。
⑥ 石门、沃洲：石门山在浙江青田县西，沃洲山在浙江新昌县东。
⑦ 玉笥：山名，在浙江绍兴市东南。
⑧ 万钟之禄：六斛四斗为一钟。万钟之禄，古代高官的俸禄。
⑨ 容膝之室：极狭小的居室。

鉴赏

绍兴三十一年(1161)，陆游在临安从敕令所删定官调任大理寺司直，寓居“百官宅”。据《乾道临安志》记载，百官宅属“府第”

类，在石灰桥。一时名流周必大、李浩亦同时寓此，与陆游连墙为邻。而本文记述，他所住的小屋仅二间，“甚隘而深，若小舟然”，所以取了一个颇使人感到奇怪的名字：“烟艇”。文章就由这取名的奇特而引起——一位客人就代我们向作者提出了这个疑问：“屋是屋，舟是舟，屋之非舟，就像舟之非屋。若您认为二者有相似之处，所以把小屋取名为‘烟艇’；那么，有些舟船的高大明亮、深邃富丽甚至超过了宫室，您难道也把这些舟船称之为‘屋’吗?”对此，就引发了作者一大通的议论，而其主旨即在于下面这句：“意所诚好而不得焉，粗得其似，则名之矣。”也就是说，作者虽然身困于小屋之中，但心所向往的却是“烟艇”，现在二者既有某些相似，那就何不借给小屋取名为“烟艇”，以之寄托自己的志趣，填补“求而不得”的心理缺憾？文章就用“逗人悬念”的方法开头，然后结出本文的主题：“虽坐容膝之室，而常若顺流放棹。”——即是：身居陋室而心怀烟波浩渺的隐逸生活。

这里，有一个问题应该说清：在古代文学作品中，“烟艇”这个词语实际已成了隐逸生活的象征。古代文学作品中常有这样的现象：某些词语，或某种意象，由于历代作者反复在相似的感情环境中使用，因而就变成了一种特定的感情符号或感情象征，其中凝聚了一定的心理积淀，蓄储了一定的心理信息。比如，一提到“寒砧”二字，人们便会联想到闺妇对于征夫的思怨；而一提到“长亭”二字，人们心头马上又会涌现出“两情依依，难舍难分”的心理体验。而本文题目所标的“烟艇”二字，也同是这样一个“感情象征”；它所象征的，便是人们对于“放舟乎烟波之中”的隐逸生活的无限向往之情。这个“感情象征”的形成，时间很早，其源似乎可以推溯到《史记》中所记载的范蠡，他于辅助勾践灭吴之后“乃乘扁舟，浮于江湖”。这里就隐约出现了“烟艇”的“雏形”。后来，有许许多多文人又进一步对之“加工”，就形成了对于“烟艇”的更加生动优美的描绘。举其最常见者，如中唐人张志和，自称“烟波钓徒”，其平生大愿是“浮家泛宅，往来苕、霅间”；而他的“青箬笠，绿蓑衣，斜风细雨不须归”的《渔父》词，就更为他的“烟艇”生活披上了一层“诗”的美丽外衣。再如苏轼，在他有名的《前赤壁赋》中也出现过如此旷逸的意境：“纵一苇之所如，凌万顷之茫然”，“驾一叶之扁舟，举匏樽以相属”。这里的“一苇”和“一叶扁舟”，实际上也就是“烟艇”的另一种表现形式。至于陆游本人，他对“烟艇”生活亦即隐逸生活的向往，我们更可举《澄怀录》中其对朱敦儒隐居生涯的记述为例：“朱希真居嘉禾（按，今浙江嘉兴），与朋辈诣之。闻笛声自烟波起，顷之，棹小舟而至，则与俱归。”请看，朱敦儒放舟于烟波之间，吹短笛而唱渔歌的隐逸生活就是何等逍遥自在，优哉游哉！所以，陆游把自己的小屋命名为“烟艇”，就明显地寄寓着他对这类隐逸生活“虽不能至，然心向往之”的无限企慕之情。对于这种生活理想，他在本文里也作了具体而生动的描写：“得一叶之舟，伐荻钓鱼而卖芰芡，入松陵，上严濑，历石门、沃洲，而还泊于玉笥之下，醉则散发扣舷为吴歌，顾不乐哉！”在这段话中，我们似乎看到了古代无数高人隐士的身影，也似乎预见了他在晚年所作《鹊桥仙》词中所勾画的“自我形象”：“一竿风月，一蓑烟雨，家在钓台西住。卖鱼生怕近城门，况肯到红尘深处？　　潮生理棹，潮平系缆，潮落浩歌归去。时人错把比严光，我自是无名渔父。”故而，陆游之为小屋取上一个奇特的“烟艇”之名，实有深意存焉。

现在需要进一步探究的问题是：陆游当时正值初入仕途之

际，又年当身健力壮之龄（三十七岁），照理，一个人产生隐逸之思常是在倦于官场及年晚力衰之时，但现今为何提前出现了这种欲求退隐的心理倾向？对此，我们仍应从本文的字里行间去细求。文中一曰："予少而多病，自计不能效尺寸之用于斯世，盖尝慨然有江湖之思。"二曰："饥寒妻子之累劫而留之，则寄其趣于烟波洲岛苍茫杳霭之间。"这就提供了两方面的答案：第一，作者其实早有"用世"之大志（他早在三十一岁所作的《夜读兵书》诗中就说过"平生万里心，执戈王前驱"），但因投降派的打击（他三十岁赴礼部试时本名列前茅，却为秦桧所黜落），迟迟未能伸展其大才。现今虽在京师任职，然而仍"不能效尺寸之用于斯世"，所以就自然而产生那种思欲归隐的思想。第二，作者尚有生计之累，于此，也生发了"做官不如回家种田打鱼"的牢骚。故而，陆游之名其小屋为"烟艇"，一方面是表达了自己从中国士大夫传统思想中承传而得的隐逸情趣，另一方面却又可以看作是他怀才不遇、不满现实的愤懑情绪之表露。只有把这两方面综合起来看，始能比较全面与深刻地认识他此时此地的复杂心态。

中国古代文人常会遇到这样的心理矛盾：是"入世"好，还是"出世"好？是为国家建功立业好，还是退隐江湖，做一个高人隐士好？在他们看来，这两方面就像"鱼"与"熊掌"那样，都是"我所欲也"却又"不可得兼"。于是，便出现了李商隐那种思欲"调和"或"统一"这二者的诗句："永忆江湖归白发，欲回天地入扁舟。"（《安定城楼》）也就是说："隐逸江湖"之思，是终身所怀的愿望；不过，真正的归隐，当在干过一番回天转地的大事业、两鬓斑白之后方始心安理得地实行。可惜的是，这种理想除开极少数人（如范蠡）外，几乎都无法做到。因而，陆游在本文中就改从另一个角度来表述他那既不能效功于当世又不能真正归隐江湖，既身困于陋屋闲官又心怀故乡田园的苦恼；而如果再深一层挖掘，我们便可从其“反面”发现，作者的真正愿望却仍在李商隐的那两句诗中！这样，我们通过“剥笋抽茧”式的分析，就能透过其表层的翳障而直探其心灵奥区：本文实际是以旷逸之语来发泄他思欲用世而不能的苦闷——果然，在此文写后不久，陆游便有机会积极投身于当时的抗金北伐战争中去了（先是上书《代乞分兵取山东札子》，主张北伐；后是改调镇江通判，筹划军事）；到那时，我们既不见了他困于“饥寒妻子之累”的倦色，也听不到他“自计不能效尺寸之用于斯世”的喟叹，而只看到一位“壮岁从戎，曾是气吞残虏”（《谢池春》词）的爱国志士，正奔忙出没于抗金前线……

根据以上分析，本文在写作上的特点，除开其发端的故设悬念、引人好奇之外，主要还在于它的借题发挥和弦外有音。“借题发挥”是指借给小屋取名为“烟艇”来抒发他那“身在魏阙，心存江湖”的隐逸志趣；“弦外有音”又是指它的表面作旷达语而实际寓“英雄无用武之地”的牢骚——作者在他后来回忆这段“百官宅”的生活时，尚有诗曰：“簿书衮衮不少借，怀抱郁郁何由倾？”（《往在都下时，与邹德章兵部同居百官宅，无日不相从……》）特别对于这后一点，读者须细心体味，方能察其真谛。

（杨海明）

跋李庄简公家书

原文

李文参政[①]罢政归乡里时，某[②]年二十矣。时时来访先君[③]，剧谈终日。每言秦氏[④]，必曰"咸阳[⑤]"，愤切慨慷，形于色辞。一日平旦[⑥]来，共饭，谓先君曰："闻赵相[⑦]过岭，悲忧出涕。仆不然，谪命下，青鞋布袜[⑧]行矣，岂能作儿女态耶！"方言此时，目如炬，声如钟，其英伟刚毅之气，使人兴起。后四十年，偶读公家书，虽徙海表[⑨]，气不少衰，丁宁训戒之语，皆足垂范百世，犹想见其道"青鞋布袜"时也。淳熙戊申[⑩]五月己未，笠泽[⑪]陆某题。

〔注〕

① 丈：对长辈的尊称。参政：参知政事(副宰相)。
② 某：陆游自称。
③ 先君：指自己已死的父亲陆宰。
④ 秦氏：秦桧。
⑤ 咸阳：以秦国都城咸阳代指"暴秦"，借指秦桧。
⑥ 平旦：清晨。
⑦ 赵相：指赵鼎，宋高宗时曾两度为相。与秦桧不合，被贬岭南，后绝食而死。
⑧ 青鞋布袜：用杜甫《奉先刘少府新画山水障歌》句："吾

独胡为在泥滓，青鞋布袜从此始。”此指平民服装。

⑨ 徙：迁谪。海表：海外。李光先贬琼州（治所在今海南海口琼山区）八年，后移昌化军（治所在今儋州市西北旧儋县）三年。两地均在海南岛，故云“海表”。

⑩ 淳熙戊申：宋孝宗淳熙十五年（1188）。

⑪ 笠泽：太湖。陆游祖籍甫里（今江苏苏州东南甪直镇），地滨太湖，故自署里居为“笠泽”。

鉴赏

李庄简公即李光，字泰发，越州上虞（今属浙江）人，宋徽宗崇宁年间进士。知平江府常熟县时，权奸朱勔之父朱冲在乡里鱼肉百姓，李光不畏强暴，惩治其家童，朱冲对李施加压力，李不为屈。任太常博士之职时，因上书抨击士大夫的谀佞成风，触犯了另一权贵王黼，被改官桂州阳朔（今属广西）。靖康元年金兵逼京师，在朝士大夫有五十多人弃职逃跑，朝廷对其中某些人有所庇护，李光又上书加以批评。故在北宋末年，他即以刚直敢言著称于朝。南渡后任参知政事，力主抗战，与奸相秦桧发生尖锐的正面冲突。一次，当着高宗和秦桧的面，指责秦桧“盗弄国权，怀奸误国”，故而遭到秦桧一党的打击报复和诬陷迫害，屡次被贬，曾谪居海南岛八年之久。而在被贬之后，仍旧意志坚强，风骨凛然，“论文考史，怡然自适，年逾八十，笔力精健”（《宋史》本传）。缘此，他被后人尊称为“南宋四名臣”（其余三人是李纲、赵鼎、胡铨）之一。

李光是陆游的同乡，又是其父陆宰的好友。对于这样一位爱国的前辈，陆游是深怀敬仰之情的。除了这篇《跋李庄简公家书》

以外，陆游另在其《老学庵笔记》中也记述过李光的事迹，可与此篇相互参读：

李庄简公泰发奉祠还里，居于新河。先君筑小亭曰千岩亭，尽见南山。公来必终日，尝赋诗曰："家山好处寻难遍，日日当门只卧龙。欲尽南山岩壑胜，须来亭上少从容。"每言及时事，往往愤切兴叹，谓秦相曰"咸阳"。一日来坐亭上，举酒属先君曰："某行且远谪矣。'咸阳'尤忌者，某与赵元镇(即赵鼎)耳。赵既过峤，某何可免？然闻赵之闻命也，涕泣别子弟；某则不然，青鞋布袜即日行矣。"后十余日，果有藤州之命。先君送至诸暨，归而言曰："泰发谈笑慷慨，一如平日。问其得罪之由，曰：'不足问，但咸阳终误国家耳。'"

两文所记李光的逸事，大体相同，写作时间也相近。《笔记》写于六十五岁至六十九岁间退居山阴时，《跋》文写在六十四岁知严州将近任满之时，此后陆游便大多数时间居住山阴故里。这篇《跋》文，因捧读李光的遗文所引发，其主旨在于要从这位爱国的前辈身上获得精神鼓舞，并以之自勉自励。所以它虽是记人记事之作，然其侧重点却在于表现人的精神面貌，为李光的浩然正气和凛然风骨"立传写照"。明乎这种写作动机，我们对于本文的重在揭示人物的"神气"，就可理解得更深些。

全文共写了李光的三件事：第一是李光罢官回乡之后，斗争精神毫不衰减。他经常与志同道合的朋友陆宰剧谈国事，这一则以见他和陆家的友谊之深，二则更见他的"位卑未敢忘忧国"。而在谈到那个权势熏天的政敌秦桧时，他竟公然比之为暴秦，呼为

"咸阳"，且"愤切慨慷，形于色辞"，这在当时就需有何等的胆量与骨气！中国古代士大夫素有"不在其位不谋其政"的传统和"明哲保身"的人生哲学，李光却一反其道而行之，这就显现了他不畏强暴、耿直刚烈的性格特征和精神风貌。第二是罢官之后即将再遭流放的打击前夕，他非但不畏惧悲切，反而坦然做好了"青鞋布袜"之行的思想准备。陆游在此首先引述了李光临行前的一段壮言："闻赵相过岭，悲忧出涕。仆不然，谪命下，青鞋布袜行矣，岂能作儿女态耶?"言为心声，这一番铁骨铮铮的话就为读者敞开了这位无私无畏的男子汉大丈夫的坦荡心扉，令人肃然起敬。我们知道，宋代士大夫的心态比之汉、唐士大夫来，素有偏"柔"的倾向，这与宋代国力的长期不振和统治者的羁縻政策有关。即如李光所提到的那位赵鼎(他在高宗时曾两度拜相)，当他遭秦桧陷害被贬海南岛时，也不禁老泪纵横，在途中写下了这样凄楚哀婉的《贺圣朝》词："征鞍南去天涯路，青山无数。更堪月下子规啼，向深山深处。　凄然推枕，难寻新梦，忍听伊言语?更阑人静一声声，道不如归去。"而相比之下，李光却是显得那样地从容，那样地坦然毅然，这就越发显得可贵了。据说文天祥被囚元都，宁死不降之时，有人曾叹曰："赵宋三百年间，仅出了这一个男子汉!"此话其实不确。像李光这样临难不惧、绝不作半点妮子态的人物，也同样绰有资格载名于宋朝的"正气篇"史册之上！而更为难得的是，陆游在这篇字数甚少的短文之中，又不惜花费笔墨在李光言后加上了这样几句描绘："方言此时，目如炬，声如钟，其英伟刚毅之气，使人兴起。"这就"画龙点睛"地传达出了李光那目光炯炯、声若洪钟的神情仪态，以及他那虎虎有生气的精神面貌，使人如闻其声，如见其形，更深见他那凛然的风骨和崇高的节操。所以这段记其临行之文，不仅绘形，更其传神，表现出作者从司马迁那里继承来的“史家手笔”。第三件事写的是读李光家书的观感：“后四十年，偶读公家书，虽徙海表，气不少衰，丁宁训戒之语，皆足垂范百世。犹想见其道‘青鞋布袜’时也。”这里，突出的一点仍是一个“气”字。也就是说，尽管李光被贬海南岛时，已是近七十岁的老人，然而其家书中却仍充溢着刚直之气，犹自叮咛子孙辈坚守节操；也尽管斯人已殁，但他留在遗文中的训导，却足以让百世之后的人们奉为精神楷模，这也够得上是“浩气长存”了。所以陆游此处所用的“气不少衰”四字，虽源出于苏辙评苏轼贬海南岛后所作诗篇“精深华妙，不见老人衰惫之气”（《东坡先生和陶渊明诗引》），然而比苏文更深一层地揭示了李光的家书不仅“为文之气”未尝“少衰”，而且其“英伟刚毅”的“为人之气”也未减退。故而总观全文，语仅寥寥，但由于作者善于从“气”字入手，选择李光一生中具有代表性的、光彩照人的几个片断来写，因此便收到了“语约而意丰”的艺术功效。陆游论文和论人，都主张“以气为主”。其《上殿札子》有云：苏轼之文，“妙在于气高天下者……臣窃谓天下万事，皆当以气为主，轼特用之于文尔”。他自己的这篇《跋》文，就重在表现李光的凛然正气；而在记人记事时，又因融和了对于李光的敬仰和对于自身的感慨，所以笔端带有感情，富有浑灏深沉的“文气”。因此不仅是作者本人从李光的身上获得了自我鞭策、自我勉励的精神力量，就是今天的读者，也仍可从中汲取爱国主义的思想营养。

（杨海明）

跋傅给事[1]帖

原文

绍兴[2]初，某甫成童，亲见当时士大夫相与言及国事，或裂眦嚼齿，或流涕痛哭。人人自期以杀身翊戴王室，虽丑裔[3]方张，视之蔑如也。卒能使虏消沮退缩，自遣行人[4]请盟。会秦丞相桧用事，掠以为功，变恢复为和戎[5]，非复诸公初意矣。志士仁人抱愤入地者可胜数哉！今观傅给事与吕尚书[6]遗帖，死者可作，吾谁与归？嘉定二年七月癸丑陆某谨识。

〔注〕

① 傅给事：即傅崧卿，浙江山阴人，徽宗时省试第一，官至考功员外郎。因反对徽宗迷信方士林灵素，贬为蒲圻县丞。高宗时，召为中书门下省检正诸房公事，极力主张建都建康(今江苏南京)，以图复国。后积极从事抗金斗争，晋升为给事中，未及大用而卒。著有《樵风溪堂集》《西掖制诰》等。

② 绍兴：宋高宗年号(1131—1162)。

③ 丑裔：丑恶的夷狄，指金。

④ 行人：使者。

⑤ 和戎：南宋初年用作对敌屈服的替代词。

⑥ 吕尚书：吕祉，福建建阳人，绍兴七年(1137)迁兵部尚书。

鉴赏

本文作于宋宁宗嘉定二年(1209),时作者八十五岁。以衰老之躯抱疾捧读爱国前辈傅崧卿的遗文,回顾往事,感叹时局,陆游不禁悲愤交集,于是援笔而书此文。文字虽短,而所寓实深,将其"痛哭流涕长叹息"的深恨巨痛尽于此沉痛悲愤的笔墨中曲折表出,可谓纸短情长,感人至深。

宁宗嘉泰四年(1204),韩侂胄定议北伐抗金。是年五月追封岳飞为鄂王,二年后追论秦桧主和误国之罪,削夺王爵,改谥"缪丑"。(秦桧死后曾被高宗赐赠"申王",谥"忠献"。)这实际是为北伐做好舆论上的准备,但北伐很快失败,史弥远等人采用阴谋手段杀害韩侂胄,并将其首级献金国以作"议和"的代价之一(此外是输银赔款)。缘此,南宋朝廷内一度高涨的主战派力量顿被压抑,而由史弥远等主和派执掌实权。嘉定元年(1208)三月,秦桧又被追复王爵和以前的谥号,这明显标志了投降路线的卷土重来与甚嚣尘上。

面对这样的政治形势,虽已年迈且退居山阴农村很多年的陆游,却时时未肯忘怀国事。他在八十五岁所作的《读史》诗中写道:"萧相守关成汉业,穆之一死宋班师。赫连拓跋非难取,天意从来未易知。"诗中指出,敌人(以南北朝时夏的赫连氏和北魏的拓跋氏代指金)不是无法可以破灭的,问题只在于当前缺少萧何、刘穆之(这两位都是历史上的贤相)这样的人才。而在同一年所写的本篇跋文中,陆游就更加明确地指出:士大夫的士气及当权派的政策(特别是后者),乃是决定国家形势的关键因素。文章先从宋高宗绍兴初年的情况谈起。那个时候,南宋立国未稳,形势危急,但是由于士大夫们同仇敌忾,士气高涨,所以"卒能使虏消沮退缩,自遣行人请盟",打破了金国消灭南宋的美梦，从而获得了军事势力上的平衡与对峙。在讲述这段往事时，陆游采用了形象化的文笔："某甫成童，亲见当时士大夫相与言及国事，或裂眦嚼齿，或流涕痛哭。"（他在另一篇《傅给事外制集序》中又这样说过："每言虏，言叛臣，必愤然扼腕裂眦，有不与俱生之意。"）这样便先在外貌形态上写出了这辈爱国士大夫的忧心如焚和痛不欲生。接着又写他们的内心世界："人人自期以杀身翊戴王室，虽丑裔方张，视之蔑如也。"这就更深一层地揭示了他们蔑视外敌、献身抗金事业的高涨士气。在这种情势下，凶恶的敌人便不得不"自遣行人请盟（按，指答应'和议'）"。然而文笔至此立刻一转："会秦丞相桧用事，掠以为功，变恢复为和戎，非复诸公初意矣。"这短短几句，就深刻揭露了秦桧的投降派嘴脸，并把他绑缚于历史的耻辱柱上。它指出：第一，秦桧的得以与金媾和，是一种"掠以为功"的不光彩行为，它所凭仗的便是岳飞、韩世忠等爱国将领的浴血奋战；否则，金人是决不会轻易停止进攻南宋的。第二，秦桧变"恢复"的抗战政策为"和戎"（实为屈辱求和）的投降政策，实际已非"诸公初意"，而是一种背叛和篡改的卑鄙举动，真是罪莫大焉！在这种情势下，士气受到压抑，爱国力量受到摧残，"志士仁人抱愤入地者可胜数哉"！读到这句，我们可想见陆游的极度愤懑与极度气愤，几欲令人肝胆怒张、两鼻发酸！在这些"抱愤入地"的志士仁人中，我们不难联想到在那风波亭上被冤杀的岳飞父子，谪贬岭南被迫绝食身亡的赵鼎，以及本文所谈到的这位极有爱国气节然"未及大用而卒，时人惜之"（《浙江通志·傅崧卿传》）的傅给事，还可以联想到在写本文的两年以前赍志以殁的作者的好朋友辛弃疾（据称他死后祠堂中还有"疾声大呼""若鸣其不平”)……这些志士仁人的抱愤而死，就都是秦桧（以及当时的史弥远之流）投降主义路线的罪恶结果。陆游在此虽仅下一语，然而笔力千钧，峻刻无比，一方面使读者至此“忠愤气填膺，有泪如倾”（宋张孝祥《六州歌头》词），另一方面又使秦桧等卖国贼所犯下的历史罪行变成白纸黑字而千载难“赖”了。回顾往事既毕，作者又把笔触收回到跋语上来：“今观傅给事与吕尚书遗帖，死者可作，吾谁与归？”这实际是在“感叹时事”，大有“微言大义”在其言外。“死者”两句，语出《礼记・檀弓下》：“死者如可作也，吾谁与归？”现实的环境中既由史弥远等人在掌权——不仅他本人就执行着秦桧的“和戎”政策，而且还毫不掩饰地重新为秦桧“评功摆好”（为其追复王爵和谥号），那么还有谁再堪作为自己精神的榜样与理想的寄托呢？所以，以八五之高龄，陆游只能在傅崧卿这位爱国前辈的遗文中，寻觅爱国情感的共鸣，寄托报国无门的愤慨。“死去元知万事空，但悲不见九州同”，跋文结尾所暗寓的“朝中无人”之悲，与同是这一年所作的《示儿》诗中所写的中原未复之恨，本是一脉相通的：正是由于投降派的阻挠，故而造成了“九州未同”的悲剧。陆游的这篇跋文，正是意在揭露秦桧、史弥远之流摧残爱国志士、消沮爱国士气而导致南宋无力复国的历史教训。虽然它有过高估计士大夫“士气”作用和忽视人民力量的偏向，然其用意是深刻的，所揭示的教训也是发人深思的。而在行文方面，尽管它写于垂暮之年，但文笔却未见衰惫而更显老辣，表现出爱憎分明的鲜明政治倾向。如其写成童时所见士大夫之刚毅与沉痛之貌，“或裂眦嚼齿，或流涕痛哭”，何等令人肃然起敬！又如写到“志士仁人抱愤入地者可胜数哉”一句时，又是何等令人扼腕愤慨！短文之中能具备这样的艺术感染力，究其原由，正如作者评论傅崧卿之文那样，在于“出处无愧，气乃不挠”(《傅给事外制集序》)，其中充溢着他至老不衰的爱国感情和痛恨投降派的凛然正气。

（杨海明）

姚平仲小传

原文

姚平仲字希晏，世为西陲大将[①]。幼孤，从父古养为子。年十八，与夏人战臧底河[②]，斩获甚众，贼莫能枝梧[③]。宣抚使童贯召与语，平仲负气不少屈，贯不悦，抑其赏，然关中豪杰皆推之，号“小太尉[④]”。睦州盗[⑤]起，徽宗遣贯讨贼，贯虽恶平仲，心服其沉勇，复取以行。及贼平，平仲功冠军，乃见贯曰：“平仲不愿得赏，愿一见上耳。”贯愈忌之。他将王渊、刘光世皆得召见，平仲独不与。钦宗在东宫，知其名，及即位，金人入寇，都城受围，平仲适在京师，得召对福宁殿，厚赐金帛，许以殊赏。于是平仲请出死士斫营擒虏帅以献。及出，连破两寨，而虏已夜徙去。平仲功不成，遂乘青骡亡命，一昼夜驰七百五十里，抵邓州[⑥]，始得食。入武关[⑦]，至长安，欲隐华山，顾以为浅，奔蜀，至青城山上清宫[⑧]，人莫识也。留一日，复入大面山[⑨]，行二百七十余里，度采药者莫能至，乃解纵所乘骡，得石穴以居。朝廷数下诏物色求之，弗得也。乾道、淳熙[10]之间始出，至丈人观道院[11]，自言如此。时年八十余，紫髯郁然，长数尺，面奕奕有光，行不择崖堑荆棘，其速若奔马。亦时为人作草书，颇奇伟，然秘不言得道之由云。

〔注〕

① 世为西陲大将：西陲，西部边境。姚平仲，五原（在今内蒙古自治区）人，祖父姚兕、叔祖姚麟、伯父姚雄、父姚古，皆镇守西北边境，抗御西夏。

② 臧底河：地名，未详何处，当在今内蒙古。

③ 枝梧：抗拒。

④ 小太尉：太尉，秦代官名，掌军事。狄青平西夏有功，曾官居枢密使。宋人唤枢密使为“太尉”，故“小太尉”恐是当时人赞扬姚平仲堪与狄青相比的美称。

⑤ 睦州盗：指方腊。宣和二年（1120）方腊在睦州（今浙江桐庐、建德、淳安一带）起义，次年战败被俘，在东京就义。

⑥ 邓州：故治在今河南邓州。

⑦ 武关：在陕西商南县西北。

⑧ 青城山：在四川都江堰市西南，为道教名山，山上有上清宫。范成大《吴船录》卷上：“自丈人观西登（青城）山，五里至上清宫，在最高峰之顶，以板阁插石作堂殿，下视丈人峰，直堵墙耳。”

⑨ 大面山：宋王象之《舆地纪胜》：“永康军：大面山，在三溪之北，前临成都。山众峰攒秀，高七十二里。”范成大《吴船录》卷上：“岷山之最近者曰青城山，其尤大者曰大面山，大面山之后，皆西戎山矣。”

⑩ 乾道、淳熙：乾道(1165—1173)、淳熙(1174—1189)，皆为宋孝宗年号。

⑪ 文人观：王象之《舆地纪胜》："文人观，在青城山，即建福宫也。"范成大《吴船录》卷上："夜宿丈人观。观在丈人峰下，五峰峻峙如屏。观之台殿，上至岩腹。"

鉴赏

在一般人的心目中，陆游似乎只是一位诗人。其实，陆游的才能是多方面的，他既写诗，又写词，还擅长于写散文；而除此以外，他还是一位历史学家——他所写的《南唐书》比起马令所写的同名著作来，就显得高明得多。《四库提要》评马令的《南唐书》为"不免芜杂琐碎""尤繁不当繁""不及陆游重修之本"；而评陆游的《南唐书》为"尤简核有法"，叙述"简洁"。可知二书之优劣。本篇《姚平仲小传》，记述了两宋之交一位名将的生平事迹，由此也可见陆游史笔之一斑。而由于元人所修的《宋史》中无姚的传记，仅在其父姚古及种师道传中简单带上一笔，故而此文可补史传之不足。

本文在交代过姚平仲的身世("世为西陲大将，幼孤，从父古养为子")以后，主要叙述了姚的三段事迹：第一是少年崭露头角，然遭人妒忌与压抑。文中记他十八岁即大败西夏，扬名边陲，但因"负气不少屈"而得罪了童贯，因此受赏不及其功。后来方腊起义于浙江，童贯不得不借助平仲"破贼"；事成之后；功数第一的平仲"不愿得赏，愿一见上耳"，但童贯却忌恨更深，终于阻挠了徽宗的接见。这一段文字虽很简短，但已初步勾勒出姚的少年英雄风貌和他那蔑视权贵的性格特征，同时，又揭露了童贯的卑鄙心术和朝廷的昏庸面目。这种把人物置于“双向矛盾”(一是对战场上的敌人,二是对朝廷里的奸臣)中来刻画的写法,不仅写出了他的事迹(主要是战功),而且写活了他的个性(年少气盛,不媚权贵),可谓大处落墨、形神兼备。而尤堪称道的是作者对童贯的描述:“心服其沉勇”而“愈忌之”。寥寥数语,便把他那嫉贤妒能的丑恶嘴脸揭露无遗,这就是传统所谓的“春秋笔法”,于中寄寓着陆游的爱憎态度。第二是记述平仲中年奇袭金兵而未获成功的憾事。靖康元年(1126),金兵入寇,汴京被围,种师道与姚平仲共同率兵勤王。据《宋史·种师道传》记载,姚平仲在这时曾产生过私心(这与他“气盛”的性格有关),他顾虑功劳将被种氏兄弟分去,因此不愿等援兵到后即急速发兵,企图偷营袭击金人,以获成功。结果被金兵发觉,平仲兵败而逃亡。陆游在这里,对于姚平仲似乎有点“为贤者讳”,所以隐去了上述急于求功的情节,只写了他“请出死士斫营擒虏帅以献”的壮举,而对他的偷袭失败又用了“连破两寨,而虏已夜徙去”来表示自己的惋惜之情。俗语曰“胜败乃兵家常事”,又曰“不以成败论英雄”。陆游对于姚平仲在这关键一仗的失利,大约就是抱着上述态度来看的,因此行文之中非但未加深责而反怀“遗憾”之感,这也反映了他对姚平仲的偏爱。第三件事则记述了姚平仲晚年的出世隐遁生活,言辞中间仍流露了他对这位“失败的英雄”之仰慕。文中记姚于兵败之后,不愿重见“江东父老”,于是骑一青骡亡命,一昼夜驰七百五十里,这多么富有传奇色彩!抵邓州,然后又入武关、至长安,再至四川青城山,最后隐遁于大面山的草莽间,得石穴以居。朝廷虽屡下诏书求其复出,然终不得。直到宋孝宗乾道、淳熙年间始重新出现,其时已八十余岁,而“紫髯郁然,长数尺,面奕奕有光,行不择崖堑荆棘，其速若奔马"，这就更加增添了传奇色彩。陆游在这第三件逸事的记述中，就由上文中的"遗憾"态度而转为"仰羡"的态度。所以综观全文，陆游在为姚平仲立传的过程中，不仅"简核有法"地记述了传主一生的重大事件，勾勒了他鲜明的人物性格和富有传奇性的人生经历，且还饱含了自己对于这位"失败的英雄"的赞美、同情、惋惜和仰羡之情。这样，就使文章达到了寓褒贬爱憎的主观态度于简洁有序的客观记叙之中，浑然统一，所以尽管它只是作者的"牛刀小试"，然亦足以"管中窥豹"地见出他的史家大手笔。

另外值得一提的是，陆游还曾为姚平仲写过一首诗："造物困豪杰，意将使有为。功名未足言，或作出世资。姚公勇冠军，百战起西陲。天方覆中原，殆非一木支。脱身五十年，世人识公谁？但惊山泽间，有此熊豹姿。我亦志方外，白头未逢师。年来幸废放，倘遂与世辞，从公游五岳，稽首餐灵芝。金骨换绿髓，欻然松杪飞。"(《姚将军靖康初以战败亡命，建炎中下诏求之不可得，后五十年乃从吕洞宾、刘高尚往来名山，有见之者。予感其事，作诗寄题青城山上清宫壁间，将军傥见之乎》)相比之下，此诗的叙事成分就明显减少而感情色彩则相应增浓。但若把它与本文参读，就更可帮助我们理解陆游寓藏在这篇《小传》表面冷静客观的叙述之下的那一种深切景仰之情。

（杨海明）

祭朱元晦侍讲[①]文

原文

某有捐百身起九原之心，有倾长河注东海之泪。路修齿耄，神往形留。公殁不亡[②]，尚其来飨[③]。

〔注〕

① 朱元晦侍讲：朱熹(1130—1200)，字元晦，一字仲晦，祖居徽州婺源(今属江西)。曾任秘阁修撰等职，晚年除焕章阁待制、侍讲。

② 公殁不亡：指朱熹身虽殁而精神不死。《老子》三十三章："死而不亡者寿。"

③ 尚其来飨(xiǎng)：尚飨，语出《仪礼·士虞礼》，意为希望死者来享用祭品。尚，希望之意。飨，享用。

鉴赏

宋宁宗庆元六年(1200)三月，著名学者朱熹病逝。消息传来，作为朱熹生前之好友兼同志的陆游，怀着极度悲痛和敬仰之情，写下了这篇祭文。全文共三十五字，却寓托着真挚动人的感情，可谓尺幅千里，一字千金。

朱熹是一位集理学之大成的哲学家，又是一位爱国的文人。陆游和他交情甚笃。今检《剑南诗稿》，其中就有很多与朱交往之作。如淳熙八年(1181)《寄朱元晦提举》诗曰:“民望甚饥渴,公行胡滞留?征科得宽否?尚及麦禾秋。”这是盼望朱熹能为百姓“宽政”而早日赴任。又如淳熙十年《寄题朱元晦武夷精舍》诗曰:“先生结屋绿岩边,读《易》悬知屡绝编。”这是赞扬朱熹的苦学精神。而朱熹对于陆游,也是深怀好感的。他在庆元三年作《题严居厚溪庄图》诗,诗曰:“平日生涯一短篷,只今回首画图中。平章个里无穷事,要见三山老放翁。”表达了要与放翁作伴的意愿。陆游读后,特为此“次韵”作答:“鹤俸元知不疗穷,叶舟还入乱云中。溪庄直下秋千顷,赢取闲身伴钓翁。”也表示了与朱熹相同的志趣。

但是,就在上述朱、陆以诗唱和之后三年,朱熹却遽然病逝了。而且,由于当时的南宋朝廷正由韩侂胄掌权,而韩一向视程朱理学为“伪学”,屡次下令禁止,故而朱熹死后竟下令不准朱的门徒为之送葬,弄得朱熹身后十分冷清。然而,就在这种“举世皆非之”的情况下,却有两位伟大的爱国者敢于挺身而出,以自己的诗、文、词来凭吊朱熹,这也算得上是朱熹极大的安慰了。其中一位是辛弃疾,据《宋史》本传记载:“熹殁,伪学禁方严,门生故旧至无送葬者。弃疾为文往哭之,曰:‘所不朽者,垂万世名。孰谓公死,凛凛犹生。’”他还作《感皇恩》一词,赞扬朱熹犹如当年的扬雄一样,人虽殁而文章名声将永垂后世:“子云何在?应有《玄经》遗草。江河流日夜,何时了。”另一位就是陆游,其时年已七十六岁而身居山阴乡间,闻讯后也写了这篇纸短情长的祭文,以表达他对死者的敬仰与悼念。

《文心雕龙·哀吊》说:哀吊一类文字,若“奢体为辞,则虽丽不哀;必使情往会悲,文来引泣,乃其贵耳”。也就是说,这类文字,所贵者在于具有真实的感情,这样才能"文来引泣",激起读者的共鸣。陆游此文,确实是从心中"流"出来的,极其沉挚,极其真诚。你看他劈头两句:"某有捐百身起九原之心,有倾长河注东海之泪。"便倾吐发自深心的一片挚情。《诗经·秦风·黄鸟》:"苟可赎兮,人百其身。"《礼记·檀弓下》:"赵文子与叔誉观乎九原,文子曰:'死者如可作也,吾谁与归?'"陆游首句用此两典,意谓:我宁愿死一百次,只要能使亡友复起于地下,心就足矣!这里表现了多么深沉的悲痛和多么真诚的崇敬!但事实却又做不到这点,所以他就只能像顾恺之拜桓温墓时那样,"泪如倾河注海"(见《世说新语·言语》)了。这劈头两句,气势充沛,对仗浑然,"捐""起""倾""注"四个动词又富有力度,故能一气旋折地倾吐出郁积于肺腑的心声。接着又是两句对仗句:"路修齿耄,神往形留。"进一步表达了自己的伤悼。"路修"指路远,"齿耄"指年老,所以不能亲身临吊,只能"神往形留"了。这两句抒发了"我欲从公"而不能的悲哀,从另一方面写出对朱的敬仰。越是这种"谈心"式的披露,越使人读后倍增其哀伤,真所谓"情往会悲,文来引泣"。至结尾则先宕开一笔:"公殁不亡",赞扬朱熹的身体虽殁而精神不死;其后即戛然中止:"尚其来飨"。以传统的祭文方式("呜呼哀哉,伏惟尚飨")来作结束。这样,全文虽只短短六句,然而依仗其真挚感人的深情,和那富有形象性的语言,作者就给我们勾勒了他的"自我画像":一位头童齿豁、白发苍苍的老翁,正颤颤巍巍地走向祭台,为他的亡友一洒其同情伤悼之老泪;而透过这层,人们又不难窥见他自身所深怀的"此身谁料,心在天山,身老沧洲"(《诉衷情》)的无限悲怆。

（杨海明）

马从一

原文

绍圣、元符[①]之间，有马从一者，监南京排岸司[②]。适漕使至，随众迎谒。漕一见怒甚，即叱之曰："闻汝不职，正欲按汝，何以不亟去？尚敢来见我耶！"从一皇恐，自陈湖湘人，迎亲窃禄，求哀不已。漕察其语南音也，乃稍霁威云："湖南亦有司马氏乎？"从一答曰："某姓马，监排岸司耳。"漕乃微笑曰："然则勉力职事可也。"初盖误认为温公[③]族人，故欲害之。自是从一刺谒，但称"监南京排岸"而已。传者皆以为笑。

〔注〕

① 绍圣、元符：北宋哲宗年号，公元1094—1100年。
② 排岸司：宋官署名。
③ 温公：即司马光（1019—1086）。卒后赠太师、温国公，故有此称。

鉴赏

本篇出自《老学庵笔记》。

有宋一代，士大夫多有营帮结党之好，于是党同伐异之风盛行，其中最为著名的是以王安石为代表的改革派和以司马光为代表的保守派之间的纷争和恩怨。直至二人死后，争斗仍未停息。到了宋哲宗绍圣(1094—1098)年间，改革党再次执政，保守党魁司马光被论以“诬谤先帝”之罪，追夺赠谥及官秩。与此同时，保守党人士也因此遭受人身迫害。本文所叙述的这个有趣故事就产生在这一背景下。

小说情节围绕马从一和漕使二人矛盾展开，是一个因错误而导致的喜剧。小说主人公马从一时任“监南京排岸司”之职，而其顶头上司漕使某误将马从一所任官职的末一字“司”字，下移至其姓中。于是，马从一便成了“司马从一”，不知不觉地同漕使所仇恨的司马光成了同宗。因此灾难骤然从天而降。马从一开始就遭到漕使声色俱厉的呵斥；接着又是审判式的盘问；最后，误会消除，皆大欢喜。马从一由无端招祸到释灾弭难，情势转变之速，可谓惊心动魄。

小说充满幽默、诙谐的喜剧情调。漕使之粗鄙、蛮横，马从一之恭顺、卑微构成了鲜明的对照，构成了一幅情趣盎然的官场喜剧图。

（刘水云）

附录

FULU

陆游生平与文学创作年表

纪　年	年岁	生平经历	主要作品	相关大事
宋徽宗宣和七年(1125)乙巳	1	十月十七日，陆宰携妻由寿春赴开封，公生于途中。		高祖轸，进士、吏部郎中、直昭文馆、知睦州、赠太傅；曾祖珪，国子博士、赠太傅；祖佃，礼部侍郎、尚书左丞、赠太师、封楚国公；父宰，转运副使、直秘阁、赠少傅。母唐氏，为唐介孙女，晁冲之甥女。 李纲四十三岁。曾幾四十二岁。陈与义三十六岁。岳飞二十三岁。 徽宗下诏禅位于太子桓，是为钦宗。辽亡。凡九帝，二百十年。
宋钦宗靖康元年(1126)丙午	2			徽宗出奔。钦宗以李纲为尚书右丞、东京留守。姚平仲袭金营失利。钦宗罢李纲，遣使求降。种师道病死。钦宗入金营。 范成大生。 周必大生。

续表

纪　年	年岁	生平经历	主要作品	相关大事
宋高宗建炎元年(1127)丁未	3			徽宗、钦宗及后妃宗室、官吏、内侍、宫女、伎乐工匠等被金人掳走,并被掳去礼器法物、天文仪器、书籍地图,库府积蓄为之一空。北宋亡。凡九帝,一百六十七年。
宋高宗建炎四年(1130)庚戌	6	入乡校读书,约在此年。		金人渡江,分两路南侵:一路自建康趋杭州,一路自洪州(治今南昌)趋潭州(治今长沙)。金人徙徽宗于五国城(今黑龙江省依兰县附近)。金立刘豫为齐帝。金纵秦桧南还,除礼部尚书。 朱熹生。
绍兴四年(1134)甲寅	10	从韩有功及从父陆彦远学。		岳飞复襄阳等六郡。
绍兴六年(1136)丙辰	12	已能为诗文,以门荫补为登仕郎。姨母为秦鲁国大长公主之媳,公随母往谒秦鲁国大长公主。		岳飞在襄阳置司。太行军首领梁青渡河南下投岳飞。

续表

纪　年	年岁	生平经历	主要作品	相关大事
绍兴七年(1137)丁巳	13	好读陶渊明诗，至忘寝食。		宋任秦桧为枢密使。高宗进驻建康。金废刘豫，取消伪齐政权。 吕祖谦生。 楼钥生。
绍兴九年(1139)己未	15	少年为学，慕吕本中。		岳飞上书反对宋金和议。
绍兴十年(1140)庚申	16	赴临安应试。		宋下令撤兵，刘锜、张俊、刘光世、杨沂中均退回江南，岳飞亦奉诏还武昌，所复地尽失。 李纲卒。 辛弃疾生。
绍兴十一年(1141)辛酉	17	喜读王维诗。		宋金达成和议。岳飞下狱被杀。
绍兴十二年(1142)壬戌	18	从曾幾游。		金释高宗母韦氏还宋，并还徽宗梓宫。宋以秦桧为太师、魏国公。
绍兴十三年(1143)癸亥	19	自山阴至临安应试。		蒙古渐强，取金二十余团寨。
绍兴十四年(1144)甲子	20	与唐氏成婚，当在此年。	作《司马温公布被铭》	宋江、浙、福建大水。

续表

纪　年	年岁	生平经历	主要作品	相关大事
绍兴十五年(1145)乙丑	21	朱敦儒来为浙东提刑。公少曾受知于朱氏,当即此时。		宋分经义、诗赋为两科以取士。
绍兴十八年(1148)戊辰	24	父宰卒,年六十一岁。		梁青卒。
绍兴二十年(1150)庚午	26	与王嵎、陈山,从兄升之等相过从。		金主亮杀太宗子宗本(阿鲁)等,凡杀太宗子孙七十余人。又以完颜杲久握兵权,杀杲父子。
绍兴二十一年(1151)辛未	27	曾幾寓居上饶茶山寺,来函致候,公寄诗酬谢。		金诏迁都燕京,调工匠修宫室。 韩世忠卒。
绍兴二十三年(1153)癸酉	29	陈之茂为两浙转运司考官,秦桧之孙赴锁厅试,而陈氏擢公为第一,触怒秦桧,几得祸。		张镃生。
绍兴二十四年(1154)甲戌	30	试礼部,因论恢复而触怒秦桧,复为秦桧所黜落。		刘过生。
绍兴二十五年(1155)乙亥	31	与前妻唐氏忍痛仳离后,再逢唐氏于沈园。	赋《钗头凤》	秦桧卒。

续表

纪　年	年岁	生平经历	主要作品	相关大事
绍兴二十六年(1156)丙子	32	曾幾改知台州，赋诗送之。	赋《送曾学士赴行在》	以沈该、万俟卨为宰相。汤思退知枢密院事。钦宗卒于金五国城。
绍兴二十七年(1157)丁丑	33		作《云门寿圣院记》	万俟卨卒。
绍兴二十八年(1158)戊寅	34	始出仕，为福州宁德县主簿。	赋《青玉案·与朱景参会北岭》	金营建汴京宫室。
绍兴二十九年(1159)己卯	35	调官为福州决曹。	赋《度浮桥至南台》	
绍兴三十年(1160)庚辰	36	正月，自福州北归。系官都下，交游颇广，与周必大甚投契。		叶义问、贺允中使金还，言金必败盟，高宗不听。
绍兴三十一年(1161)辛巳	37	官大理司直。	作《烟艇记》	完颜亮大举攻宋。完颜雍于东京辽阳府(治今辽宁辽阳)即帝位，改元大定，废完颜亮为海陵王。辛弃疾南归。
绍兴三十二年(1162)壬午	38	抗金名将刘锜卒，与周必大同作挽词。上《条对状》。以史浩、黄祖舜荐，得孝宗召见，赐进士出身。		高宗禅位。嗣子昚即位，为孝宗。

续表

纪年	年岁	生平经历	主要作品	相关大事
宋孝宗隆兴元年(1163)癸未	39	于政事堂起草中书省、枢密院与夏国书。后被贬,除左通直郎,通判镇江府,范成大、周必大、韩元吉等以诗送之。		宋孝宗命李显忠、邵宏渊率师渡淮,主动出击金军,初战告捷,后金军援兵至,败宋军于符离(今安徽宿州)。
隆兴二年(1164)甲申	40	到镇江通判任。	赋《水调歌头·多景楼》	张浚卒。宋金重订和议。
乾道元年(1165)乙酉	41	哀集与韩元吉唱和之作为《京口唱和集》,并作序。	赋《望江道中》《秋夜读书每以二鼓尽为节》	宋魏杞使金还,成"隆兴和议"。
乾道二年(1166)丙戌	42	在隆兴通判任。始卜居镜湖三山。	赋《鹧鸪天》(懒向青门学种瓜)	曾幾卒。
乾道三年(1167)丁亥	43	自名书室"可斋"。	赋《游山西村》	州县不许民户用会子输纳,致民间会子壅滞不行,价格甚低。
乾道五年(1169)己丑	45	以左奉议郎差通判夔州军州事。		以陈俊卿、虞允文为左、右相。
乾道六年(1170)庚寅	46	以诗投梁克家,志在从戎草檄,为国雪耻。 离山阴,赴夔州通判任。	赋《黄州》《晚泊》,作《入蜀记》	范成大使金求陵寝地,无成。 张孝祥卒。
乾道七年(1171)辛卯	47	系衔左奉议郎通判军州主管学事兼管内劝农事。	赋《木兰花·立春日作》	王十朋卒。

续表

纪　年	年岁	生平经历	主要作品	相关大事
乾道八年(1172)壬辰	48	为四川宣抚使王炎幕宾。后改除成都府安抚使司参议官。	赋《山南行》《归次汉中境上》《剑门道中遇微雨》	
乾道九年(1173)癸巳	49	摄知嘉州事。	赋《三月十七日夜醉中作》《醉中感怀》《胡无人》	
淳熙元年(1174)甲午	50	离嘉州,返蜀州任。冬,摄知荣州事。除夕,除朝奉郎成都府路安抚使司参议官兼四川制置使司参议官。	赋《长歌行》《秋夜怀吴中》	虞允文卒。
淳熙二年(1175)乙未	51	成都大阅,赋诗,叹此身为儒冠所误。	赋《成都大阅》	吕祖谦约陆九龄、陆九渊与朱熹会于信州(治今江西上饶)鹅湖寺,欲调和朱陆两家学术思想,无果。
淳熙三年(1176)丙申	52	主管台州桐柏山崇道观,领祠禄。	赋《春残》《月下醉题》《对酒》	汤邦彦使金求陵寝地,未果。
淳熙四年(1177)丁酉	53	差知叙州(治今四川宜宾)。	赋《江楼醉中作》《万里桥江上习射》《秋晚登城北门》《关山月》	宋令禁止两税浮收及预催夏税,时民间所输,常增一倍。
淳熙五年(1178)戊戌	54	秋抵杭州。除提举福建路常平茶盐公事。	作《天彭牡丹谱》,赋《舟中对月》《南定楼遇急雨》《楚城》《泊公安县》	以朱熹知南康军(次年开始修复白鹿洞书院)。 赐岳飞谥武穆。

续表

纪年	年岁	生平经历	主要作品	相关大事
淳熙六年(1179)己亥	55	改除朝请郎提举江南西路常平茶盐公事,赐绯鱼袋。	赋《弋阳道中遇大雪》《雪后苦寒行饶抚道中有感》	吕祖谦《宋文鉴》书成。
淳熙七年(1180)庚子	56	梦从驾亲征,尽复汉唐故地。	作《放翁自赞》,赋《五月十一日,夜且半,梦从大驾亲征,尽复汉唐故地,见城邑人物繁丽,云"西凉府也"。喜甚,马上作长句,未终篇而觉,乃足成之》	吏部尚书周必大除参知政事。
淳熙八年(1181)辛丑	57	除提举淮南东路常平茶盐公事,后为臣僚以"不自检饬,所为多越于规矩"论罢。	赋《大雪歌》《冬暖》	吕祖谦卒。
淳熙九年(1182)壬寅	58	除朝奉大夫主管成都府玉局观。周必大来函问候,朱熹亦有函至。	赋《夜泊水村》	周必大知枢密院事。
淳熙十年(1183)癸卯	59	领祠禄。为朱熹武夷精舍题诗。	赋《寄题朱元晦武夷精舍》《出塞曲》《感愤》	监察御史陈贾攻击道学。 岳珂生。
淳熙十一年(1184)甲辰	60		赋《塞上》《春夜读书感怀》《囚山》	李焘卒。 洪适卒。

续表

纪　年	年岁	生平经历	主要作品	相关大事
淳熙十二年(1185)乙巳	61		赋《病起》《山居戏题》《舟中感怀》	周必大为枢密使。
淳熙十三年(1186)丙午	62	与杨万里等唱和。	赋《临安春雨初霁》《秋兴》《书愤》《雪中忽起从戎之兴戏作四首》	金世宗命宰臣重视练兵。
淳熙十四年(1187)丁未	63	在严州任。刻成《剑南诗稿》二十卷,凡二千五百余首。	赋《官居书事》《秋夜登千峰榭待晓》《秋郊有怀》《书意》	周必大为右丞相。 施师点知枢密院事。 太上皇(高宗)崩。 韩元吉卒。 金世宗禁女真人改汉姓,并禁学南人衣装。
淳熙十五年(1188)戊申	64	任满,于七月十日还抵故乡。冬,除军器少监,入都。在朝多所论列。	作《跋李庄简公家书》	
淳熙十六年(1189)己酉	65	除朝议大夫、礼部郎中。七月,兼实录院检讨官。后为谏议大夫何澹所劾,罢官还乡。		宋孝宗禅位于光宗。
宋光宗绍熙元年(1190)庚戌	66	除中奉大夫,提举建宁府武夷山冲祐观。	赋《予十年间两坐斥,罪虽擢发莫数,而诗为首,谓之"嘲讽风月"。既还山,遂以"风月"名小轩,且作绝句》	

续表

纪年	年岁	生平经历	主要作品	相关大事
绍熙二年(1191)辛亥	67	于乡领祠禄。尤袤寄《资暇集》刻本至。	赋《书怀》《夜梦游骊山》《雨声》	知漳州朱熹奏经界为民间莫大之利。诏福建提点刑狱陈公亮与朱熹推行漳、泉、汀三州经界。
绍熙三年(1192)壬子	68	于乡领祠禄。封山阴县开国男，食邑三百户。十一月，奉祠再领冲祐观。	赋《读史有感》《九月一日夜读诗稿有感走笔作歌》《秋夜将晓出篱门迎凉有感二首》《十一月四日风雨大作二首》	
绍熙四年(1193)癸丑	69	范成大卒，作挽词。周必大时有函至。	赋《枕上述梦》《岁晚》《初寒病中有感》	范成大卒。
绍熙五年(1194)甲寅	70	杨万里有诗至。尤袤卒，作祭文。祠禄满后，再领冲祐观。	赋《书室明暖，终日婆娑其间，倦则扶杖至小园，戏作长句二首》	宋寿皇(孝宗)崩。光宗不问丧事。赵汝愚以太皇太后吴氏(高宗后)旨，立太子扩，是为宁宗，尊光宗为太上皇帝。赵汝愚为右丞相，擢用朱熹等人，后朱熹因上疏忤韩侂胄罢侍讲。赵汝愚擢用人物陆续被贬黜。陈亮卒。
宋宁宗庆元元年(1195)乙卯	71	名读书室为"老学庵"，赋诗记之。程大昌卒，有挽诗。	赋《雨夜书感》《枕上偶成》《小舟游近村，舍舟步归四首》	韩侂胄斥"道学"为"伪学"。

续表

纪　年	年岁	生平经历	主要作品	相关大事
庆元二年(1196)丙辰	72	祠禄秩满，复领祠禄。	赋《七十二岁吟》《雨夜读书》《蹭蹬》，作《广德军放生池记》	赵汝愚卒。余端礼任左丞相，京镗任右丞相，郑侨知枢密院事，御史中丞何澹同知枢密院事。后以纠集党徒罪名，再罢斥朱熹及其门徒。
庆元三年(1197)丁巳	73	朱熹寄纸被，赋《谢朱元晦寄纸被》二首致谢。	赋《北望》《感怀》《雪夜感旧》	郑侨罢。以谢深甫兼知枢密院事。籍"伪学"赵汝愚、朱熹、吕祖泰、蔡元定等五十九人。陈居仁卒。
庆元四年(1198)戊午	74	祠禄秩满，不复请。	赋《感旧》	加韩侂胄少傅，赐玉带。
庆元五年(1199)己未	75	居乡里。	赋《沈园二首》《雨闷示儿子》《暮秋遣兴》	京镗、何澹知韩侂胄厌学禁，使言官上疏，给"伪学之徒"能悔改者以祠禄，自此党禁渐弛。
庆元六年(1200)庚申	76	居乡里。系衔中大夫直华文阁致仕，赐紫金鱼袋。朱熹卒，为文祭之。	赋《凄凄行》《观运粮图》《斋中杂兴》《西村》	太上皇(光宗)崩。加韩侂胄太傅。
嘉泰元年(1201)辛酉	77	自十七八岁学作诗，已有六十年，得诗万篇。	赋《春日杂题》《追感往事》，作《跋王右丞集》	临安大火四日，焚毁民房五万三千余家。

续表

纪　年	年岁	生平经历	主要作品	相关大事
嘉泰二年(1202)壬戌	78	春,有感于近年党祸,作《跋欧阳文忠公疏草》《跋东坡谏疏草》。五月,朝廷以孝宗、光宗两朝实录及三朝史未就,宣召以原官提举佑神观兼实录院同修撰兼同修国史,免奉朝请。六月入都。十二月,除秘书监。	赋《自述》《雨夜观史》《杂兴》	加韩侂胄太师。韩侂胄多擢用主张恢复之士。洪迈卒。
嘉泰三年(1203)癸亥	79	正月,除宝谟阁待制,举从政郎曾黯自代。四月,上《孝宗实录》五百卷、《光宗实录》一百卷,以进书毕,上疏请守本官致仕,不允,再上札子,始得敕,除提举江州太平兴国宫。五月,去国。辛弃疾欲为筑舍,辞之而止。转太中大夫,有谢表及辞免状。	作《梅圣俞别集序》	
嘉泰四年(1204)甲子	80	居乡里。宋室有伐金之议,公已闻知,其热烈心情,于诗作中屡有反映。周必大卒,为文祭之。	赋《闻虏乱次前辈韵》《壮士吟次唐人韵》	韩侂胄准备发动对金战争。周必大卒。

续表

纪　年	年岁	生平经历	主要作品	相关大事
开禧元年（1205）乙丑	81	居乡里。贫甚。秋，闻军旅北上，渴盼功成。	赋《自开岁阴雨连日未止》《读唐书忠义传》《秋夜思南郑军中》	宋廷下诏加强战备。 袁枢卒。
开禧二年（1206）丙寅	82	于诗中屡屡歌颂抗金义举，且有老不能从之叹。子遹编成《剑南诗续稿》四十八卷。	赋《东篱》《二月一日夜梦》《观邸报感怀》《感中原旧事戏作》	宋下诏伐金。金仆散揆退屯下蔡（今安徽凤台），遣使与宋议和。刘过卒。杨万里卒。
开禧三年（1207）丁卯	83	晋封渭南伯，并刻渭南伯印。	赋《禹祠》《书村落间事》《春晚即事》《秋日村舍》	宋礼部侍郎史弥远与杨后谋，杀韩侂胄向金求和。 辛弃疾卒。
嘉定元年（1208）戊辰	84	以诗寄赵蕃，悼及辛弃疾。	赋《题幽居壁》《思夔州》《海棠歌》《感事六言》《读近人诗》	宋金成嘉定和议。
嘉定二年（1209）己巳	85	被劾，落宝谟阁待制。临终，赋《示儿》："死去元知万事空，但悲不见九州同。王师北定中原日，家祭无忘告乃翁。"十二月二十九日逝世。	赋《赏小园牡丹有感》《雨后殊有秋意》，作《跋傅给事帖》	以楼钥为参知政事，章良能同知枢密院事。

（北　渚）

图书在版编目(CIP)数据

陆游诗文鉴赏辞典：特装本 / 上海辞书出版社文学鉴赏辞典编纂中心编. —上海：上海辞书出版社，2024

ISBN 978-7-5326-6217-3

Ⅰ. ①陆… Ⅱ. ①上… Ⅲ. ①陆游(1125-1210)-宋诗-诗歌欣赏-词典②陆游(1125-1210)-古典散文-文学欣赏-词典 Ⅳ. ①I206.2-61

中国国家版本馆 CIP 数据核字(2024)第 093187 号

封面绘图　陈家泠

陆游诗文鉴赏辞典(特装本)

上海辞书出版社文学鉴赏辞典编纂中心　编

责任编辑　祝云赛
装帧设计　姜　明
责任印制　楼微雯

出版发行　上海世纪出版集团
上海辞书出版社®(www.cishu.com.cn)
地　　址　上海市闵行区号景路 159 弄 B 座(邮政编码：201101)
印　　刷　山东韵杰文化科技有限公司
开　　本　635 毫米×965 毫米　1/16
印　　张　22.25
字　　数　245 000
版　　次　2024 年 7 月第 1 版　2024 年 7 月第 1 次印刷
书　　号　ISBN 978-7-5326-6217-3/I・578
定　　价　65.00 元

本书如有质量问题，请与承印厂联系。电话：0533-8510898